FRENCH REVOLUTION
Documents 1789-94

FRENCH REVOLUTION

DOCUMENTS 1789-94

EDITED BY J. M. THOMPSON, F.B.A.
Honorary Fellow of Magdalen College, Oxford

BASIL BLACKWELL
OXFORD
1948

First printed 1933
Reprinted 1948

*Printed in Great Britain by
Billing and Sons Ltd., Guildford and Esher*

INTRODUCTORY NOTE

THIS collection of documents has been made for *The French Revolution*, 1789–94, which reappears in a revised form, after some twenty years' absence, among the Special Subjects of the Honour School of Modern History. The editor's aim has been to reprint such documents as may reasonably be required of those who have only a short time at their disposal, and need to spend it, within the limits of the School, and in relation to the other prescribed authorities, in going behind the histories of the period to the original sources from which they are derived.

Most of the documents have been printed from the *Histoire Parlementaire* of Buchez and Roux, and collated with the *Procès-Verbal* of the three Assemblies, or with other contemporary authorities. With the exception of a very few unimportant omissions, marked with . . . , all the documents are printed in full. No attempt has been made to introduce them, or annotate them; but references have been given to the relevant pages in some standard books which are generally accessible. Special attention may be called to Mr. Wickham Legg's *Select Documents*, of which the present collection is a modest and grateful heir.

REFERENCES

Lord *Acton*. 'Lectures on the French Revolution,' ed. 1925.

A. *Aulard*. 'Histoire politique de la Révolution française,' ed. 1921 (E.T., 4 vols., ed. 1910).

Buchez and Roux. 'Histoire parlementaire de la Révolution française,' ed. 1834.

C.M.H. 'Cambridge Modern History,' Vol. VIII, ed. 1904.

J. *Jaurès*. 'Histoire socialiste de la Révolution française,' ed. Mathiez, 1922.

E. *Lavisse*. 'Histoire de France contemporaine':
Tom. I. La Révolution (1789–92), ed. 1920.
Tom. II. La Révolution (1792–99), ed. 1920.

INTRODUCTORY NOTE

L. G. Wickham *Legg*. 'Select Documents illustrative of the French Revolution,' 2 vols., ed. 1905.

L. *Madelin*. 'La Révolution française,' ed. 1912 (E.T., ed. 1928).

A. *Mathiez*. 'La Révolution française,' 3 vols., ed. 1922–27 (E.T., ed. 1921).

CONTENTS

vii

CONTENTS

CONTENTS

I

LETTRE DU ROI POUR LA CONVOCATION DES ÉTATS-GÉNÉRAUX A VERSAILLES LE 27 AVRIL, 1789

DE par le roi,
Notre amé et féal, nous avons besoin du concours de nos fidèles sujets pour nous aider à surmonter toutes les difficultés où nous nous trouvons relativement à l'état de nos finances, et pour établir, suivant nos vœux, un ordre constant et invariable dans toutes les parties du gouvernement qui intéressent le bonheur de nos sujets et la prospérité de notre royaume. Ces grands motifs nous ont déterminé à convoquer l'assemblée des États de toutes les provinces de notre obéissance, tant pour nous conseiller et nous assister dans toutes les choses qui seront mises sous ses yeux, que pour nous faire connaître les souhaits et les doléances de nos peuples; de manière que, par une mutuelle confiance et par un amour réciproque entre le souverain et ses sujets, il soit apporté le plus promptement possible un remède efficace aux maux de l'Etat, et que les abus de tout genre soient réformés, et prévenus par de bons et solides moyens qui assurent la félicité publique, et qui nous rendent à nous particulièrement le calme et la tranquillité dont nous sommes privés depuis si long-temps.

A ces causes, nous vous avertissons et signifions que notre volonté est de commencer à tenir les États libres et généraux de notre royaume, au lundi 27 avril prochain, en notre ville de Versailles, où nous entendons et désirons que se trouvent aucuns des plus notables personnages de chaque province, bailliage et sénéchaussée. Et pour cet effet, vous mandons et très-expressément enjoignons qu'incontinent la présente reçue, vous ayez à convoquer et assembler en notre ville de Paris, dans le plus bref temps que faire se pourra, pour conférer et pour communiquer ensemble, tant des remontrances, plaintes et doléances, que des moyens et avis qu'ils auront à proposer en l'assemblée générale de nosdits États;

et ce fait, élire, choisir et nommer des députés de chaque ordre, tous personnages dignes de cette grande marque de confiance, par leur intégrité et par le bon esprit dont ils seront animés; lesquelles convocations et élections seront faites dans les formes prescrites pour tout le royaume, par le réglement du 24 janvier, annexé aux présentes lettres; et seront, lesdits députés, munis d'instructions et pouvoirs généraux, et suffisans pour proposer, remontrer, aviser et consentir tout ce qui peut concerner les besoins de l'Etat, la réforme des abus, l'établissement d'un ordre fixe et durable dans toutes les parties de l'administration, la prospérité générale de notre royaume, et le bien de tous et de chacun de nos sujets; les assurant que de notre part ils trouveront toute bonne volonté et affection pour maintenir et faire exécuter tout ce qui aura été concerté entre nous; et lesdits États, soit relativement aux impôts qu'ils auront consentis, soit pour l'établissement d'une règle constante dans toutes les parties de l'administration et de l'ordre public, leur promettant de demander et d'écouter favorablement leurs avis sur tout ce qui peut intéresser le bien de nos peuples, et de pourvoir sur les doléances et propositions qu'ils auront faites, de telle manière que notre royaume et tous nos sujets en particulier ressentent pour toujours les effets salutaires qu'ils doivent se promettre d'une telle et si noble assemblée.

Donné à Versailles le 28 mars 1789.

Signé Louis.

[*Acton*, 39 f.; *Aulard*, 30 (*I*, 129); *C.M.H.*, 121; *Mathiez*, *I*, 44 (36). *Text from Buchez and Roux*, *I*, 197–9.]

2

EXTRAIT DU CAHIER DU TIERS-ÉTAT DE LA VILLE DE PARIS

L'ASSEMBLÉE générale des électeurs du tiers-état de la ville de Paris, avant de procéder aux choix de ses représentans, et de les revêtir de ses pouvoirs, doit exprimer ses regrets sur une convocation trop tardive, qui l'a forcée de précipiter ses opérations.

Comme Français, les électeurs s'occuperont d'abord des droits et des intérêts de la nation; comme citoyens de Paris, ils présenteront ensuite leurs demandes particulières.

L'instruction qu'ils vont confier au patriotisme et au zèle de leurs représentans, se divise naturellement en six parties : la première portera sur la constitution; la seconde sur les finances; la troisième sur l'agriculture, le commerce et la juridiction consulaire; la quatrième sur la religion, le clergé, l'éducation, les hôpitaux et les mœurs; la cinquième, sur la législation; la sixième, sur les objets particuliers à la ville de Paris.

Observations préliminaires

Nous prescrivons à nos représentans de se refuser invinciblement à tout ce qui pourrait offenser la dignité de citoyens libres, qui viennent exercer les droits souverains de la nation.

L'opinion publique paraît avoir reconnu la nécessité de la délibération par tête, pour corriger les inconvéniens de la distinction des ordres, pour faire prédominer l'esprit public, pour rendre plus facile l'adoption des bonnes lois.

Les représentans de la ville de Paris se souviendront de la fermeté qu'ils doivent apporter sur ce point; ils la regarderont comme un droit rigoureux, comme l'objet d'un mandat spécial.

Il leur est enjoint expressément de ne consentir à aucun subside, à aucun emprunt, que la déclaration des droits de la nation ne soit passée en loi, et que les bases premières de la constitution ne soient convenues et assurées.

Ce premier devoir rempli, ils procéderont à la vérification de la dette publique et à sa consolidation.

Ils demanderont que tout objet d'un intérêt majeur soit mis deux fois en délibération, à des intervalles proportionnés à l'importance des questions, et ne puisse être décidé que par la pluralité absolue des voix, c'est-à-dire par plus de la moitié des suffrages.

Déclaration des droits

Dans toute société politique, tous les hommes sont égaux en droits.

Tout pouvoir émane de la nation, et ne peut être exercé que pour son bonheur.

La volonté générale fait la loi; la force publique en assure l'exécution.

La nation peut seule concéder le subside; elle a le droit d'en déterminer la quotité, d'en limiter la durée, d'en faire la répartition, d'en assigner l'emploi, d'en demander le compte, d'en exiger la publication.

Les lois n'existent que pour garantir à chaque citoyen la propriété de ses biens et la sûreté de sa personne.

Toute propriété est inviolable. Nul citoyen ne peut être arrêté ni puni que par un jugement légal.

Nul citoyen, même militaire, ne peut être destitué sans un jugement.

Tout citoyen a le droit d'être admis à tous les emplois, professions et dignités.

La liberté naturelle, civile, religieuse de chaque homme; sa sûreté personnelle, son indépendance absolue de toute autre autorité que celle de la loi, excluent toute recherche sur ses opinions, ses discours, ses écrits, ses actions, autant qu'ils ne troublent pas l'ordre public, et ne blessent pas les droits d'autrui.

En conséquence de la déclaration des droits de la nation, nos représentans demanderont expressément l'abolition de la servitude personnelle, sans aucune indemnité; de la servitude réelle, en indemnisant les propriétaires; de la milice forcée; de toutes commissions extraordinaires; de la violation de la foi publique dans les lettres confiées à la poste; et de tous les priviléges exclusifs, si ce n'est pour les inventeurs, à qui ils ne seront accordés que pour un temps déterminé.

Par une suite de ces principes, la liberté de la presse doit être accordée, sous la condition que les auteurs signeront leurs manuscrits; que l'imprimeur en répondra, et que l'un et l'autre seront responsables des suites de la publication.

La déclaration de ces droits naturels, civils et politiques, telle qu'elle sera arrêtée dans les États-Généraux, deviendra la charte nationale et la base du gouvernement français.

CAHIER DE PARIS

Constitution

Dans la monarchie française, la puissance législative appartient à la nation, conjointement avec le roi; au roi seul appartient la puissance exécutrice.

Nul impôt ne peut être établi que par la nation.

Les États-Généraux seront périodiques de trois ans en trois ans, sans préjudice des tenues extraordinaires.

Ils ne se sépareront jamais sans avoir indiqué le jour, le lieu de leur prochaine tenue, et l'époque de leurs assemblées élémentaires qui doivent procéder à de nouvelles élections.

Au jour fixé, ces assemblées se formeront sans autre convocation.

Toute personne qui sera convaincue d'avoir fait quelque acte tendant à empêcher la tenue des États-Généraux, sera déclarée traître à la patrie, coupable du crime de lèse-nation, et punie comme telle par le tribunal qu'établiront les États-Généraux actuels.

L'ordre et la forme de la convocation et de la représentation nationale seront fixés par une loi.

En attendant l'union si désirable des citoyens de toutes les classes en une représentation et délibération commune et générale, les citoyens du tiers-état auront au moins la moitié des représentans.

Il ne sera nommé, dans l'intervalle des États-Généraux, aucune commission revêtue de pouvoirs quelconques, mais seulement des bureaux de recherche et d'instruction, sans autorité, même provisoire, pour se procurer des renseignemens utiles, et préparer le travail des États-Généraux subséquens. Nos représentans appuieront la demande de la colonie de Saint-Domingue, d'être admise aux États-Généraux: ils demanderont que les députés des autres colonies soient également admis, comme étant composées de nos frères, et comme devant participer à tous les avantages de la constitution française.

Dans l'intervalle des tenues d'États-Généraux, il ne pourra être fait que des réglemens provisoires pour l'exécution de ce qui aura été arrêté dans les précédens États-Généraux, et ces réglemens ne pourront être érigés en lois que dans les États-Généraux subséquens.

5

La personne du monarque est sacrée et inviolable. La succession au trône est héréditaire dans la race régnante, de mâle en mâle, par ordre de primogéniture, à l'exclusion des femmes ou de leurs descendans, tant mâles que femelles, et ne peut échoir qu'à un prince né français en légitime mariage, et régnicole.

A chaque renouvellement d'époque, les députés aux derniers États-Généraux se rassembleront de droit, et sans autre convocation. La régence, dans tous les cas, ne pourra être conférée que par eux.

Les États-Généraux actuels décideront à qui appartiendra par provision, et jusqu'à la tenue des États-Généraux, l'exercice de la régence, dans tous les cas oú il pourra y avoir lieu de la conférer.

A chaque renouvellement de règne, le roi prêtera à la nation, et la nation au roi, un serment, dont la formule sera fixée par les États-Généraux actuels.

Aucun citoyen ne pourra être arrêté, ni son domicile violé, en vertu de lettres de cachet, ou de tout autre ordre émané du pouvoir exécutif, à peine, contre toutes personnes qui les auraient sollicitées, contresignées, exécutées, d'être poursuivies extraordinairement, et punies de peine corporelle, sans préjudice des dommages et intérêts, pour lesquels elles seront solidaires envers les parties.

Les mêmes peines auront lieu contre quiconque aura sollicité, accordé ou exécuté des arrêts du propre mouvement.

Les ministres, ordonnateurs, administrateurs en chef de tous les départemens, seront responsables, envers la nation assemblée en États-Généraux, de toute malversation, abus de pouvoir, et mauvais emploi de fonds.

Tout le royaume sera divisé en assemblées provinciales, formées de membres de la province, librement élus dans toutes les classes, et d'après la proportion qui sera réglée.

L'administration publique, en tout ce qui concerne la répartition, la perception des impôts, l'agriculture, le commerce, les manufactures, les communications, les divers genres d'améliorations, l'instruction, les mœurs, sera confiée aux assemblées provinciales.

6

Les villes, les bourgs et villages auront des municipalités électives, auxquelles appartiendra pareillement l'administration de leurs intérêts locaux.

Les assemblées provinciales et les municipalités ne pourront ni accorder des subsides, ni faire des emprunts. Tous les membres qui les composeront seront pareillement responsables de toute délibération qu'ils auraient prise à cet égard.

Le pouvoir judiciaire doit être exercé en France, au nom du roi, par des tribunaux composés de membres absolument indépendans de tout acte du pouvoir exécutif.

Tout changement dans l'ordre et l'organisation des tribunaux ne peut appartenir qu'à la puissance législative.

Les nobles pourront, sans dérogeance, faire le commerce, et embrasser toutes les professions utiles.

Il n'y aura plus aucun anoblissement, soit par charge, soit autrement.

Il sera établi par les États-Généraux, une récompense honorable et civique, purement personnelle, et non héréditaire, laquelle, sur leur présentation, sera déférée, sans distinction, par le roi, aux citoyens de toutes les classes qui l'auront méritée par l'éminence de leurs vertus patriotiques, et par l'importance de leurs services.

Les lois formées dans les États-Généraux seront, sans délai, inscrites sur les registres des cours supérieures, et de tous les autres tribunaux du royaume comme aussi sur les registres des assemblées provinciales et municipales, et elles seront publiées et exécutées dans tout le royaume.

La constitution qui sera faite dans les États-Généraux actuels, d'après les principes que nous venons d'exposer, sera la propriété de la nation, et ne pourra être changée ou modifiée que par le pouvoir constitutif, c'est-à-dire, par la nation elle-même, ou par ses représentans, qui seront nommés *ad hoc* par l'universalité des citoyens, uniquement pour travailler au complément et au perfectionnement de cette constitution.

La charte de la constitution sera gravée sur un monument public élevé à cet effet. La lecture en sera faite en présence du roi à son avénement au trône, sera suivie de son serment, et la copie insérée dans le procès-verbal de la prestation de ce serment. Tous les dépositaires du pouvoir exécutif, soit civil, soit militaire, les magistrats des tribunaux supérieurs et inférieurs, les officiers de toutes les municipalités du royaume, avant d'entrer dans l'exercice des fonctions qui leur seront confiées, jureront l'observation de la charte nationale. Chaque année, et au jour anniversaire de sa sanction, elle sera lue et publiée dans les églises, dans les tribunaux, dans les écoles, à la tête de chaque corps militaire et sur les vaisseaux, et ce jour sera un jour de fête solennelle dans tous les pays de la domination française.

Finances

Art. Ier. Tous les impôts qui se perçoivent actuellement, seront déclarés nuls et illégaux; et cependant, par le même acte, ils seront provisoirement rétablis, pour ne durer que jusqu'au jour qui aura été fixé par les États-Généraux pour leur cessation, et pour le commencement de la perception des subsides qu'ils auront librement établis.

II. La dette du roi sera vérifiée; et, après l'examen, consolidée et déclarée dette nationale; et pour faciliter son acquit, et en diminuer de poids, il sera arrêté que la nation rentrera dans les domaines engagés, vendus ou inféodés depuis 1566. A l'égard des échanges, les États-Généraux ordonneront la révision de ceux qui ne sont pas revêtus de toutes les formalités légales, pour prendre ensuite le parti qu'ils jugeront le plus avantageux à la nation sur ces échanges. . . .

III. Les habitans de la capitale déclarent renoncer expressément à leurs priviléges, soit sur les droits d'entrée des productions de leurs terres, soit sur les terrains de leurs habitations et jardins d'agrément, et de leur exploitation.

IV. Toute imposition distinctive quelconque, soit réelle ou personnelle, telle que taille, franc-fief, capitation, milice, corvée, logement des gens de guerre, et autres, sera supprimée et remplacée, suivant le besoin, en impôts généraux, supportés également par les citoyens, de toutes les classes.

V. Les traites ne seront perçues qu'à l'entrée du royaume, où les barrières seront reculées.

VI. Les États-Généraux s'occuperont essentiellement de la suppression des impôts désastreux des aides et gabelles, et des moyens de les remplacer.

Ils s'occuperont de la suppression de la ferme du tabac, et du remplacement en un autre impôt.

VII. Les États-Généraux, dans le remplacement net des impôts, s'occuperont principalement d'impositions directes, qui porteront sur tous les citoyens, sur toutes les provinces, et dont la perception sera la plus simple et la moins dispendieuse.

Agriculture

Art. Ier. Les États-Généraux sont spécialement et instamment invités par l'assemblée, à prendre, le plus tôt qu'il sera possible, en considération, la cherté actuelle des grains, à en rechercher attentivement la cause et les auteurs, et à s'occuper des moyens d'y remédier efficacement, et pour toujours.

II. Les États-Généraux prendront en considération les moyens d'assurer la propriété des communaux, et d'améliorer le produit.

III. Les États-Généraux prendront en considération le desséchement des marais.

IV. Les États-Généraux prendront en considération les moyens d'opérer la destruction des pigeons, qui sont le fléau de l'agriculture.

V. Tout propriétaire aura le droit d'enclore son héritage d'y cultiver tous les végétaux qu'il jugera à propos, et d'y fouiller toutes les mines et carrières qui s'y trouveront.

VI. Les capitaineries s'étendent sur quatre cents lieues carrées, et peut-être plus: elles sont un fléau continuel de l'agriculture. La liberté, la propriété, y sont dégradées et, anéanties: les bêtes y sont préférées aux hommes, et la force y contrarie sans cesse les bienfaits de la nature.

Les députés seront spécialement chargés de demander la totale abolition des capitaineries; elles sont, dans leur établissement, tellement en opposition à tout principe de morale, qu'elles ne peuvent être tolérées, sous prétexte d'adoucissement dans leur régime.

VII. Il est du droit naturel que tout propriétaire puisse
détruire sur son héritage le gibier et les animaux qui peuvent
être nuisibles. A l'égard du droit de chasse, et des moyens
qu'on peut employer, soit pour la suppression, soit pour la
sonservation de ce droit, en supprimant les abus d'une
manière facile, l'assemblée s'en rapporte à la sagesse des
États-Généraux, etc.
(Suivent divers projets de réglement.)

Commerce

Art. Ier. Les différens traités de commerce faits entre la
France et les puissances étrangères, seront examinés par les
États-Généraux, pour en connaître et balancer les résultats
relativement à la France; et il ne pourra en être conclu aucun
à l'avenir, sans que le projet en ait été communiqué à toutes
les chambres de commerce du royaume, et aux États-
Généraux.

II. Il sera établi dans les principales villes une chambre de
commerce, composée de vingt négocians, marchands,
fabricans, artistes-mécaniciens, artisans des plus recom-
mandables, au secrétariat de laquelle seront déposés toutes
les lois, réglemens, statuts et tarifs de France et de l'étranger,
concernant le commerce, ou qui pourront l'intéresser.

III. On affranchira les marchandises nationales, exportées
à l'étranger, de tout droit de sortie, et on assujétira les marchandises provenant des fabriques étrangères, à un droit
d'entrée dans le royaume, relatif à leur nature et à leur valeur.

IV. On défendra la sortie hors le royaume des matières
premières propres à nos manufactures, et on exemptera de
droits les matières premières propres à nos manufactures,
venant de l'étranger.

V. On demandera qu'il soit accordé des primes aux marchandises de nos fabriques qui seront exportées chez
l'étranger.

VI. La disette de bois exige que l'exploitation des mines
de tourbe et de charbon de terre soit encouragée.

VII. On proposera aux États-Généraux de déterminer s'il
convient, pour le plus grand avantage du commerce, de se
conformer rigoureusement aux réglemens faits pour les

manufactures, ou d'en modifier les dispositions, ou enfin d'accorder aux fabricans une liberté indéfinie.

VIII. Et dans le cas où cette liberté ne serait pas accordée, les inspecteurs et sous-inspecteurs des manufactures seront choisis par les chambres de commerce, à la pluralité des voix, et ils seront tenus d'y faire le rapport de leurs visites, toutes les fois qu'ils en seront requis.

IX. Tous les droits de péage, pontonage, et autres de cette nature, seront dès à présent supprimés provisoirement, sauf à rembourser les propriétaires fondés en titres constitutifs.

X. Les droits d'octrois des villes tant qu'ils subsisteront, ne pourront être perçus sur les marchandises en passe-debout, et ne pourront l'être que sur les objets de consommation des villes.

XI. L'impôt appelé *droit de marque* sur les cuirs, en détruisant en France les tanneries et le commerce de cuirs, nous force d'en tirer de l'étranger: il est nécessaire de supprimer cet impôt, ainsi que celui de la marque sur les fers.

XII. Aucune refonte des monnaies, ni aucuns changemens dans le titre et dans la valeur, ne pourront être faits sans le consentement des États-Généraux.

XIII. On établira dans tout le royaume l'uniformité des poids et mesures, etc.

Juridiction consulaire, et objets y relatifs

Art. Ier. L'ordonnance de 1673 sera entièrement refondue, et il sera fait un code général pour le commerce. (Suivent des projets de réglement à cet égard.)

Religion, clergé, hôpitaux, éducation et mœurs

Art. Ier. La religion, nécessaire à l'homme, l'instruit dans son enfance, réprime ses passions dans tous les âges de la vie, le soutient dans l'adversité, le console dans la vieillesse. Elle doit être considérée dans ses rapports avec le gouvernement qui l'a reçue, et avec la personne qui la professe.

Ses ministres, comme membres de l'État, sont sujets aux lois; comme possesseurs de biens, sont tenus de partager toutes les charges publiques; comme attachés spécialement au culte divin, doivent l'exemple et la leçon de toutes les vertus.

II. La religion est reçue librement dans l'État, sans porter aucune atteinte à sa constitution. Elle s'établit par la persuasion, jamais par la contrainte.

III. La religion chrétienne ordonne la tolérance civile. Tout citoyen doit jouir de la liberté particulière de sa conscience; l'ordre public ne souffre qu'une religion dominante.

IV. La religion catholique est la religion dominante en France; elle n'y a été reçue que suivant la pureté de ses maximes primitives: c'est le fondement des libertés de l'église gallicane.

V. Que l'article II de l'ordonnance d'Orléans, qui défend tout transport de deniers à Rome, *sous couleur d'annate, vacans ou autrement*, soit exécuté selon sa forme et teneur.

VI. La juridiction ecclésiastique ne s'étend, en aucune manière, sur le temporel; son exercice extérieur est réglé par les lois de l'État.

VII. Que l'article V de l'ordonnance d'Orléans, sur la nécessité de la résidence des archevêques, évêques, abbés séculiers et réguliers, et curés soit observé, et qu'ils n'en soient jamais dispensés, même pour service à la cour ou dans les conseils du roi, mais seulement pour l'assistance aux conciles.

VIII. Que les chanoines soient pareillement tenus à residence dans leurs églises, et sous les mêmes peines.

IX. Que nul ecclésiastique pourvu de bénéfices, ou jouissant de pensions sur iceux, produisant 3 mille livres de revenu, ne puisse tenir aucun autre bénéfice ou pension.

X. Les vœux de religion qui seront faits à l'avenir ne lieront point les religieux et religieuses au monastère, et ne feront perdre aucun des droits civils. Ne pourront lesdits religieux et religieuses disposer de leurs biens mobiliers ou immobiliers en faveur desdits monastères, etc.

XI. Il sera établi dans les villages ayant plus de cent feux, un maître et une maîtresse d'école, pour donner des leçons gratuites à tous les enfans de l'un et de l'autre sexe, et une sœur de charité pour soigner les malades.

XII. Les fonds pour le paiement desdits maîtres et

12

maîtresses d'école, et sœurs de charité, approvisionnement
de livres et papiers pour l'école, fournitures gratuites de
médicamens pour les pauvres, seront pris par addition sur
les fonds destinés aux réparations des églises et presbytères.

XIII. Toutes les maisons de jeu et les loteries seront
supprimées comme contraires aux bonnes mœurs, et funestes
à toutes les classes de la société.

XIV. Les États-Généraux prendront en considération les
moyens d'opérer la réforme et la restauration des mœurs.

XV. Il est expressément défendu, sous la loi de l'honneur,
à tout député des États-Généraux d'accepter, soit pendant
leur tenue, soit dans les trois années qui suivent, aucunes
grâces, gratifications et pensions pour eux ou pour leurs
enfans.

Législation

Art. I⁽ᵉʳ⁾. L'objet des lois est d'assurer la liberté et la
propriété. Leur perfection est d'être humaines et justes,
claires et générales, d'être assorties aux mœurs et au caractère national, de protéger également les citoyens de toutes
les classes et de tous les ordres, et de frapper, sans distinction
de personnes, sur quiconque viole l'ordre public ou les droits
des individus.

II. Un assemblage informe de lois romaines et de cou-
tumes barbares, de réglemens et d'ordonnances sans rapport
avec nos mœurs, comme sans unité de principes, conçu dans
des temps d'ignorance et de trouble, pour des circonstances
et un ordre de choses qui n'existent plus, ne peut former une
législation digne d'une grande nation, éclairée de toutes les
lumières que le génie, la raison et l'expérience ont répandues
sur tous les objets.

III. Il sera donc proposé aux États-Généraux d'établir un
ou plusieurs comités, composés de magistrats, de juris-
consultes et de citoyens éclairés, choisis dans les différentes
classes de la nation, lesquels s'occuperont de refondre toutes
les lois anciennes et nouvelles, civiles et criminelles, et de
former autant qu'il sera possible, une loi universelle, qui
embrasse toutes les matières et gouverne toutes les propriétés et toutes les personnes soumises à la domination

française. Les États-Généraux recommanderont surtout à ces comités de travailler d'abord à la réformation et à la simplification de la procédure civile et criminelle.

IV. Et cependant, sans attendre la fin d'un travail qui sera nécessairement très-long, les États-Généraux s'occuperont dès à présent de la suppression des commissions du conseil, de celle des commissaires départis, des chambres ardentes, et successivement de tous les tribunaux d'exception, dont les fonctions reviendront aux tribunaux ordinaires.

V. Il sera choisi par les habitans, dans les arrondissemens de cinq ou six bourgs ou villages, un certain nombre de notables, honorés de la confiance publique, lesquels jugeront sur-le-champ, sans frais et sans appel, les contestations journalières qui s'élèvent dans les campagnes, à l'occasion des rixes, des petits vols de fruits, des dommages faits aux arbres et aux récoltes, du glanage, des anticipations et entreprises des laboureurs sur les héritages voisins, et toutes les causes qui n'excéderont pas vingtcinq liv. Les notables pourront juger sans appel toutes les autres contestations où les deux parties consentiront de s'en rapporter à leur arbitrage.

Les rapports des instances et procès ne pourront se faire qu'en présence des parties et de leurs défenseurs.

Les juges, même ceux des cours supérieures, seront tenus d'opiner à voix haute, soit dans les audiences, soit au rapport, et de motiver chacune des dispositions essentielles de leurs jugemens.

Les épices et vacations seront supprimées, sauf à pourvoir aux honoraires des juges; et l'arrêt du conseil qui commande aux juges de se taxer des épices, à peine d'amende, sera révoqué.

En matière criminelle

1° Aucun citoyen domicilié ne pourra être arrêté ni même obligé de comparaître devant aucun magistrat, sans un décret émané du juge compétent, excepté dans les cas où il aurait été pris en flagrant délit ou arrêté à la clameur publique par les gardes chargés de veiller à la sûreté et à la tranquillité publiques; et dans ce cas, le citoyen arrêté sera mene sur-le-champ, et dans les vingt-quatres heures au plus tard, devant le tribunal compétent, qui décernera un décret, s'il y a lieu, pour le constituer prisonnier; on le renverra, s'il n'y a aucune preuve de délit.

2° Nul citoyen ne pourra être décrété de prise de corps, que pour un délit qui emporte peine corporelle.

3° Tout accusé aura, même avant le premier interrogatoire, le droit de se choisir des conseils.

4° Le serment exigé des accusés étant évidemment contraire au sentiment naturel qui attache l'homme à sa propre conservation, n'est qu'une violence faite à la nature humaine, inutile pour découvrir la vérité, et propre seulement à affaiblir l'horreur du parjure. La raison et l'intérêt des mœurs exigent donc que ce serment soit supprimé.

5° La publicité des procédures criminelles, établie autrefois en France, et en usage dans tous les temps, chez presque toutes les nations éclairées, sera rétablie, et l'on fera désormais l'instruction, portes ouvertes, et l'audience tenant.

6° En matière criminelle, le jugement du fait sera toujours séparé du jugement du droit. L'institution des jurés, pour le jugement du fait, paraissant la plus favorable à la sûreté personnelle et à la liberté publique, les États-Généraux chercheront par quels moyens on pourrait adapter cette institution à notre législation.

7° Tous les tribunaux, sans distinction, seront tenus d'énoncer dans les arrêts et sentences de condamnation, sous peine de nullité, la nature du délit et les chefs de l'accusation, d'indiquer les preuves sur lesquelles ils auront prononcé leur ugement, et de citer le texte de la loi qui prononce la peine.

8° La législation, en établissant des peines contre le coupable qui aura violé la loi, doit aussi établir une réparation pour l'innocence injustement accusée. Ainsi, tout accusé déchargé des accusations intentées contre lui, pourra réclamer la publication et l'affiche du jugement, et des indemnités proportionnées au dommage qu'il aura souffert dans son honneur, sa santé ou sa fortune. Cette indemnité sera prise sur les biens des dénonciateurs ou accusateurs, et subsidiairement sur des fonds publics assignés pour cet objet.

9° La confiscation n'aura plus lieu ; les biens du condamné passeront aux héritiers, les frais et les dommages-intérêts pris sur iceux.

10° La modération des lois pénales caractérise la douceur des mœurs et la liberté des gouvernemens. L'observation a prouvé que l'extrême sévérité des peines a des effets directement contraires au but même de la loi ; qu'elle tend à endurcir les âmes et à rendre les mœurs cruelles, en familiarisant l'imagination avec des spectacles atroces ; qu'elle diminue l'horreur du crime, et en favorise souvent l'impunité, en excitant la compassion en faveur du criminel. Il sera donc fait une loi pour supprimer toute torture préalable à l'exécution, et tout supplice qui ajoute à la perte de la vie des souffrances cruelles et prolongées.

11° La peine de mort sera réduite au plus petit nombre de cas possibles, et réservée aux crimes les plus atroces.

12° Les coupables du même crime, de quelque classe qu'ils soient, subiront la même peine.

13° Les prisons, dans l'intention de la loi, étant destinées, non à punir les prisonniers, mais à s'assurer de leur personne, on supprimera partout les cachots souterrains ; on s'occupera des moyens de rendre l'intérieur des autres prisons plus salubre, et on veillera à l'exécution des réglemens relatifs à la police et aux mœurs des prisonniers.

Il sera établi des ateliers de travail dans les maisons de réclusion, ainsi que dans toutes les prisons oú cet établissement ne nuira point à la sûreté.

14° Toute partie, en matière civile, aura, de droit, la liberté de plaider sa cause elle-même ; en matière criminelle, chaque citoyen pourra se charger de plaider la cause de l'accusé.

15° L'usage de la sellette sera aboli.

16° Les États-Généraux prendront en considération le sort des esclaves noirs, ou hommes de couleur, tant dans les colonies qu'en France.

Municipalités

La ville de Paris, à raison de son étendue et de sa population, de son commerce et de son industrie, des deux excès de luxe et de détresse dont elle est le mélange, de sa richesse et de ses besoins multipliés et renaissans, du soin pénible et assidu de pourvoir à sa subsistance, est, sans comparaison, celle des villes du royaume qui exige l'administration la plus active et la plus vigilante, la plus sagement organisée et la mieux concertée dans tous ses mouvemens.

En conséquence, le tiers-état demande pour la ville de Paris une administration composée de membres librement élus par tous les citoyens, et renouvelés tous les trois ans, formée à l'instar des assemblées provinciales, chargée des mêmes fonctions, et ayant les mêmes rapports avec les États-Généraux, laquelle administration fera, suivant le régime qu'elle établira, les fonctions de corps municipal, et aura la gestion des propriétés de la ville, etc.

Les administrations provinciales, et particulièrement l'administration de Paris, examineront avec attention s'il convient de maintenir, réformer ou supprimer les corporations et jurandes.

Il sera pareillement renvoyé à l'assemblée de Paris l'examen de la question s'il convient de maintenir, réformer ou supprimer les priviléges des maisons du roi et des princes, et ceux des corps et des nations.

Que les États-généraux s'assemblent désormais à Paris, dans un édifice public destiné à cet usage.

Que sur le frontispice il soit écrit: *Palais des Etats-Généraux;* et que sur le sol de la Bastille détruite et rasée, on établisse une place publique, au milieu de laquelle s'élevera une colonne d'une architecture noble et simple, avec cette inscription: *A Louis XVI, restaurateur de la liberté publique.*

> *Signé* Target, président librement élu; Camus, second président, élu librement; Bailly, secrétaire, élu librement; Guillotin, second secrétaire, élu librement.

(Suivent les signatures des commissaires.)

[1789, '*Moniteur*,' *Introduction. Acton*, 51; *Aulard*, 31 (*I*, 130); *C.M.H.*, 134 *f.*; *Jaurès*, I, 190 *f.*; *Madelin*, 40, 142 (40); *Mathiez*, I, 46 (38). *Text from Buchez and Roux I*, 335–51.]

3

PREMIÈRE SÉANCE DES ÉTATS-GÉNÉRAUX: DISCOURS DU ROI, DU GARDE DES SCEAUX, ET DU DIRECTEUR-GÉNÉRAL DES FINANCES

M. LE grand-maître des cérémonies annonce d'un geste que le roi va parler. Le silence le plus profond succède aux acclamations qui se faisaient entendre. Sa majesté s'exprime en ces termes:

'Messieurs, ce jour que mon cœur attendait depuis longtemps est enfin arrivé, et je me vois entouré des représentans de la nation à laquelle je me fais gloire de commander.

'Un long intervalle s'était écoulé depuis la dernière tenue des États-Généraux; et quoique la convocation de ces assemblées parût être tombée en désuétude, je n'ai pas balancé à rétablir un usage dont le royaume peut tirer une nouvelle force, et qui peut ouvrir à la nation une nouvelle source de bonheur.

'La dette de l'État, déjà immense à mon avènement au trône, s'est encore accrue sous mon règne: une guerre dispendieuse, mais honorable, en a été la cause; l'augmentation des impôts en a été la suite nécessaire, et a rendu plus sensible leur inégale répartition.

'Une inquiétude générale, un désir exagéré d'innovations, se sont emparés des esprits, et finiraient par égarer totalement les opinions, si on ne se hâtait de les fixer par une réunion d'avis sages et modérés.

'C'est dans cette confiance, Messieurs, que je vous ai rassemblés, et je vois avec sensibilité qu'elle a déjà été justifiée par les dispositions que les deux premiers ordres ont montrées à renoncer à leurs priviléges pécuniaires. L'espérance que j'ai conçue de voir tous les ordres réunis de sentimens, concourir avec moi au bien général de l'État, ne sera point trompée.

'J'ai déjà ordonné dans les dépenses des retranchemens considérables. Vous me présenterez encore à cet égard des idées que je recevrai avec empressement; mais, malgré la ressource que peut offrir l'économie la plus sévère, je crains,

18

Messieurs, de ne pouvoir pas soulager mes sujets aussi promptement que je le désirerais. Je ferai mettre sous vos yeux la situation exacte des finances, et quand vous l'aurez examinée, je suis assuré d'avance que vous me proposerez les moyens les plus efficaces pour y établir un ordre permanent, et affermir le crédit public. Ce grand et salutaire ouvrage qui assurera le bonheur du royaume au-dedans et sa considération au-dehors, vous occupera essentiellement.

'Les esprits sont dans l'agitation; mais une assemblée des représentans de la nation n'écoutera sans doute que les conseils de la sagesse et de la prudence. Vous aurez jugé vous-mêmes, Messieurs, qu'on s'en est écarté dans plusieurs occasions récentes; mais l'esprit dominant de vos délibérations répondra aux véritables sentimens d'une nation généreuse, et dont l'amour pour ses rois a toujours fait le caractère distinctif: j'éloignerai tout autre souvenir.

'Je connais l'autorité et la puissance d'un roi juste au milieu d'un peuple fidèle et attaché aux principes de la monarchie: ils ont fait l'éclat et la gloire de la France; je dois en être le soutien et je le serai constamment.

'Mais tout ce qu'on peut attendre du plus tendre intérêt au bonheur public, tout ce qu'on peut demander à un souverain, le premier ami de ses peuples, vous pouvez, vous devez l'espérer de mes sentimens.

'Puisse, Messieurs, un heureux accord régner dans cette assemblée, et cette époque devenir à jamais mémorable pour le bonheur et la prospérité du royaume! c'est le souhait de mon cœur, c'est le plus ardent de mes vœux, c'est enfin le prix que j'attends de la droiture de mes intentions et de mon amour pour mes peuples.

'Mon garde-des-sceaux va vous expliquer plus amplement mes intentions; et j'ai ordonné au directeur-général des finances de vous en exposer l'état.'

Le discours du roi fut suivi de longs applaudissemens. Alors le roi s'étant assis sur son trône, se couvrit. Tous les gentilshommes suivirent son exemple. Quelques membres du Tiers commencèrent aussi à se couvrir; d'autres s'y opposèrent. De là une rumeur, au milieu de laquelle on n'entendait que ces mots: *couvrez-vous, découvrez-vous.*

Le roi, pour y mettre fin, se découvrit, et tout le monde l'imita.

M. le garde des-sceaux porte ensuite la parole. 'Messieurs, il est enfin arrivé ce beau jour si long-temps attendu, qui met un terme heureux à l'impatience du roi et de toute la France! Ce jour tant désiré va resserrer encore les nœuds de l'union entre le monarque et ses sujets; c'est dans ce jour solennel que sa majesté veut établir la félicité générale sur cette base sacrée, la liberté publique.

'Vous le savez, Messieurs, le premier besoin de sa majesté est de répandre des bienfaits; mais pour être une vertu royale, cette passion de faire des heureux doit prendre un caractère public, et embrasser l'universalité de ses sujets. Des grâces versées sur un petit nombre de courtisans et de favoris, quoique méritées, ne satisferaient pas la grande âme du roi.

'Depuis l'époque heureuse où le Ciel vous l'a donné pour maître, que n'a-t-il point entrepris, que n'a-t-il point exécuté pour la gloire et la prospérité de cet empire dont le bonheur reposera toujours sur la vertu de ses souverains. C'est la ressource des nations dans les temps les plus difficiles, et cette ressource ne peut manquer à la France sous le monarque citoyen qui la gouverne.

'N'en doutez pas, Messieurs, il consommera le grand ouvrage de la félicité publique. Depuis-long-temps ce projet était formé dans son cœur paternel; il en poursuivra l'exécution avec ette constance qui trop souvent n'est réservée qu'aux princes insatiables de pouvoir et de la vaine gloire des conquêtes.

'Qu'on se retrace tout ce qu'a fait le roi depuis son avènement au trône, et l'on trouvera dans cet espace assez court une longue suite d'actions mémorables. La liberté des mers et celle de l'Amérique assurées par le triomphe des armes que l'humanité réclamait; la question préparatoire proscrite et abolie, parce que les forces physiques d'un accusé ne peuvent être une mesure infaillible de l'innocence ou du crime; les restes d'un ancien esclavage détruits, toutes les traces de la servitude effacées, et l'homme rendu à ce droit sacré de la nature que la loi n'avait pu lui ravir, de succéder à son père, et de jouir en paix du fruit de son travail ; le commerce et les manufactures protégés, la marine régénérée, le port de Cherbourg créé, celui de Dunkerque rétabli, et la France ainsi délivrée de cette dépendance où des guerres malheureuses l'avaient réduite.

'Vos cœurs se sont attendris, Messieurs, au récit de la sage économie de sa majesté, et des sacrifices généreux dont elle a donné tant d'exemples récens, en supprimant, pour soulager son peuple, des dépenses que ses ancêtres avaient toujours crues nécessaires à l'éclat et à la dignité du premier trône de l'Univers.

'Cependant le long espace écoulé depuis les derniers États-Généraux, les troubles auxquels ils furent livrés, les discussions si souvent frivoles qui les prolongèrent, éveillaient la sagesse royale, et l'avertissaient de se prémunir contre de tels inconvéniens.

'En songeant à vous réunir, Messieurs, elle a dû se tracer un plan combiné qui ne pouvait admettre cette précipitation tumultueuse dont l'impatience irréfléchie ne prévoit pas tout le danger. Elle a dû faire entrer dans ce plan les mesures anticipées qui préparent le calme des décisions, et ces formes antiques qui les rendent légales.

'Le vœu national ne se manifestait point encore; sa majesté l'avait prévu dans sa sagesse. A peine ce vœu a-t-il éclaté, qu'elle s'empresse de le remplir, et les lenteurs que la prudence lui suggère ne sont plus que des précautions de sa bienfaisance toujours active, mais toujours prévoyante sur les véritables intérêts de ses peuples.

'Le roi a désiré connaître séparément leurs besoins et leurs droits. Les municipalités, les bailliages, les hommes instruits dans tous les états, ont été invités à concourir par leurs lumières au grand ouvrage de la restauration projetée. Les archives des villes et celles des tribunaux, tous les monumens de l'histoire étudiés, approfondis et mieux développés, leur ont ouvert des trésors d'instruction: de grandes questions se sont élevées, des intérêts opposés, toujours mal entendus quand ils se combattent en de pareilles circonstances, ont été discutés, débattus, mis dans un jour plus ou moins favorable: mais enfin un cri presque

général s'est fait entendre pour solliciter une double représentation en faveur du plus nombreux des trois ordres, de
celui sur lequel pèse principalement le fardeau de l'impôt.

'En déférant à cette demande, sa majesté, Messieurs, n'a
point changé la forme des anciennes délibérations; et
quoique celle par têtes, en ne produisant qu'un seul résultat,
paraisse avoir l'avantage de faire mieux connaître le désir
général, le roi a voulu que cette nouvelle forme ne puisse
s'opérer que du consentement libre des États-Généraux, et
avec l'approbation de sa majesté.

'Mais quelle que doive être la manière de prononcer sur
cette question, quelles que soient les distinctions à faire entre
les différens objets qui deviendront la matière des délibérations, on ne doit pas douter que l'accord le plus parfait ne
réunisse les trois ordres relativement à l'impôt.

'Puisque l'impôt est une dette commune des citoyens, une
espèce de dédommagement et le prix des avantages que la
société leur procure, il est juste que la noblesse et le clergé en
partagent le fardeau.

'Si des priviléges constans et respectés semblèrent autrefois soustraire les deux premiers ordres de l'État à la loi
générale, leurs exemptions, du moins pendant long-temps,
ont été plus apparentes que réelles.

'Dans des siècles où les églises n'étaient point dotées, où
on ne connaissait encore ni les hôpitaux, ni ces autres asyles
nombreux, élevés par la piété et la charité des fidèles, où les
ministres des autels, simples distributeurs des aumônes,
étaient solidairement chargés de la subsistance des veuves,
des orphelins, des indigens, les contributions du clergé
furent acquittées par ces soins religieux, et il y aurait eu une
sorte d'injustice à en exiger des redevances pécuniaires.

'Tant que le service de l'arrière-ban a duré, tant que les
possesseurs des fiefs ont été contraints de se transporter à
grands frais d'une extrémité du royaume à l'autre, avec leurs
armes, leurs hommes, leurs chevaux, leurs équipages de
guerre; de supporter des pertes souvent ruineuses, et quand
le sort des combats avait mis leur liberté à la merci d'un
vainqueur avare, de payer une rançon toujours mesurée sur
son insatiable avidité, n'était-ce donc pas une manière de

partager l'impôt, ou plutôt n'était-ce pas un impôt réel que ce service militaire que l'on a même vu plusieurs fois concourir avec des contributions volontaires?

'Aujourd'hui que l'église a des richesses considérables, que la noblesse obtient des récompenses honorifiques et pécuniaires, les possessions de ces deux ordres doivent subir la loi commune. Nous aimons à le répéter, leur acquiescement à cette loi eut, dans sa première forme, toute la vivacité de l'émulation, et prit tous les caractères de la loyauté, de la justice et du patriotisme.

'L'impôt, Messieurs, n'occupera pas seul vos délibérations. Mais pour ne point anticiper sur les objets de discussion qui partageront les momens consacrés à vos assemblées, il me suffira de vous dire que vous n'imaginerez pas un projet utile, que vous n'aurez pas une idée tendant au bonheur général, que sa majesté n'ait déjà conçus, ou dont elle ne désire fermement l'exécution.

'Au nombre des objets qui doivent principalement fixer votre attention, et qui déjà avaient mérité celle de sa majesté, sont les mesures à prendre pour la liberté de la presse; les précautions à adopter pour maintenir la sûreté publique, et conserver l'honneur des familles; les changemens utiles que peut exiger la législation criminelle, pour mieux proportionner les peines aux délits, et trouver dans la honte du coupable un frein plus sûr, plus décisif que le châtiment.

'Des magistrats dignes de la confiance du monarque et de la nation, étudient les moyens d'opérer cette grande réforme; l'importance de l'objet est l'unique mesure de leur zèle et de leur activité.

'Leurs travaux doivent embrasser aussi la procédure civile qu'il faut simplifier. En effet, il importe à la société entière de rendre l'administration de la justice plus facile, d'en corriger les abus, d'en restreindre les frais, de tarir surtout la source de ces discussions interminables qui trop souvent ruinent les familles, éternisent les procès, et font dépendre le sort des plaideurs du plus ou du moins d'astuce, d'éloquence et de subtilité des défenseurs ou de leurs adversaires. Il n'importe pas moins au public de mettre les justiciables à portée d'obtenir un prompt jugement; mais tous les efforts du génie et toutes les lumières de la science ne feraient qu'ébaucher cette heureuse révolution, si l'on ne surveillait avec le plus grand soin l'éducation de la jeunesse. Une attention exacte sur les études, l'exécution des réglemens anciens, et les modifications nécessaires dont ils sont susceptibles, peuvent seuls former des hommes vertueux, des hommes précieux à l'État, des hommes faits pour rappeler les mœurs à leur ancienne pureté, des citoyens, en un mot, capables d'inspirer la confiance dans toutes les places que la Providence leur destine.

'Sa majesté recevra avec intérêt, elle examinera avec l'attention la plus sérieuse, tout ce qui pourra concerner la tranquillité intérieure du royaume, la gloire du monarque et le bonheur de ses sujets.

'Jamais la bonté du roi ne s'est démentie dans ces momens d'exaltation où une effervescence qu'il pouvait réprimer a produit dans quelques provinces des prétentions ou des réclamations exagérées. Il a tout écouté avec bienveillance, les demandes justes ont été accordées; il ne s'est point arrêté aux murmures indiscrets, il a daigné les couvrir de son indulgence; il a pardonné jusqu'à l'expression de ces maximes fausses et outrées, à la faveur desquelles on voudrait substituer des chimères pernicieuses aux principes inaltérables de la monarchie.

'Vous rejetterez, Messieurs, avec indignation, ces innovations dangereuses que les ennemis du bien public voudraient confondre avec ces changemens heureux et nécessaires qui doivent amener cette régénération, le premier vœu de sa majesté.

'L'histoire ne nous a que trop instruits des malheurs qui ont affligé le royaume dans les temps d'insubordination et de soulèvement contre l'autorité légitime. Elle n'est pas moins fidèle à vous transmettre dans ses fastes les prospérités de vos pères sous un gouvernement paisible et respecté. Si la France est une des plus anciennes monarchies de l'univers, la seule, après quatorze siècles, dont la constitution n'ait pas éprouvé les revers qui ont déchiré et changé la face de tous les empires formés, comme elle, des débris de l'empire romain, c'est dans l'union et l'amour mutuel du monarque

et des sujets qu'il faut chercher la principale cause de tant
de vie, de force et de grandeur.

'La troisième race de nos rois a surtout des droits à la
reconnaissance de tout bon Français. Ce fut elle qui affermit
l'ordre de la succession à la couronne; elle abolit toute distinction humiliante entre ces représentans si fiers et si
barbares des premiers conquérans des Gaules, et l'humble
postérité des vaincus qu'on tint si long-temps et si honteuse-
ment asservis. . . . Par elle, la hiérarchie des tribunaux fut
créée, ordre salutaire qui rend partout le souverain présent;
tous les habitans des cités furent appelés à leur administration; la liberté de tous les citoyens fut consacrée, et le peuple
reprit les droits imprescriptibles de la nature.

'Mais si les intérêts de la nation se confondent essentiellement avec ceux du monarque, n'en serait-il pas de même des
intérêts de chaque classe de citoyens en particulier? et
pourquoi voudrait on établir, entre les différens membres
d'une société politique, au lieu d'un rang qui les distingue,
des barrières qui les séparent?

'Les vices et l'inutilité méritent seuls le mépris des
hommes, et toutes les professions utiles sont honorables:
soit qu'on remplisse les fonctions sacrées du ministre des
autels; soit qu'on se voue à la défense de la patrie dans la
carrière périlleuse des combats et de la gloire; soit que, ven-
geurs des crimes et protecteurs de l'innocence, on pèse la
destinée des bons et des méchans dans les balances redout-
ables de la justice; soit que par des écrits, fruit du talent
qu'enflamme l'amour véritable de la patrie, on hâte les
progrès des connaissances, qu'on procure à son siècle et
qu'on transmette à la postérité plus de lumières, de sagesse
et de bonheur; soit qu'on soumette à son crédit et aux
spéculations d'un génie actif, prévoyant et calculateur, les
richesses et l'industrie des divers peuples de la terre; soit
qu'en exerçant cette profession, mise enfin à sa place dans
l'opinion des vrais sages, on féconde les champs par la
culture, ce premier des arts auquel tient l'existence de
l'espèce humaine: tous les citoyens du royaume, quelle que
soit leur condition, ne sont-ils pas les membres de la même
famille?

'Si l'amour de l'ordre et la nécessité assignèrent des rangs, qu'il est indispensable de maintenir dans une monarchie, l'estime et la reconnaissance n'admettent pas ces distinctions, et ne séparent point des professions que la nature réunit par les besoins mutuels des hommes.

'Loin de briser les liens qu'a mis entre nous la société, il faudrait, s'il était possible, nous en donner de nouveaux, ou du moins resserrer plus étroitement ceux qui devraient nous unir.

'Représentans de la nation, jurez tous au pied du trône, entre les mains de votre souverain, que l'amour du bien public échauffera seul vos âmes patriotiques; abjurez solennellement, déposez ces haines si vives qui depuis plusieurs mois ont alarmé la France et menacé la tranquillité publique. Que l'ambition de subjuguer les opinions et les sentimens par les élans d'une éloquence impérieuse, ne vous entraîne pas au-delà des bornes que doit poser l'amour sacré du roi et de la nation.

'Hommes de tous les âges, citoyens de tous les ordres, unissez vos esprits et vos cœurs, et qu'un engagement solennel vous lie de tous les nœuds de la fraternité.

'Enfans de la patrie que vous représentez, écartez loin de vous toute affection, toutes maximes étrangères aux intétêts de cette mère commune; que la paix, l'union et l'amour du bien public président à toutes vos délibérations.

'L'intention du roi est que vous vous assembliez dès demain, à l'effet de procéder à la vérification de vos pouvoirs, et de terminer le plus promptement qu'il vous sera possible, afin de vous occuper des objets importans que sa majesté vous a indiqués.'

La faiblesse de l'organe de M. de Barentin avait empêché d'entendre une partie de son discours. Après quelques momens de silence, M. Necker, directeur-général des finances, prend la parole pour faire connaître aux députés du royaume l'état de leur situation. Après avoir lu quelques pages de son discours, il le remet à M. Broussonnet, secrétaire perpétuel de la société d'agriculture, qui en continue la lecture. Nous transcrivons cet important rapport.

DISCOURS DE NECKER

Discours de M. le directeur-général des finances

'Messieurs, lorsqu'on est appelé à se présenter et à se faire entendre au milieu d'une assemble si auguste et si imposante, une timide émotion, une juste défiance de ses forces, sont les premiers sentimens qu'on éprouve, et l'on ne peut être rassuré qu'en se livrant à l'espoir d'obtenir un peu d'indulgence et de mériter au moins l'intérêt que l'on ne saurait refuser à des intentions sans reproches: peut-être encore a-t-on besoin d'être soutenu par la grandeur de la circonstance, et par l'ascendant d'un sujet qui, en attirant toutes nos pensées, en s'emparant de nous en entier, ne nous laisse pas le temps de nous replier sur nous-mêmes, et ne nous permet pas d'examiner s'il y a quelque proportion entre notre tâche et nos facultés.

'Ce n'est pas au moment présent, ce n'est pas à une régénération passagère que vous devez borner vos pensées et votre ambition; il faut qu'un ordre constant, durable et à jamais utile, devienne le résultat de vos recherches et de vos travaux; il faut que votre marche réponde à la grandeur de votre mission; il faut que la pureté, la noblesse et l'intégrité de vos vues demeurent en accord avec l'importance et la gravité de la confiance dont vous êtes dépositaires. Partout où vous découvrirez les moyens d'accroître et d'affermir la félicité publique, partout où vous découvrirez les voies qui peuvent conduire à la prospérité de l'État, vous aurez à vous arrêter. C'est vous, messieurs, qui en avant, pour ainsi dire, des générations futures, devez marquer la route de leur bonheur; il faut qu'elles puissent dire un jour: c'est à Louis, notre bienfaiteur, c'est à l'assemblée nationale dont il s'est environné, que nous devons les lois et les institutions propices qui garantissent notre repos; il faut qu'elles puissent dire: ces rameaux qui nous couvrent d'une ombre salutaire, sont les branches de l'arbre dont Louis a semé le premier germe. Il le soigna de ses mains généreuses, et les efforts réunis de sa nation en ont hâté et assuré le précieux developpement.

'Je dois, Messieurs, selon les ordres du roi, commencer par vous rendre un compte fidèle de l'état des finances. Une guerre dispendieuse, une suite de circonstances malheureuses avaient introduit une grande disproportion entre les revenus et les dépenses. Vous examinerez, Messieurs, les moyens que le roi m'ordonne de vous proposer pour ramener un équilibre si nécessaire; vous en chercherez de meilleurs, vous les indiquerez, et vous répondrez au vœu de la nation et à l'attente de l'Europe, en concourant de tous vos soins à établir dans les finances du plus grand empire, un ordre qui soit à jamais assuré.

'C'est à remplir un si grand but, que la sagesse de votre souverain vous appelle. Vous n'avez pas seulement à faire le bien, mais ce qui est important encore, à le rendre durable et à l'abri des injures du temps et des fautes des hommes.

'La confiance publique est ébranlée, et cependant cette confiance est indispensable; elle honore une nation et constitue sa force politique; enfin elle est encore le principe de la modération de l'intérêt de l'argent, et la source d'un grand nombre d'améliorations intérieures. Vous devez contribuer au rétablissement de cette confiance et vous vous livrerez à cette idée avec d'autant moins de réserve, qu'après avoir travaillé à rendre invariable l'ordre des finances, vous ne verrez plus rien de dangereux dans l'usage du crédit.

'Ces réflexions préliminaires vous indiqueront, Messieurs, les deux principaux objets qui vont être d'abord traités dans ce mémoire: *l'ordre des finances, la stabilité de cet ordre.*'

M. Necker entre ensuite dans le détail des revenus et des dépenses de l'état. Il note avec soin l'abandon de 500 mille livres fait par Monsieur, et celui de 400 mille fait par le comte d'Artois, sur les sommes destinées aux dépenses de leur maison. Le but évident de ce discours long et diffus est de prouver que pour rétablir l'ordre dans les finances, le roi n'avait pas besoin d'assembler les États-Généraux.

'C'est donc, Messieurs, aux vertus de sa majesté que vous devez sa longue persistance dans le dessein et la volonté de convoquer les États-Généraux du royaume. Elle se fût tirée, sans leur secours, de l'embarras de ses finances, si elle n'eût mis un grand intérêt à maintenir les droits de la propriété, à conserver les récompenses méritées par des services, à respecter les titres que donne l'infortune, et à consacrer enfin tous les engagemens émanés des souverains d'une nation fidèle à l'honneur et à ses promesses.

'Mais sa majesté, constamment animée par un esprit de sagesse, de justice et de bienfaisance, a considéré dans son ensemble, et sous le point de vue le plus étendu, l'état actuel des affaires publiques; elle a vu que les peuples alarmés de l'embarras des finances et de la situation du crédit, aspiraient à un rétablissement de l'ordre et de la confiance qui ne fût pas momentané, qui ne fût pas dépendant des diverses vicissitudes dont on avait fait l'épreuve. Sa majesté a cru que ce vœu de la nation était parfaitement juste; et désirant d'y satisfaire, elle a pensé que, pour atteindre à un but si intéressant, il fallait appeler de nouveaux garans de la sécurité publique, et placer, pour ainsi dire, l'ordre des finances sous la garde de la nation entière. C'est alors, en effet, qu'on cessera de rapporter le crédit à des circonstances passagères; c'est alors que les inquiétudes sur l'avenir ne troubleront plus le calme et la tranquillité du présent; c'est alors que chacun s'estimera riche de tout ce qu'il possède en créances sur le roi et sur l'état; c'est alors que les propriétaires innombrables de toutes les portions de la dette publique seront en repos sur leur fortune, et se trouveront disposés à venir au secours de la France, quand ses dangers pourront le demander.

'Ainsi, Messieurs, la connaissance positive et indispensable de la véritable situation des finances, l'établissement de l'ordre, la certitude de sa permanence, auront des effets incalculables. Qui serait assez inconsidéré pour se priver de l'intérêt de ses fonds, quand cet avantage ne serait acheté par aucune inquiétude? Cependant cette simple détermination, si elle avait lieu dans un royaume tel que la France, dans un royaume propriétaire bientôt de deux milliards et demi d'argent monnayé, produirait le mouvement le plus prospère. Des capitaux immenses soigneusement renfermés, des capitaux semblables en ce moment aux murs et à l'airain qui les environnent, ces capitaux viendraient par un heureux retour enrichir la circulation, et grossir au milieu de nous ce flot de la richesse publique. Et qu'on se figure l'époque peut-être peu éloignée, où l'exactitude des paiemens, la rareté des emprunts, leur cessation absolue et l'action salutaire d'une caisse d'amortissement, réduiraient l'intérêt à quatre pour cent, et forceraient à considérer ce prix comme le seul auquel on doit aspirer. Alors non-seulement les finances de l'état s'amélioreraient par la réduction libre des intérêts les plus onéreux; mais un effet plus important, c'est qu'une diminution générale dans le produit des fonds publics, rendrait des sommes considérables au commerce et à l'agriculture, et leur procurerait sans effort les secours les plus nécessaires, l'encouragement le plus efficace.

'Que l'on compare à tant d'effets salutaires, que l'on compare à tant d'avantages le bénéfice qui résulterait d'un rabais injuste sur les rentes légitimement dues, et l'on verra promptement laquelle des deux politiques mérite la préférence.

'C'est ainsi, je dois le dire encore, c'est ainsi que la fidélité des engagemens, c'est ainsi que la justice des rois, entraînent une multitude de dépendances qui toutes ont une intime relation avec la durée et la prospérité des empires. Et sans ce principe de droiture qui doit servir de guide dans toutes les déterminations, un prince, une nation même, ne pourraient suffire à l'administration des affaires publiques; alors, à chaque instant, on chercherait sa route, on irait en avant, on retournerait sur ses pas, on s'égarerait en circuits, et l'on se trouverait insensiblement dans un labyrinthe de doutes et d'incertitudes. Oui, tout est personnel, tout est séparé, tout est exception quand on abandonne ces deux grandes généralités, la morale publique et la morale particulière.

'Cependant, Messieurs, ce serait sans doute considérer les États-Généraux d'une manière bien limitée que de les voir seulement sous le rapport de la finance, du crédit, de l'intérêt de l'argent, de toutes les combinaisons qui tiennent immédiatement aux revenus et aux dépenses.

'On aime à le dire, on aime à le penser, ils doivent servir à tout, ces États-Généraux; ils doivent appartenir au temps présent et au temps à venir, ils doivent, pour ainsi dire, observer et suivre les principes et les traces du bonheur national dans toutes ses ramifications; ils doivent, après

avoir bien connu les principes de ce bonheur, s'appliquer à
la recherche des moyens qui peuvent l'effectuer et le rendre
solide. Un vaste champ est encore en friche; mais partout il
promet des fruits salutaires.

'Vous considérerez la situation du royaume, vous verrez
ce qu'il est, et ce qu'il a besoin d'être dans l'ordre politique
de l'Europe, et en arrêtant votre attention sur l'ancien état
de la plus respectable des monarchies, vous étendrez au loin
vos réflexions, et non contens des premières acclamations du
peuple français, vous aspirerez encore au suffrage réfléchi de
toutes les nations étrangères, de ces nations dont le jugement,
à l'abri de nos passions du moment, représente celui de la
postérité, de ces nations qui, vous considérant dans le
tableau de l'histoire, ne croiront à la durée d'aucune de vos
dispositions, si vous perdez de vue ce qu'exigent impérative-
ment les grandes circonstances de ce vaste empire, sa
position, ses relations extérieures, la diversité de ses usages,
dont les uns sont constitutifs, les autres affermis par le
temps, l'effet inévitable de ses richesses et plus encore peut-
être le génie et le caractère de ses habitans, les anciens
préjugés, les vieilles habitudes, enfin tous ces liens qu'on ne
peut jamais rompre avec violence, et que la prudence d'un
grand corps politique doit sagement apprécier.

'Le roi, Messieurs, éclairé par de longues traverses, par
ces événemens précipités qui doublent en quelque manière
les années de l'expérience, aime plus que jamais la raison, et
en est un bon juge. Ainsi, lorsque les premières fluctuations,
inséparables d'une réunion nombreuse, seront arrêtées,
lorsque l'esprit dominant de cette assemblée sera dégagé des
nuages qui pourraient d'abord l'obscurcir, enfin lorsqu'il en
sera temps, sa majesté appréciera justement le caractère de
vos délibérations; et s'il est tel qu'elle l'espère, s'il est tel
qu'elle a droit de l'attendre, s'il est tel enfin que la plus saine
partie de la nation le souhaite et le demande, le roi secondera
vos vœux et vos travaux; il mettra sa gloire à les couronner;
et l'esprit du meilleur des princes se mêlant pour ainsi dire
à celui qui inspirera la plus fidèle des nations, on verra
naître de cet accord le plus grand des biens et la plus solide
des puissances.

'Que serait-ce, Messieurs, si dès vos premiers pas une désunion éclatante venait à se manifester? que deviendrait le bien public au milieu de ces divisions où les intérêts d'ordre, d'état et de personnes, occuperaient toutes vos pensées? Ils sont si agissans ces intérêts, et leur domination va tellement en croissant, que la sagesse de sa majesté, que son attachement au besoin de l'état, ont dû fixer son attention sur des passions d'une si grande influence. C'est par ce motif si digne d'hommage, c'est par ce motif qui atteste si distinctement le vœu de sa majesté pour le succès de vos travaux, que le roi est inquiet de vos premières délibérations. La manière dont les États-Généraux en dirigeront la forme, est une des grandes questions qui s'est élevée dans le royaume, et les avis sur la délibération en commun ou par tête semblent s'être partagés avec une ardeur qui deviendrait alarmante, si l'amour du bien public ne formait entre vous, Messieurs, un point de réunion plus fort et plus puissant que les opinions et les sentimens propres à vous diviser. Le roi, Messieurs, connaît toute l'étendue de la liberté qui doit vous être laissée; mais sans accord, votre force s'évanouirait, et les espérances de la nation seraient perdues. Sa majesté a donc fixé son attention sur des préliminaires dont les conséquences peuvent être si grandes; et ce n'est pas encore cependant comme souverain, c'est comme le premier tuteur des intérêts de la nation, c'est comme le plus fidèle protecteur de la félicité publique, que le roi m'a ordonné de vous présenter un petit nombre de réflexions. J'aurais aimé peut-être à en être dispensé, car, on ne s'approche jamais sans danger de ces questions délicates dont l'esprit de parti s'est déjà rendu maître; mais il faut rejeter avec dédain toutes les considérations personnelles qui font toujours embarras dans la route du bien public.

'Ce sera vous, Messieurs, qui chercherez d'abord à connaître l'importance ou le danger dont il peut être pour l'état que vos délibérations soient prises en commun ou par ordre, et les lumières qui sortiront de votre assemblée influeront sans doute sur l'opinion de sa majesté; mais le choix du moment où cette question doit être traitée, si ce choix est fait sagement, suffira pour prévenir les risques ou les inconvéniens d'une semblable discussion, et c'est principalement sur ce point que je vais m'arrêter.

'Tout annonce, Messieurs, que si une partie de cette assemblée demandait que la première de vos déterminations fût un vœu pour délibérer par tête sur tous les objets qui seront soumis à votre examen, il résulterait de cette tentative, si elle était obstinée, une scission telle que la marche des États-Généraux serait arrêtée ou long-temps suspendue, et l'on ne peut prévoir quelle serait la suite d'une semblable division.

'Tout prendrait au contraire une forme différente, tout se terminerait peut-être par une conciliation agréable aux partis opposées, si les trois ordres commençant par se séparer, les deux premiers examinaient d'abord l'importante question de leurs priviléges pécuniaires, et si, confirmant des vœux déjà manifestés dans plusieurs provinces, ils se déterminaient d'un commun accord au noble abandon de ces avantages. Personne d'entre vous, Messieurs, ne pourrait avec justice essayer de ravir aux deux premiers ordres le mérite d'un généreux sacrifice; et ce serait cependant les en priver, ce serait du moins en obscurcir l'éclat, que de soumettre cette décision à la délibération des trois ordres réunis: une possession qui remonte aux temps les plus reculés de la monarchie, est un titre qui devient encore plus digne de respect au moment où ceux qui en jouissent sont disposés à y renoncer. Il est donc juste, il est raisonnable que les députés des communes laissent aux représentans des deux premiers ordres tout l'honneur d'un tel sacrifice. C'est en vain que pour en diminuer le prix, c'est en vain que pour le ternir on voudrait y donner le nom d'obligation simple et naturelle; certes de pareils actes de justice ne sont pas communs, et l'histoire n'en présente pas d'exemples.

'Supposons maintenant que cette délibération soit prise par la noblesse et par le clergé, qu'elle le soit promptement et de la seule manière dont on peut l'attendre, par un noble sentiment, par un mouvement digne de l'élévation d'âme qui caractérise les principaux membres des deux ordres de l'État; dès ce moment ils recevront de la part des représentans des communes, cet hommage de reconnaissance et de

D

sensibilité auquel aucun Français ne fut jamais réfractaire. Ils seront invités à s'unir souvent aux représentans du peuple, pour faire en commun le bien de l'État; et sûrement ce ne sera pas d'une manière générale ni absolue qu'ils résisteront à cette avance. Cependant une première union entre les ordres une fois formée, et les ombrages des uns dissipés, les plaintes et les jalousies des autres apaisées, c'est alors qu'avec calme et par des commissaires nommés dans les trois ordres, on examinera les avantages et les inconvéniens de toutes les formes de délibérations; c'est alors qu'on désignera peut-être les questions qu'il importe au souverain et à l'État de soumettre à une discussion séparée, et les objets qu'il est convenable de rapporter à une délibération commune; c'est alors enfin qu'on jugera plus sainement une question qui présente tant d'aspects différens.

'Vous verrez facilement que pour maintenir un ordre établi, pour ralentir le goût des innovations, les délibérations confiées à deux ou trois ordres ont un grand avantage; et que dans les temps et pour les affaires où la célérité des résolutions et l'unité d'action et d'intérêt deviennent nécessaires, la consultation en commun mérite la préférence. Vous examinerez ces principes et bien d'autres avec une impartialité inconnue jusqu'à présent, du moment que l'abolition des priviléges pécuniaires aura rendu vos intérêts égaux et parallèles. Enfin, Messieurs, vous découvrirez sans peine toute la pureté des motifs qui engagent sa majesté à vous avertir de procéder avec sagesse à ces différens examens. En effet, s'il était possible qu'elle fût uniquement occupée d'assurer son influence sur vos déterminations, elle saurait bien apercevoir que l'ascendant du souverain serait un jour ou l'autre favorisé par l'établissement général et constant des délibérations en commun; car dans un temps où les esprits ne seraient pas soutenus, comme aujourd'hui, par une circonstance éclatante, peut-on douter qu'un roi de France n'eût des moyens pour captiver ceux qui, par leur éloquence et leurs talens, paraîtraient devoir entraîner un grand nombre de suffrages? La marche des délibérations confiées à deux ou trois ordres, est donc par sa lenteur et sa circonspection, la moins favorable aux grandes révolutions; et quand votre monarque, Messieurs, vous ramène à ces réflexions, il vous donne une nouvelle preuve de son amour sincère du bien de l'État.

'Non, son espoir ne sera point trompé; vous voudrez lui marquer de la reconnaissance, vous voudrez lui donner le prix qu'elle attend de vous; et ce prix, ce prix inestimable, sera l'avancement du bonheur de ses peuples.

'Soyez unis, Messieurs, pour une si grande entreprise, soyez unis pour répondre aux vœux de la nation, soyez unis pour soutenir avec honneur les regards de l'Europe, soyez unis pour transmettre sans crainte vos noms à la postérité, et pour contempler à l'avance le tribunal rigoureux des générations futures. Elles auront un compte à vous demander ces générations innombrables dont vous allez peut-être fixer la destinée.

'Vos rivalités, vos prétentions, vos débats personnels passeront comme l'éclair au milieu de l'immensité de l'espace, et ne laisseront aucune trace dans la route des siècles; mais les principes d'union et de bonheur que vous aurez affermis, deviendront comme le témoignage et comme le trophée perpétuel de vox travaux et de votre patriotisme.

'Oui, ce que vous aurez fait pour l'avantage de l'État et pour sa gloire, ce que vous aurez fait pour en assurer la durée, se trouvant inséparablement lié à la plus grande et à la plus éclatante de toutes les circonstances, confiera votre souvenir à la reconnaissance des hommes.

'Mais ne vous le dissimulez point, Messieurs, il faut qu'une constitution bienfaisante et salutaire soit cimentée par la puissance de l'esprit public, et cet esprit public, ce patriotisme, ne consiste point dans une ferveur passagère, ou dans un aveugle désir d'une nouvelle situation; un tel désir, une telle agitation subsisteront toujours, car il est dans l'ordre inviolable des choses, que le plus grand nombre des habitans d'un empire découvrent autour d'eux de meilleures places, et aspirent vaguement à un mouvement qui leur présente de nouvelles chances.

'Une pareille inquiétude n'est qu'un sentiment personnel, et on ne l'abolit qu'en apparence et passagèrement, quand on le dirige vers les intérêts généraux dont la société paraît le plus occupée. Mais le véritable esprit public, le seul qui puisse suppléer à l'imperfection de toutes les lois politiques, est d'une tout autre nature; vaste dans ses vues, réfléchi dans sa marche, il transporte, non pour un moment, mais pour toujours, nos intérêts personnels à quelque distance de nous, afin de les réunir, afin de les soumettre à l'intérêt commun. Il faut de la force, il faut du temps pour s'élever à cet esprit public; et dans les commencemens, un pareil effort est pénible; il doit l'être surtout au milieu d'une nation qui n'a jamais pris soin de ses propres affaires, et qui, accoutumée depuis des siècles à s'abandonner uniquement aux prétentions individuelles, ou à celles qui dépendent d'une association circonscrite, n'est nullement préparée à la grande scène qui s'ouvre aujourd'hui devant elle.

'Messieurs, le roi, en rassemblant les États-Généraux, a déjà satisfait à sa gloire; mais il a besoin de vous pour obtenir les jouissances les plus chères à son cœur; il a besoin de vous pour assurer le bonheur de ses peuples, pour accroître et pour affermir la puissance de l'État; il a besoin de vous pour répandre partout dans son royaume l'influence de ses volontés bienfaisantes; il a besoin de vous enfin pour multiplier les trésors de la France, par le contentement, la paix, la confiance et la liberté.

'Ah! puisse le ciel accorder à notre auguste monarque une assez longue suite de jours pour voir encore, non-seulement l'aurore, mais le jour éblouissant de tant de prospérités! puisse-t-il recevoir ainsi une juste récompense de son bienfait! puisse-t-il voir les premières moissons de cette terre chérie! puisse-t-il présager enfin, avec une heureuse confiance, tout ce que lui devront les races futures!

'Et nous, par notre amour, acquittons à l'avance cette dette de la postérité; soyons justes, soyons reconnaissans, et que le tribut de nos cœurs, que l'hommage de nos sentimens, portés aux pieds de notre souverain, soient la première dr toutes les redevances que nous nous engageons poue toujours de lui payer.'

[May 5, 1789. Acton, 55; Aulard, 33 (I, 135); C.M.H., 146; Jaurès, I, 268; Lavisse, I, 18; Legg, I, 1 f.; Madelin, 45

(53); *Mathiez, I, 50 (41). Text as edited by 'Moniteur,' from Buchez and Roux, I, 354–73.]*

4

ASSEMBLÉE NATIONALE: SÉANCE DU MERCREDI 17 JUIN, 1789

Communes

M LE DOYEN. Je vais mettre aux voix les différentes motions relatives à la manière dont l'assemblée doit se constituer. On a demandé hier que chaque membre apposât sa signature au bas de la délibération, j'ose présenter à l'assemblée quelques réflexions sur cette demande.

La signature, au lieu de fortifier notre résolution, pourrait l'affaiblir; car prise par l'assemblée, elle est censée prise unanimement; au lieu que la signature, si elle n'est pas universelle, montre que la résolution n'a été arrêtée que partiellement. De plus, la signature pourrait devenir un germe funeste de division entre nous, et commencer, en quelque manière, deux partis dans une assemblée dont l'union a fait jusqu'ici la plus grande force.

Ces réflexions sont approuvées par l'assemblée, et la demande de signatures n'a pas de suite.

L'assemblée arrête que la délibération sera seulement signée du doyen et de deux secrétaires.

Il est fait lecture de cinq motions, sur lesquelles on a à délibérer. La première motion mise aux voix est celle de M. l'abbé Sieyes: on ira aux voix successivement sur les autres, si la première ne réunit pas la majorité absolue.

La motion de M. l'abbé Sieyes est admise à la majorité de 491 voix contre 90.

L'assemblée en conséquence arrête la rédaction suivante:

L'assemblée, délibérant après la vérification des pouvoirs, reconnaît que cette assemblée est déjà composée des représentans envoyés directement par les quatre-vingt-seize centièmes, au moins, de la nation.

Une telle masse de députation ne saurait rester inactive par l'absence des députés de quelques bailliages, ou de quelques classes de citoyens; car les absens qui ont été appelés ne peuvent point empêcher les présens d'exercer la plénitude de leurs droits, surtout lorsque l'exercice de ces droits est un devoir impérieux et pressant.

De plus, puisqu'il n'appartient qu'aux représentans vérifiés de concourir à former le vœu national, et que tous les représentans vérifiés doivent être dans cette assemblée, il est encore indispensable de conclure qu'il lui appartient, et qu'il n'appartient qu'à elle, d'interpréter et de présenter la volonté générale de la nation; il ne peut exister entre le trône et cette assemblée aucun *veto*, aucun pouvoir négatif.

L'assemblée déclare donc que l'œuvre commune de la restauration nationale peut et doit être commencée sans retard par les députés présens, et qu'ils doivent la suivre sans interruption comme sans obstacle.

La dénomination d'*assemblée nationale* est la seule qui convienne à l'assemblée dans l'état actuel des choses, soit parce que les membres qui la composent sont les seuls représentans légitimement et publiquement connus et vérifiés, soit parce qu'ils sont envoyés directement par la presque-totalité de la nation, soit enfin parce que la représentation étant une et indivisible, aucun des députés, dans quelque ordre ou classe qu'il soit choisi, n'a le droit d'exercer ses fonctions séparément de la présente assemblée.

L'assemblée ne perdra jamais l'espoir de réunir dans son sein tous les députés aujourd'hui absens; elle ne cessera de les appeler à remplir l'obligation qui leur est imposée, de concourir à la tenue des États-Généraux. A quelque moment que les députés absens se présentent dans le cours de la session qui va s'ouvrir, elle déclare d'avance qu'elle s'empressera de les recevoir, et de partager avec eux, après la vérification de leurs pouvoirs, la suite des grands travaux qui doivent procurer la régénération de la France.

L'assemblée nationale arrête que les motifs de la présente délibération seront incessamment rédigés pour être présentés au roi et à la nation.

[*Acton*, 67; *Aulard*, 34 (I, 137); *C.M.H.*, 153; *Jaurès*, I, 278; *Lavisse*, I, 25; *Legg*, I, 18; *Madelin*, 51 (60); *Mathiez*, I, 52 (42). *Text from Procès-Verbal, No.* 1.]

5

SÉANCE DU JEU DE PAUME

M. LE PRÉSIDENT rend compte des faits, et communique deux lettres qu'il a reçues ce matin du marquis de Brezé, grand-maître des cérémonies.

Versailles, ce 20 juin 1789.

'Le roi m'ayant ordonné, Monsieur, de faire publier par des hérauts l'intention dans laquelle sa majesté est de tenir, lundi 22 de ce mois, une séance royale, et en même temps la suspension des assemblées que les préparatifs à faire dans les salles des trois ordres nécessitent, j'ai l'honneur de vous en prévenir.

'Je suis avec respect, Monsieur, votre très-humble et très-obéissant serviteur,

Le marquis de Brezé.'

P.S. 'Je crois qu'il serait utile, Monsieur, que vous voulussiez bien charger MM. les secrétaires du soin de serrer les papiers dans la crainte qu'il ne s'en égare.

'Voudriez-vous bien aussi, Monsieur, avoir la bonté de me faire donner les noms de MM. les secrétaires, pour que je recommande qu'on les laisse entrer, la nécessité de ne point interrompre le travail pressé des ouvriers, ne permettant par l'accès des salles à tout le monde?'

M. le président dit qu'il a répondu à cette lettre dans les termes suivans:

'Je n'ai reçu encore aucun ordre du roi, Monsieur, pour la séance royale, ni pour la suspension des assemblées; et mon devoir est de me rendre à celle qui j'ai indiquée pour ce matin huit heures.

'Je suis, etc.'

En réponse à cette lettre, M. le marquis de Brezé lui a écrit la seconde, dont la teneur suit:

Versailles, ce 20 juin 1789.

'C'est par un ordre positif du roi que j'ai eu l'honneur de vous écrire ce matin, Monsieur, et de vous mander que sa majesté voulant tenir lundi une séance royale qui demande des préparatifs à faire dans les trois salles d'assemblée des ordres, son intention était qu'on n'y laisse entrer personne, que les séances fussent suspendues jusqu'après celle que tiendra sa majesté.

'Je suis avec respect, Monsieur, votre très-humble et très-obéissant serviteur,

Le marquis de Brezé.'

M. Bailly. Je n'ai pas besoin de faire sentir la situation affligeante où se trouve l'assemblée; je propose de mettre en délibération le parti qu'il faut prendre dans un moment aussi orageux.

M. Mounier présente une opinion qui est appuyée par MM. Target, Chapelier, Barnave; il représente combien il est étrange que la salle des États-Généraux soit occupée par des hommes armés; que l'on n'offre aucun autre local à l'assemblée nationale; que son président ne soit averti que par des lettres du marquis de Brezé, et les représentans nationaux que par des placards; qu'enfin ils soient obligés de se réunir au Jeu de Paume, rue du Vieux-Versailles, pour ne pas interrompre leurs travaux; que blessés dans leurs droits et dans leur dignité, avertis de toute la vivacité de l'intrigue et de l'acharnement avec lequel on cherche à pousser le roi à des mesures désastreuses, les représentans de la nation doivent se lier au salut public et aux intérêts de la patrie par un serment solennel.

Cette proposition est approuvée par un applaudissement unanime.

L'assemblée arrête aussitôt ce qui suit:

L'assemblée nationale, considérant qu'appelée à fixer la constitution du royaume, opérer la régénération de l'ordre public, et maintenir les vrais principes de la monarchie, rien ne peut empêcher qu'elle ne continue ses délibérations dans quelque lieu qu'elle soit forcée de s'établir, et qu'enfin partout où ses membres sont réunis, là est l'assemblée nationale;

Arrête que tous les membres de cette assemblée prêteront, à l'instant, serment solennel de ne jamais se séparer, et de se rassembler partout où les circonstances l'exigeront, jusqu'à ce que la constitution du royaume soit établie et affermie sur des fondemens solides; et que ledit serment étant prêté, tous les membres, et chacun d'eux en particulier, confirmeront par leur signature, cette résolution inébranlable.

M. Bailly. Je demande pour les secrétaires et pour moi de prêter le serment les premiers; ce qu'ils font à l'instant dans la formule suivante:

'Nous jurons de ne jamais nous séparer de l'assemblée nationale, et de nous réunir partout où les circonstances l'exigeront, jusqu'à ce que la constitution du royaume soit établie et affermie sur des fondemens solides.'

Tous les membres prêtent le même serment entre les mains du président.

[*June* 20, 1789. *Acton,* 68 *f.; Aulard,* 34 (I, 137); *C.M.H.,* 155; *Jaurès,* I, 282; *Lavisse,* I, 27; *Legg,* I, 21; *Madelin,* 53 (62); *Mathiez,* I, 53 (43). *Text from Procès-Verbal, No.* 3.]

6

SÉANCE ROYALE : DISCOURS ET DÉCLARATION DU ROI

Discours du Roi

'MESSIEURS, je croyais avoir fait tout ce qui était en mon pouvoir pour le bien de mes peuples, lorsque j'avais pris la résolution de vous rassembler; lorsque j'avais surmonté toutes les difficultés dont votre convocation était entourée; lorsque j'étais allé, pour ainsi dire, au-devant des vœux de la nation, en manifestat à l'avance ce que je voulais faire pour son bonheur.

'Il semblait que vous n'aviez qu'à finir mon ouvrage, et la nation attendait avec impatience le moment où, par le concours des vues bienfaisantes de son souverain, et du zèle éclairé de ses représentans, elle allait jouir des prospérités que cette union devait leur procurer.

'Les États-Généraux sont ouverts depuis près de deux mois, et ils n'ont point pu encore s'entendre sur les préliminaires de leurs opérations. Une parfaite intelligence aurait dû naître du seul amour de la patrie, et une funeste division jette l'alarme dans tous les esprits. Je veux le croire, et j'aime à le penser, les Français ne sont pas changés. Mais, pour éviter de faire à aucun de vous des reproches, je considère que le renouvellement des États-Généraux, après un si long terme, l'agitation qui l'a précédé, le but de cette convocation, si différent de celui qui rassemblait vos ancêtres, les restrictions dans les pouvoirs, et plusieurs autres circonstances, ont dû nécessairement amener des oppositions, des débats, des prétentions exagérées.

'Je dois au bien commun de mon royaume, je me dois à moi-même de faire cesser ces funestes divisions. C'est dans cette résolution, Messieurs, que je vous rassemble de nouveau autour de moi; c'est comme le père commun de tous mes sujets, c'est comme le défenseur des lois de mon royaume, que je viens en retracer le véritable esprit, et réprimer les atteintes qui ont pu y être portées.

'Mais, Messieurs, après avoir établi clairement les droits respectifs des différens ordres, j'attends du zèle pour la patrie, des deux premiers ordres, j'attends de leur attachement pour ma personne, j'attends de la connaissance qu'ils ont des maux urgens de l'Etat, que dans les affaires qui regardent le bien général, ils seront les premiers à proposer une réunion d'avis et de sentimens, que je regarde comme nécessaire dans la crise actuelle, qui doit opérer le salut de l'Etat.'

Un des secrétaires d'État lit ensuite la déclaration suivante:

Déclaration du roi, concernant la présente tenue des États-Généraux

Art. Ier. Le roi veut que l'ancienne distinction des trois ordres de l'État soit conservée en son entier, comme essentiellement liée à la constitution de son royaume; que les députés librement élus par chacun des trois ordres, formant trois chambres, délibérant par ordre, et pouvant, avec l'approbation du souverain, convenir de délibérer en commun, puissent seuls être considérés comme formant le corps des représentans de la nation. En conséquence, le roi a déclaré nulles les délibérations prises par les députés de l'ordre du Tiers-état, le 17 de ce mois, ainsi que celles qui auraient pu s'ensuivre, comme illégales et inconstitutionnelles.

II. Sa majesté déclare valides tous les pouvoirs vérifiés ou à vérifier dans chaque chambre, sur lesquels il ne s'est point élevé ou ne s'élèvera point de contestation : ordonne sa majesté qu'il en sera donné communication respective entre les ordres.

Quant aux pouvoirs qui pourraient être contestés dans chaque ordre, et sur lesquels les parties intéressées se pourvoiraient, il y sera statué, pour la présente tenue des États-Généraux seulement, ainsi qu'il sera ci-après ordonné.

III. Le roi casse et annulle, comme anti-constitutionnelles, contraires aux lettres de convocation, et opposées à l'intérêt de l'État, les restrictions des pouvoirs, qui, en gênant la liberté des députés aux États-Généraux, les empêcheraient d'adopter les formes de délibération prises séparément par ordre ou en commun, par le vœu distinct des trois ordres.

IV. Si, contre l'intention du roi, quelques-uns des députés avaient fait le serment téméraire de ne point s'écarter d'une forme de délibération quelconque, sa majesté laisse à leur conscience de considérer si les dispositions qu'elle va régler, s'écartent de la lettre ou de l'esprit de l'engagement qu'ils auraient pris.

V. Le roi permet aux députés qui se croiront gênés par leurs mandats, de demander à leurs commettans un nouveau pouvoir : mais sa majesté leur enjoint de rester, en attendant, aux États-Généraux, pour assister à toutes les délibérations sur les affaires pressantes de l'état, et y donner un avis consultatif.

VI. Sa majesté déclare que dans les tenues suivantes d'États-Généraux, elle ne souffrira pas que les cahiers ou mandats puissent être considérés jamais comme impératifs ;

ils ne doivent être que de simples instructions confiées à la conscience et à la libre opinion des députés dont on aura fait choix.

VII. Sa majesté ayant exhorté, pour le salut de l'État, les trois ordres à se réunir pendant cette tenue d'états seulement, pour délibérer en commun sur les affaires d'une utilité générale, veut faire connaître ses intentions sur la manière dont il pourra y être procédé.

VIII. Seront nommément exceptées des affaires qui pourront être traitées en commun, celles qui regardent les droits antiques et constitutionnels des trois ordres, la forme de constitution à donner aux prochains États-Généraux, les propriétés féodales et seigneuriales, les droits utiles et les prérogatives honorifiques des deux premiers ordres.

IX. Le consentement particulier du clergé sera nécessaire pour toutes les dispositions qui pourraient intéresser la religion, la discipline ecclésiastique, le régime des ordres et corps séculiers et réguliers.

X. Les délibérations à prendre par les trois ordres réunis, sur les pouvoirs contestés, et sur lesquels les parties intéressées se pourvoiraient aux États-Généraux, seront prises à la pluralité des suffrages; mais si les deux tiers des voix, dans l'un des trois ordres, réclamaient contre la délibération de l'assemblée, l'affaire sera rapportée au roi, pour y être définitivement statué par sa majesté.

XI. Si dans la vue de faciliter la réunion des trois ordres, ils désiraient que les délibérations qu'ils auront à prendre en commun, passassent seulement à la pluralité des deux tiers des voix, sa majesté est disposée à autoriser cette forme.

XII. Les affaires qui auront été décidées dans les assemblées des trois ordres seront remises le lendemain en délibération, si cent membres de l'assemblée se réunissent pour en faire la demande.

XIII. Le roi désire que, dans cette circonstance, et pour ramener les esprits à la conciliation, les trois chambres commencent à nommer séparément une commission composée du nombre des députés qu'elles jugeront convenable, pour préparer la forme et la distribution des bureaux de conférences, qui devront traiter les différentes affaires.

XIV. L'assemblée générale des députés des trois ordres sera présidée par les présidens choisis par chacun des ordres, et selon leur rang ordinaire.

XV. Le bon ordre, la décence et la liberté même des suffrages, exigent que sa majesté défende, comme elle le fait expressément, qu'aucune personne, autre que les membres des trois ordres composant les États-Généraux, puissent assister à leurs délibérations, soit qu'ils les prennent en commun ou séparément.

Le roi reprend la parole.

'J'ai voulu aussi, Messieurs, vous faire remettre sous les yeux les différens bienfaits que j'accorde à mes peuples. Ce n'est pas pour circonscrire votre zèle dans le cercle que je vais tracer; car j'adopterai avec plaisir toute autre vue de bien public qui sera proposée par les États-Généraux. Je puis dire, sans me faire illusion, que jamais roi n'en a autant fait pour aucune nation : mais quelle autre peut l'avoir mieux mérité par ses sentimens, que la nation française! Je ne craindrai pas de l'exprimer : ceux qui, par des prétentions exagérées, ou par des difficultés hors de propos, retarderaient encore l'effet de mes intentions paternelles, se rendraient indignes d'être regardés comme Français.'

Ce discours est suivi de la lecture de la déclaration que voici :

Déclaration des intentions du roi

Art. Ier. Aucun nouvel impôt ne sera établi, aucun ancien ne sera prorogé au-delà du terme fixé par les lois, sans le consentement des représentans de la nation.

II. Les impositions nouvelles qui seront établies, ou les anciennes qui seront prorogées, ne le seront que pour l'intervalle qui devra s'écouler jusqu'à l'époque de la tenue suivante des États-Généraux.

III. Les emprunts pouvant devenir l'occasion nécessaire d'un accroissement d'impôts, aucun n'aura lieu sans le consentement des États-Généraux, sous la condition toutefois, qu'en cas de guerre, ou d'autre danger national, le souverain aura la faculté d'emprunter sans délai, jusqu'à la concurrence d'une somme de cent millions; car l'intention formelle du roi est de ne jamais mettre le salut de son empire dans la dépendance de personne.

IV. Les États-Généraux examineront avec soin la situation des finances, et ils demanderont tous les renseignemens propres à les éclairer parfaitement.

V. Le tableau des revenus et des dépenses sera rendu public chaque année, dans une forme proposée par les États-Généraux, et approuvée par sa majesté.

VI. Les sommes attribuées à chaque département seront déterminées d'une manière fixe et invariable, et le roi soumet à cette règle générale les fonds mêmes qui sont destinés à l'entretien de sa maison.

VII. Le roi veut que pour assurer cette fixité des diverses dépenses de l'État, il lui soit indiqué par les États-Généraux les dispositions propres à remplir ce but, et sa majesté les adoptera, si elles s'accordent avec la dignité royale et la célérité indispensable du service public.

VIII. Les représentans d'une nation fidèle aux lois de l'honneur et de la probité, ne donneront aucune atteinte à la foi publique, et le roi attend d'eux que la confiance des créanciers de l'État soit assurée et consolidée de la manière la plus authentique.

IX. Lorsque les dispositions formelles annoncées par le clergé et la noblesse, de renoncer à leurs priviléges pécuniaires, auront été réalisées par leurs délibérations, l'intention du roi est de les sanctionner, et qu'il n'existe plus dans le paiement des contributions pécuniaires aucune espèce de priviléges ou de distinctions.

X. Le roi veut que pour consacrer une disposition si importante, le nom de taille soit aboli dans tout le royaume, et qu'on réunisse cet impôt, soit aux vingtièmes, soit à toute autre imposition territoriale, ou qu'il soit enfin remplacé de quelque manière, mais toujours d'après des proportions justes, égales, et sans distinction d'état, de rang et de naissance.

XI. Le roi veut que le droit de franc-fief soit aboli du moment où les revenus et les dépenses fixes de l'État auront été mis dans une exacte balance.

XII. Toutes les propriétés sans exception seront constamment respectées, et sa majesté comprend expressément sous le nom de propriétés, les *dimes, cens, rentes, droits et devoirs féodaux et seigneuriaux*, et généralement tous les droits et prérogatives utiles ou honorifiques, attachés aux terres et aux fiefs, ou appartenans aux personnes.

XIII. Les deux premiers ordres de l'État continueront à jouir de l'exemption des charges personnelles; mais le roi approuvera que les États-Généraux s'occupent des moyens de convertir ces sortes de charges en contributions pécuniaires, et qu'alors tous les ordres de l'État y soient assujétis également.

XIV. L'intention de sa majesté est de déterminer d'après l'avis des États-Généraux, quels seront les emplois et les charges qui conserveront à l'avenir le privilége de donner et de transmettre la noblesse. Sa majesté néanmoins, selon le droit inhérent à sa couronne, accordera des lettres de noblesse à ceux de ses sujets qui, par des services rendus au roi et à l'État, se seraient montrés dignes de cette récompense.

XV. Le roi désirant assurer la liberté individuelle de tous les citoyens d'une manière solide et durable, invite les États-Généraux à chercher et à lui proposer les moyens les plus convenables de concilier l'abolition des ordres connus sous le nom de lettres de cachet, avec le maintien de la sûreté publique, et avec les précautions nécessaires, soit pour ménager, dans certains cas, l'honneur des familles, soit pour réprimer avec célérité les commencemens de sédition, soit pour garantir l'État des effets d'une intelligence criminelle avec les puissances étrangères.

XVI. Les États-Généraux examineront et feront connaître à sa majesté le moyen le plus convenable de concilier la liberté de la presse avec le respect dû à la religion, aux mœurs et à l'honneur des citoyens.

XVII. Il sera établi, dans les diverses provinces ou généralités du royaume, des États provinciaux composés de deux dixièmes de membres du clergé, dont une partie sera nécessairement choisie dans l'ordre épiscopal: de trois dixièmes de membres de la noblesse, et de cinq dixièmes de membres du Tiers-état.

47

XVIII. Les membres de ces États provinciaux seront librement élus par les ordres respectifs, et une mesure quelconque de propriété sera nécessaire pour être électeur ou éligible.

XIX. Les députés à ces États provinciaux délibéreront en commun sur toutes les affaires, suivant l'usage observé dans les assemblées provinciales que ces États remplaceront.

XX. Une commission intermédiaire choisie par ces États, administrera les affaires de la province pendant l'intervalle d'une tenue à l'autre; et ces commissions intermédiaires devenant seules responsables de leur gestion, auront pour délégués des personnes choisies uniquement par elles, ou par les États provinciaux.

XXI. Les États-Généraux proposeront au roi leurs vues pour toutes les autres parties de l'organisation intérieure des États provinciaux, et pour le choix des formes applicables à l'élection des membres de cette assemblée.

XXII. Indépendamment des objets d'administration dont les assemblées provinciales sont chargées, le roi confiera aux États provinciaux l'administration des hôpitaux, des prisons, des dépôts de mendicité, des enfans-trouvés, l'inspection des dépenses des villes, la surveillance sur l'entretien des forêts, sur la garde et la vente des bois, et sur d'autres objets qui pourraient être administrés plus utilement par les provinces.

XXIII. Les contestations survenues dans les provinces où il existe d'anciens Etats, et les réclamations élevées contre la constitution de ces assemblées, devront fixer l'attention des États-Généraux; ils feront connaître à sa majesté les dispositions de justice et de sagesse qu'il est convenable d'adopter pour établir un ordre fixe dans l'administration de ces mêmes provinces.

XXIV. Le roi invite les États-Généraux à s'occuper de la recherche des moyens propres à tirer le parti le plus avantageux des domaines qui sont dans ses mains, et de lui proposer également leurs vues sur ce qu'il peut y avoir de plus convenable à faire relativement aux domaines engagés.

XXV. Les États-Généraux s'occuperont du projet conçu depuis long-temps par sa majesté, de porter les douanes aux frontières du royaume, afin que la plus parfaite liberté règne dans la circulation intérieure des marchandises nationales ou étrangères.

XXVI. Sa majesté désire que les fâcheux effets de l'impôt sur le sel et l'importance de ce revenu soient discutés soigneusement, et que dans toutes les suppositions on propose, au moins, des moyens d'en adoucir la perception.

XXVII. Sa majesté veut aussi qu'on examine attentivement les avantages et les inconvéniens des droits d'aides et autres impôts, mais sans perdre de vue la nécessité absolue d'assurer une exacte balance entre les revenus et les dépenses de l'État.

XXVIII. Selon le vœu que le roi a manifesté par sa déclaration du 23 septembre dernier, sa majesté examinera avec une sérieuse attention les projets qui lui seront présentés relativement à l'administration de la justice, et aux moyens de perfectionner les lois civiles et criminelles.

XXIX. Le roi veut que les lois qu'il aura fait promulguer pendant la tenue et d'après l'avis ou selon le vœu des États-Généraux, n'èprouvent pour leur enregistrement et pour leur exécution aucun retardement ni aucun obstacle dans toute l'étendue de son royaume.

XXX. Sa majesté veut que l'usage de la corvée pour la confection et l'entretien des chemins, soit entièrement et pour toujours aboli dans son royaume.

XXXI. Le roi désire que l'abolition du droit de main-morte, dont sa majesté a donné l'exemple dans ses domaines, soit étendue à toute la France, et qu'il lui soit proposé les moyens de pourvoir à l'indemnité qui pourrait être due aux seigneurs en possession de ce droit.

XXXII. Sa majesté fera connaître incessamment aux États-Généraux les réglemens dont elle s'occupe pour restraindre les capitaineries, et donner encore dans cette partie, qui tient de plus près à ses jouissances personnelles, un nouveau témoignage de son amour pour ses peuples.

XXXIII. Le roi invite les États-Généraux à considérer le tirage de la milice sous tous ses rapports, et à s'occuper des moyens de concilier ce qui est dû à la défense de l'État, avec les adoucissemens que sa majesté désire pouvoir procurer à ses sujets.

E

XXXIV. Le roi veut que toutes les dispositions d'ordre public et de bienfaisance envers ses peuples, que sa majesté aura sanctionnées par son autorité pendant la présente tenue des États-Généraux, celles entre autres relatives à la liberté personnelle, à l'égalité des contributions, à l'établissement des États-Provinciaux, ne puissent jamais être changées sans le consentement des trois ordres pris séparément; sa majesté les place à l'avance au rang des propriétés nationales, qu'elle veut mettre, comme toutes les autres propriétées, sous la garde la plus assurée.

XXXV. Sa majesté après avoir appelé les États-Généraux à s'occuper, de concert avec elle, des grands objets d'utilité publique, et de tout ce qui peut contribuer au bonheur de son peuple, déclare de la manière la plus expresse, qu'elle veut conserver en son entier, et sans la moindre atteinte, l'institution de l'armée, ainsi que toute autorité, police et pouvoir sur le militaire, tels que les monarques français en ont constamment joui.

Le roi, avant de se retirer, prononce un troisième discours que nous transcrivons.

'Vous venez, Messieurs, d'entendre le résultat de mes dispositions et de mes vues; elles sont conformes au vif désir que j'ai d'opérer le bien public; et si, par une fatalité loin de ma pensée, vous m'abandonniez dans une si belle entreprise, seul, je ferai le bien de mes peuples; seul, je me considérerai comme leur véritable représentant; et connaissant vos cahiers, connaissant l'accord parfait qui existe entre le vœu le plus général de la nation et mes intentions bienfaisantes, j'aurai toute la confiance que doit inspirer une si rare harmonie, et je marcherai vers le but auquel je veux atteindre avec tout le courage et la fermeté qu'il doit m'inspirer.

'Réfléchissez, Messieurs, qu'aucuns de vos projets, aucunes de vos dispositions ne peuvent avoir force de loi sans mon approbation spéciale. Ainsi je suis le garant naturel de vos droits respectifs; et tous les ordres de l'état peuvent se reposer sur mon équitable impartialité.

'Toute défiance de votre part serait une grande injustice. C'est moi, jusqu'à présent, qui fais tout le bonheur de mes peuples; et il est rare peut-être que l'unique ambition d'un souverain soit d'obtenir de ses sujets qu'ils s'entendent enfin pour accepter ses bienfaits.

'Je vous ordonne, messieurs, de vous séparer tout de suite, et de vous rendre demain matin chacun dans les chambres affectées à votre ordre, pour y reprendre vos séances. J'ordonne en conséquence au grand-maître des cérémonies de faire préparer les salles.'

[*June* 23, 1789. *Acton*, 73; *Aulard*, 34 (*I*, 138); *C.M.H.*, 156; *Jaurès*, *I*, 284; *Lavisse*, *I*, 32; *Legg*, *I*, 22; *Madelin*, 54 (63); *Mathiez*, *I*, 54 (43). *Text from Buchez and Roux*, *II*, 12–21.]

7
DÉCLARATION DE L'ASSEMBLÉE

M. *LE COMTE DE MIRABEAU.* C'est aujourd'hui que je bénis la liberté de ce qu'elle mûrit de si beaux fruits dans l'assemblée nationale. Assurons notre ouvrage, en déclarant inviolable la personne des députés aux États-Généraux. Ce n'est pas manifester une crainte, c'est agir avec prudence; c'est un frein contre les conseils violens qui assiégent le trône.

Après un court débat, cette motion est adoptée à la pluralité de 493 voix contre 34; et l'assemblée se sépare après avoir pris l'arrêté suivant:

'L'assemblée nationale déclare que la personne de chaque député est inviolable; que tous particuliers, toutes corporations, tribunal, cour ou commission, qui oseraient, pendant ou après la présente session, poursuivre, rechercher, arrêter ou faire arrêter, détenir ou faire détenir un député, pour raisons d'aucunes propositions, avis, opinions, ou discours par lui faits aux États-Généraux; de même que toutes personnes qui prêteraient leur ministère à aucun desdits attentats, de quelque part qu'ils fussent ordonnés, sont infâmes et traîtres envers la nation, et coupables de crime capital. L'assemblée nationale arrête que dans les cas susdits elle prendra toutes les mesures nécessaires pour faire rechercher,

poursuivre et punir ceux qui en seront les auteurs, instigateurs ou exécuteurs.'

[*June* 23, 1789. *Acton*, 75; *Aulard*, 34 (*I*, 138); *C.M.H.*,
157; *Jaurès*, *I*, 288; *Lavisse*, *I*, 34; *Legg*, *I*, 35; *Madelin*,
55 (65); *Mathiez*, *I*, 55 (44). *Text from Procès-Verbal, No. 5.*]

8

INSURRECTION DE PARIS

PARIS. Lundi, 13 *juillet.*—Dès le matin, on publia
l'arrêté suivant, qui avait été rédigé dans la nuit, et qui
n'est que l'ampliation de la déclaration faite vers minuit.
Les électeurs arrêtent:

1° Que tous les citoyens rassemblés à l'Hôtel-de-Ville se
retireront dès à présent dans leurs districts respectifs;

2° Que M. le lieutenant de police sera invité à se rendre
sur-le-champ à l'Hôtel-de-Ville, pour donner les détails qui
lui seront demandés;

3° Qu'il sera établi dès ce moment un *comité permanent*,
composé de personnes qui seront nommées par l'assemblée,
et dont le nombre sera augmenté par les électeurs, ainsi
qu'ils trouveront convenir;

4° Qu'il sera établi sur-le-champ une correspondance
entre le comité permanent et les districts;

5° Qu'il sera demandé dans le moment même à chaque
district de former un état nominatif, d'abord de deux cents
citoyens (lequel nombre sera augmenté successivement); que
ces citoyens doivent être connus et en état de porter les
armes; qu'ils seront réunis en corps de *milice parisienne*, pour
veiller à la sûreté publique, suivant les instructions qui
seront données à cet effet par le comité permanent;

6° Que les membres de ce comité permanent formeront
autant de bureaux qu'il sera nécessaire à l'Hôtel-de-Ville,
pour pourvoir, tant à l'objet des subsistances, qu'à l'organisation et au service de la milice parisienne;

7° Qu'au moment de la publication du présent arrêté,

tout particulier qui se trouvera muni de fusils, pistolets, sabres, épées ou autres armes, sera tenu de les porter sur-le-champ dans les différens districts dont il fait partie, pour les remettre aux chefs desdits districts, y être rassemblés et ensuite distribuées, suivant l'ordre qui sera établi, aux différens citoyens qui doivent former la milice parisienne.

8° Que les attroupemens ne pouvant servir qu'à augmenter le tumulte et la confusion, et contrarier l'effet des mesures nécessaires à la sûreté et à la tranquillité publique, tous les citoyens seront avertis de s'abstenir de former des attroupemens dans quelque lieu que ce puisse être.

9° Que les citoyens rassemblés dans les districts seront priés de sanctionner, par leur approbation particulière, ce qui vient d'être arrêté dans l'assemblée générale;

10° Et enfin, que le présent arrêté sera imprimé et lu, publié et affiché avec le nom des personnes que l'assemblée va choisir et nommer pour former le comité permanent, en attendant que l'assemblée des électeurs, convoquée pour l'après-midi de cette même journée, ait de son côté choisi et nommé les membres qu'elle doit adjoindre à ceux nommés par l'assemblée générale. . . .

Le même jour 13 juillet, après midi, on publia l'arrêté suivant:

Arrêté du comité permanent établi par l'assemblée générale de ce matin, 13 juillet, 1789

La notoriété des désordres et les excès commis par plusieurs attroupemens, ayant déterminé l'assemblée générale à rétablir sans délai la milice parisienne, il a été ordonné ce qui suit:

1° Le fond de la milice parisienne sera de 48,000 citoyens, jusqu'à nouvel ordre;

2° Le premier enregistrement fait dans chacun des soixante districts, sera de 200 hommes pour le premier jour, et ainsi successivement pendant les trois jours suivans;

3° Ces soixante districts, réduits en seize quartiers, formeront seize légions, qui porteront le nom de chaque quartier, dont douze seront composés de quatre bataillons, également désignés par le nom des districts, et quatre de trois bataillons seulement, aussi désignés de la même manière;

4° Le fond de chaque bataillon sera de quatre compagnies;

5° Chaque compagnie sera de 200 hommes, dont la composition en sera portée dès le premier jour à 50 hommes, pour compléter successivement les 200 hommes demandés à chaque district, à l'effet de commencer le service;

6° L'état-major sera composé d'un commandant-général des seize legions, d'un commandant-général en second; d'un major-général, et d'un aide-major-général;

7° L'état-major particulier de chacune des seize légions sera composé d'un commandant en chef; d'un commandant en second, d'un major, de quatre aides-majors et d'un adjudant;

8° Chaque compagnie sera commandée par un capitaine en premier, un capitaine en second, deux lieutenans et deux sous-lieutenans.

Les compagnies seront composées de huit sergens, dont le premier sera sergent-major, de trente-deux caporaux, de cent cinquante-huit factionnaires et de deux tambours;

9° Le comité permanent nommera le commandant-général, le commandant-général en second, le major-général, l'aide-major-général, et les états-majors de chacune des seize légions, sur les désignations et renseignemens qui seront adressés par les chefs des districts.

Quant aux officiers des bataillons qui composent lesdites légions, ils seront nommés par chaque district, ou par des commissaires députés à cet effet dans chacun des districts et quartiers.

10° Comme il est nécessaire que chaque membre qui compose cette milice parisienne porte une marque distinctive, les couleurs de la ville ont été adoptées par l'assemblée générale; en conséquence, chacun portera la *cocarde bleue et rouge*. Tout homme qui sera trouvé avec ette cocade, sans avoir été enregistré dans l'un des districts, sera remis à la justice du comité permanent. Le grand état-major réglera les distinctions ultérieures de tout genre;

11° Le quartier-général de la milice parisienne sera constamment à l'Hotel-de-Ville;

12° Les officiers composant le grand état-major auront séance au comité permanent;

13° Il y aura seize corps-de-garde principaux pour chaque légion, et soixante corps-de-garde particuliers, correspondans à chaque district;

14° Les patrouilles seront postées partout où il sera nécessaire, et la force de leur composition sera réglée par les chefs;

15° Les armes prises dans les corps-de-garde y seront laissées par chaque membre ce la milice parisienne à la fin de son service, et messieurs les officiers en seront responsables;

16° D'après la composition arrêtée de la milice parisienne, chaque citoyen admis à défendre ses foyers voudra bien, tant que les circonstances l'exigeront, s'astreindre à faire son service tous les quatre jours.

Fait à l'Hôtel-de-Ville, le 13 juillet 1789.

Signé, de Flesselles, *prévôt des marchands*, etc.

[*Acton*, 88; *C.M.H.*, 162; *Jaurès, I*, 298; *Lavisse, I*, 47; *Legg, I*, 112; *Madelin*, 62 (70); *Mathiez, I*, 59 (47). *Text from Buchez and Roux, II*, 92–5.]

9
GRANDE PEUR

Assemblée Nationale: Séance du Lundi 10 aout, 1789

L'ASSEMBLÉE nationale, considérant que les ennemis de la nation ayant perdu l'espoir d'empêcher, par la violence du despotisme, la régénération publique et l'établissement de la liberté, paraissent avoir conçu le projet criminel de ramener au même but par la voie du désordre et de l'anarchie; qu'entre autres moyens ils ont à la même époque, et presque le même jour, fait semer de fausses alarmes dans les différentes provinces du royaume, et qu'en annonçant des incursions et des brigandages qui n'existaient pas, ils ont donné lieu à des excès et des crimes qui attaquent également les biens et les personnes, et qui, troublant l'ordre universel de la société, méritent les peines les plus sévères; que ces hommes ont porté l'audace jusqu'à répandre de faux ordres, et même de faux édits du roi, qui ont armé une portion de la nation contre l'autre, dans le moment même où l'assemblée nationale portait les décrets les plus favorables à l'intérêt du peuple.

Considérant que, dans l'effervescence générale, les propriétés les plus sacrées, et les moissons même, seul espoir du peuple dans ces temps de disette, n'ont pas été respectées;

Considérant enfin que l'union de toutes les forces, l'influence de tous les pouvoirs, l'action de tous les moyens, et le zèle de tous les bons citoyens, doivent concourir à réprimer de pareils désordres,

Arrête et décrète:

Que toutes les municipalités du royaume, tant dans les villes que dans les campagnes, veilleront au maintien de la tranquillité publique, et que, sur leur simple réquisition, les milices nationales, ainsi que les maréchaussées, seront assistées des troupes, à l'effet de poursuivre et d'arrêter les perturbateurs du repos public, de quelque état qu'ils puissent être;

Que les personnes arrêtées seront remises aux tribunaux de justice, et interrogées incontinent, et que le procès leur sera fait; mais qu'il sera sursis au jugement et à l'exécution à l'égard de ceux qui seront prévenus d'être les auteurs de fausses alarmes et les instigateurs des pillages et violences, soit sur les biens, soit sur les personnes; et que cependant copies des informations des interrogatoires et autres procédures seront successivement adressées à l'assemblée nationale, afin que, sur l'examen et la comparaison des preuves rassemblées des différens lieux du royaume, elle puisse remonter à la source des désordres, et pourvoir à ce que les chefs de ces complots soient soumis à des peines exemplaires qui répriment efficacement de pareils attentats;

Que tous attroupemens séditieux, soit dans les villes, soit dans les campagnes, même sous prétexte de chasse, seront incontinent dissipés par les milices nationales, les maréchaussées et les troupes, sur la simple réquisition des municipalités;

Que dans les villes et municipalités des campagnes, ainsi que dans chaque district des grandes villes, il sera dressé un rôle des hommes sans aveu, sans métier ni profession, et sans domicile constant, lesquels seront désarmés; et que les milices nationales, les maréchaussées et les troupes veilleront particulièrement sur leur conduite;

Que toutes ces milices nationales prêteront serment entre les mains de leur commandant, de bien et fidèlement servir le maintien de la paix, pour la défense des citoyens, et contre les perturbateurs du repos public; et que toutes les troupes, savoir, les officiers de tout grade et soldats, prêteront serment à la nation, et au roi chef de la nation, avec la solemnité la plus auguste. Que les soldats jureront, en presence du régiment entier sous les armes, de ne jamais abandonner leurs drapeaux, d'être fidéles à la nation, au roi, et à la loi, et de se conformer aux règles de la discipline militaire.

Que les officiers jureront, à la tête de leurs troupes, eu présence des officiers municipaux, de rester fidèles à la nation, au roi et à la loi, et de ne jamais employer ceux qui seront sous leurs ordres, contre les citoyens, si ce n'est sur la réquisition des officiers civils ou municipaux, laquelle réquisition sera toujours lue aux troupes assemblées;

Que les curés des villes et des campagnes feront lecture du présent arrêté à leurs paroissiens réunis dans l'église, et qu'ils emploieront, avec tout le zèle dont ils ont constamment donné des preuves, l'influence de leur ministère, pour rétablir la paix et la tranquillité publique, et pour ramener tous les citoyens à l'ordre et l'obéissance qu'ils doivent aux autorités légitimes.

Sa majesté sera suppliée de donner les ordres nécessaires pour la pleine et entière exécution de ce décret, lequel sera adressé à toutes les villes, municipalités et paroisses du royaume, ainsi qu'aux tribunaux, pour y être lu, publié, affiché et inscrit dans les registres.

[*Acton*, 98; *Jaurès*, I, 310 f.; *Lavisse*, I, 64, 69; *Madel.n*, 77 (89); *Mathiez*, I, 64 (50). *Text from Procès-Verbal*, *No.* 46.]

10

NUIT DU 4 AOÛT

Assemblée Nationale: Séance du Mardi 11 *août,* 1789

ART. Ier. L'assemblée nationale détruit entièrement le régime féodal. Elle décrète que, dans les droits et devoirs, tant féodaux que censuels, ceux qui tiennent à la main-morte réelle ou personelle, et à la servitude personnelle, et ceux qui les représentent, sont abolis sans indemnité; tous les autres sont déclarés rachetables, et le prix et le mode du rachat seront fixés par l'assemblée nationale. Ceux desdits droits qui ne sont point supprimés par ce décret, continueront néanmoins à être perçus jusqu'au remboursement.

II. Le droit exclusif des fuies et colombiers est aboli.

Les pigeons seront enfermés aux époques fixées par les communautés; durant ce temps, ils seront regardés comme gibier, et chacun aura le droit de les tuer sur son terrain.

III. Le droit exclusif de la chasse et des garennes ouvertes est pareillement aboli, et tout propriétaire a le droit de détruire et faire détruire, seulement sur ses possessions, toute espèce de gibier, sauf à se conformer aux lois de police qui pourront être faites relativement à la sûreté publique.

Toute capitainerie, même royale, et toute réserve de chasse, sous quelque dénomination que ce soit, sont pareillement abolies; et il sera pourvu, par des moyens compatibles avec le respect dû aux propriétés et à la liberté, à la conservation des plaisirs personnels du roi.

M. le président sera chargé de demander au roi le rappel des galériens et des bannis pour simple fait de chasse, l'élargissement des prisonniers actuellement détenus, et l'abolition des procédures existantes à cet égard.

IV. Toutes les justices seigneuriales sont supprimées sans aucune indemnité; et néanmoins les officiers de ces justices continueront leurs fonctions jusqu'à ce qu'il ait été pourvu par l'assemblée nationale à l'établissement d'un nouvel ordre judiciaire.

V. Les dîmes de toute nature, et les redevances qui en tiennent lieu, sous quelque dénomination qu'elles soient connues et perçues, même par abonnement, possédées par les corps séculiers et réguliers, par les bénéficiers, les fabriques, et tous gens de main-morte, même par l'ordre de Malte, et autres ordres religieux et militaires, même celles qui auraient été abandonnées à des laïcs, en remplacement et pour option de portions congrues, sont abolies, sauf à aviser aux moyens de subvenir d'une autre manière à la dépense du culte divin, à l'entretien des ministres des autels, au soulagement des pauvres, aux réparations et reconstructions des églises et presbytères, et à tous les établissemens, séminaires, écoles, colléges, hôpitaux, communautés et autres, à l'entretien desquels elles sont actuellement affectées.

Et cependant, jusqu'à ce qu'il y ait été pourvu, et que les anciens possesseurs soient entrés en jouissance de leur remplacement, l'assemblée nationale ordonne que lesdites dîmes continueront d'être perçues suivant les lois et en la manière accoutumée.

Quant aux autres dîmes, de quelque nature qu'elles soient, elles sont rachetables de la manière qui sera réglée par l'assemblée; et jusqu'au règlement à faire à ce sujet, l'assemblée nationale ordonne que la perception en sera aussi continuée.

VI. Toutes les rentes foncières perpétuelles, soit en nature, soit en argent, de quelque espèce qu'elles soient, quelle que soit leur origine, à quelques personnes qu'elles soient dues, gens de main-morte, domaines, apanagistes, ordre de Malte, seront rachetables; les champarts de toute espèce, et sous toutes dénominations, le seront pareillement, au taux qui sera fixé par l'assemblée. Défenses seront faites de plus à l'avenir créer aucune redevance non remboursable.

VII. La vénalité des offices de judicature et de municipalité, est supprimée dès cet instant. La justice sera rendue gratuitement. Et néanmoins les officiers pourvus de ces offices, continueront d'exercer leurs fonctions, et d'en percevoir les émolumens, jusqu'à ce qu'il ait été pourvu par l'assemblée aux moyens de leur procurer leur remboursement.

59

VIII. Les droits casuels des curés de campagne sont supprimés, et cesseront d'être payés aussitôt qu'il aura été pourvu à l'augmentation des portions congrues et à la pension des vicaires; et il sera fait un réglement pour fixer le sort des curés des villes.

IX. Les priviléges pécuniaires, personnels ou réels, en matière de subsides, sont abolis à jamais. La perception se fera sur tous les citoyens et sur tous les biens, de la même manière et de la même forme; et il va être avisé aux moyens d'effectuer le paiement proportionnel de toutes les contributions, même pour les six derniers mois de l'année d'imposition courante.

X. Une constitution nationale et la liberté publique étant plus avantageuses aux provinces que les priviléges dont quelques-unes jouissaient, et dont le sacrifice est nécessaire à l'union intime de toutes les parties de l'empire, il est déclaré que tous les priviléges particuliers des provinces, principautés, pays, cantons, villes et communautés d'habitans, soit pécuniaires, soit de toute autre nature, sont abolis sans retour, et demeureront confondus dans le droit commun de tous les Français.

XI. Tous les citoyens, sans distinction de naissance, pourront être admis à tous les emplois et dignités ecclésiastiques, civils et militaires, et nulle profession utile n'emportera dérogeance.

XII. A l'avenir il ne sera envoyé en cour de Rome, en la vice-légation d'Avignon, en la nonciature de Lucerne, aucun denier pour annates ou pour quelque autre cause que ce soit; mais les diocésains s'adresseront à leurs évêques pour toutes les provisions de bénéfices et dispenses, lesquelles seront accordées gratuitement, nonobstant toutes réserves, expectatives et partages de mois; toutes les églises de France devant jouir de la même liberté.

XIII. Les déports, droits de cotte-morte, dépouilles, *vacat*, droits censaux, deniers de Saint-Pierre, et autres de même genre établis en faveur des évêques, archidiacres, archiprêtres, chapitres, curés primitifs, et tous autres, sous quelque nom que ce soit, sont abolis, sauf à pourvoir, ainsi qu'il appartiendra, à la dotation des archidiaconés et des archiprêtrés, qui ne seraient pas suffisamment dotés.

XIV. La pluralité des bénéfices n'aura plus lieu à l'avenir, lorsque les revenus du bénéfice ou des bénéfices dont on sera titulaire, excéderont la somme de trois mille livres. Il ne sera pas permis non plus de posséder plusieurs pensions sur bénéfices, ou une pension et un bénéfice, si le produit des objets de ce genre que l'on possède déjà, excède la même somme de trois mille livres.

XV. Sur le compte qui sera rendu à l'assemblée nationale sur l'état des pensions, grâces et traitemens, elle s'occupera, de concert avec le roi, de la suppression de celles qui n'auraient pas été méritées, et de la réduction de celles qui seraient excessives, sauf à déterminer pour l'avenir une somme dont le roi pourra disposer pour cet objet.

XVI. L'assemblée nationale décrète qu'en mémoire des grandes et importantes délibérations qui viennent d'être prises pour le bonheur de la France, une médaille sera frappée, et qu'il sera chanté en action de grâces un *Te Deum* dans toutes les paroisses et églises du royaume.

XVII. L'assemblée nationale proclame solennellement le roi Louis XVI *restaurateur de la liberté française.*

XVIII. L'assemblée nationale se rendra en corps auprès du roi, pour présenter à sa majesté l'arrêté qu'elle vient de prendre, lui porter l'hommage de sa plus respectueuse reconnaissance, et la supplier de permettre que le *Te Deum* soit chanté dans sa chapelle, et d'y assister elle-même.

XIX. L'assemblée nationale s'occupera, immédiatement après la constitution, de la rèdaction des lois nécessaires pour le développement des principes qu'elle a fixés par le présent arrêté, qui sera incessamment envoyé par MM. les députés dans toutes les provinces, avec le décret du 10 de ce mois, pour y être imprimé, publié, même au prône des paroisses, et affiché partout où besoin sera.

[*Acton,* 94 *f.; C.M.H.,* 179; *Jaurès, I,* 317 *f.; Lavisse, I,* 70; *Madelin,* 81 (94); *Mathiez, I,* 67 (52). *Text from Procès-Verbal, No.* 47 *and Buchez and Roux, II,* 259–63.]

LOI MARTIALE CONTRE LES ATTROUPEMENS

L'ASSEMBLÉE nationale, considérant que la liberté affermit les empires, mais que la licence les détruit; que loin d'être le droit de tout faire, la liberté n'existe que pour l'obéissance aux lois; que si, dans les temps calmes, cette obéissance est suffisamment assurée par l'autorité publique ordinaire, il peut survenir des époques difficiles où les peuples, agités par des causes souvent criminelles, deviennent l'instrument d'intrigues qu'ils ignorent; que ces temps de crise nécessitent momentanément des moyens extraordinaires, pour maintenir la tranquillité publique et conserver les droits de tous, a décrété et décrète la présente loi martiale:

Art. Ier. Dans les cas où la tranquillité publique sera en péril, les officiers municipaux des lieux seront tenus, en vertu du pouvoir qu'ils ont reçu de la commune, de déclarer que la force militaire doit être déployée à l'instant pour rétablir l'ordre public, à peine d'en répondre personnellement.

II. Cette déclaration se fera en exposant à la principale fenêtre de la maison de ville, et en portant dans toutes les rues et carrefours un drapeau rouge, et en même temps les officiers municipaux requerront les chefs des gardes nationales, des troupes réglées et des maréchaussées, de prêter main-forte.

III. Au signal seul du drapeau, tous attroupemens, avec ou sans armes, deviendront criminels, et devront être dissipés par la force.

IV. Les gardes nationales, troupes réglées et maréchaussées requises par les officiers municipaux, seront tenues de marcher sur-le-champ, commandées par leurs officiers, précédées d'un drapeau rouge, et accompagnées d'un officier municipal au moins.

V. Il sera demandé par un des officiers municipaux, auxdites personnes attroupées, quelle est la cause de leur réunion et le grief dont elles demandent le redressement; elles seront autorisées à nommer six d'entre elles pour exposer leur réclamation, et présenter leur pétition, et tenues de se séparer sur-le-champ, et de se retirer paisiblement.

VI. Faute par les personnes attroupées de se retirer en ce moment, il leur sera fait, à haute voix, par les officiers municipaux, ou l'un d'eux, trois sommations de se retirer tranquillement dans leurs domiciles. La première sommation sera exprimée en ces termes: *Avis est donné que la loi martiale est proclamée; que tous attroupemens sont criminels: on va faire feu: que les bons citoyens se retirent.* A la deuxieme et troisième sommation, il suffira de répéter ces mots: *On va faire feu: que les bons citoyens se retirent.* L'officier municipal annoncera, à chaque sommation, que c'est la première ou la seconde, ou la dernière.

VII. Dans le cas où, soit avant, soit pendant le prononcé des sommations, l'attroupement commettrait quelques violences, et pareillement dans le cas où, après les sommations faites, les personnes ne se retireraient pas paisiblement, la force des armes sera à l'instant déployée contre les séditieux, sans que personne soit responsable des événemens qui pourront en résulter.

VIII. Dans le cas où le peuple attroupé, n'ayant fait aucune violence, se retirerait paisiblement, soit avant, soit immédiatement après la dernière sommation, les moteurs et instigateurs de la sédition, s'ils sont connus, pourront seuls être poursuivis extraordinairement et condamnés, savoir: à une prison de trois ans si l'attroupement n'était pas armé, et à la peine de mort si l'attroupement était en armes: il ne sera fait aucune poursuite contre les autres.

IX. Dans le cas où le peuple attroupé ferait quelques violences, et ne se retirerait pas après la dernière sommation, ceux qui échapperont aux coups de la force militaire, et qui pourront être arrêtés, seront punis d'un emprisonnement d'un an s'ils étaient sans armes, de trois ans s'ils étaient armés, et de la peine de mort s'ils étaient convaincus d'avoir commis des violences. Dans le cas du présent article, les moteurs et instigateurs de la sédition seront de même condamnés à mort.

X. Tous chefs, officiers et soldats des gardes nationales, des troupes et des maréchaussées qui exciteront ou fomenteront des attroupemens, émeutes et séditions, seront déclarés rebelles à la nation, au roi et à la loi, et punis de mort; et ceux qui refuseront le service, à la réquisition des officiers municipaux, seront dégradés, et punis de trois ans de prison.

XI. Il sera dressé, par les officiers municipaux, procès-verbal qui contiendra le récit des faits.

XII. Lorsque le calme sera rétabli, les officiers municipaux rendront un décret qui fera cesser la loi martiale, et le drapeau rouge sera retiré, et remplacé pendant huit jours par un drapeau blanc.'

[*Oct.* 21, 1789. *Lavisse, I,* 200; *Legg, I,* 153; *Mathiez, I,* 87 (66 . *Text from Procès-Verbal, No.* 104.]

12

DROIT DE LA PAIX ET DE LA GUERRE

Séance du 22 *mai,* 1790

L'ASSEMBLÉE nationale décrète comme articles constitutionnels ce qui suit:

ART. Ier. Le droit de la paix et de la guerre appartient à la Nation.

La guerre ne pourra être décidée que par un décret du Corps législatif, qui sera rendu sur la proposition formelle et nécessaire du Roi et ensuite sanctionné par Sa Majesté.

II. Le soin de veiller à la sûreté extérieure du Royaume, de maintenir ses droits et ses possessions est délégué au Roi par la constitution de l'État; ainsi lui seul peut entretenir des relations politiques au dehors, conduire les négociations et choisir les agents, faire les préparatifs de guerre proportionnés à ceux des États voisins, distribuer les forces de terre et de mer, ainsi qu'il le jugera convenable, et en régler la direction en cas de guerre.

III. Dans le cas d'hostilités imminentes ou commencées, d'un allié à soutenir, d'un droit à conserver par la force des armes, le pouvoir exécutif sera tenu d'en donner, sans aucun délai, la notification au Corps législatif, d'en faire connaître les causes et les motifs : et si le Corps législatif est en vacance, il se rassemblera sur-le-champ.

IV. Sur cette notification, si le Corps législatif juge que les hostilités commencées soient une agression coupable de la part des ministres ou de quelque autre agent du pouvoir exécutif, l'auteur de cette agression sera poursuivi comme criminel de lèse-nation ; l'Assemblée nationale déclarant à cet effet que la Nation française renonce à entreprendre aucune guerre dans la vue de faire des conquêtes, et qu'elle n'emploiera jamais ses forces contre la liberté d'aucun peuple.

V. Sur la même notification, si le Corps législatif décide que la guerre ne doit pas être faite, le pouvoir exécutif sera tenu de prendre sur-le-champ des mesures pour faire cesser ou prévenir toutes hostilités, les ministres demeurant responsables des délais.

VI. Toute déclaration de guerre sera faite en ces termes : *De la part du Roi des Français, au nom de la Nation.*

VII. Pendant tout le cours de la guerre, le Corps législatif pourra requérir le pouvoir exécutif de négocier la paix, et le pouvoir exécutif sera tenu de déférer à cette réquisition.

VIII. A l'instant où la guerre cessera, le Corps législatif fixera le délai dans lequel les troupes levées au-dessus du pied de paix seront congédiées, et l'armée réduite à son état permanent. La solde desdites troupes ne sera continuée que jusqu'à la même époque, après laquelle, si les troupes excédant le pied de paix restaient rassemblées, le ministre sera responsable et poursuivi comme criminel de lèse-nation.

IX. Il appartient au Roi d'arrêter et signer avec les puissances étrangères tous les traités de paix, d'alliance et de commerce, et autres conventions qu'il jugera nécessaires au bien de l'État ; mais lesdits traités et conventions n'auront d'effet qu'autant qu'ils auront été ratifiés par le Corps législatif.

[*C.M.H.,*1 88; *Jaurès, II, 5; Lavisse, I, 169; Legg, I, 226; Mathiez, I, 93 (71). Text from Procès-Verbal, No. 297, as edited by Legg.*]

13
ABOLITION DE LA NOBLESSE
Séance du 19 juin, 1790

ART. Ier. La noblesse héréditaire est pour toujours abolie; en conséquence, les titres de prince, de duc, de comte, de marquis, vicomte, vidame, baron, chevalier, messire, écuyer, noble, et tous autres titres semblables, ne seront ni pris par qui que ce soit, ni donnés à personne.

II. Aucun citoyen français ne pourra prendre que le vrai nom de sa famille; il ne pourra non plus porter ni faire porter de livrée ni avoir d'armoiries; l'encens ne sera brulé dans les temples que pour honorer la Divinité, et ne sera offert à qui que ce soit.

III. Les titres de monseigneur et de messeigneurs ne seront donnés ni à aucun corps ni à aucun individu, ainsi que les titres d'excellence, d'altesse, d'eminence, de grandeur, sans que, sous prétexte du présent décret, aucun citoyen puisse se permettre d'attenter aux monuments placés dans les temples, aux chartes, titres et autres renseignements intéressant les familles ou les propriétés, ni aux décorations d'aucuns lieux publics ou particuliers, et sans que l'exécution des dispositions relatives aux livrées et aux armes placées sur les voitures, puisse être suivie ni exigée par qui que ce soit avant le 14 juillet pour les citoyens vivant à Paris, et avant trois mois pour ceux qui habitent les provinces.

IV. Ne sont pas compris dans la disposition du présent décret tous les étrangers, lesquels pourront conserver en France leurs livrées et leurs armoiries.

[*C.M.H.*, 730; *Legg*, I, 240. *Text from Procès-Verbal, No.* 324.]

14

CONSTITUTION CIVILE DU CLERGÉ

Séance du 12 juillet, 1790

L'ASSEMBLÉE nationale, après avoir entendu le rapport du Comité ecclésiastique, a décrété et décrète ce qui suit, comme articles constitutionnels :

Titre Premier.—Des offices ecclésiastiques

ART. Ier. Chaque département formera un seul diocèse, et chaque diocèse aura la même étendue et les mêmes limites que le département.

II. Les sièges des évêchés des quatre-vingt-trois départements du royaume seront fixés, suivant le tableau ci-joint ...

Tous les évêchés existans dans les quatre-vingt-trois départemens du royaume, et qui ne sont pas nommément compris au présent article, sont et demeurent supprimés.

III. Le royaume sera divisé en dix arrondissemens métropolitains ...

IV. Il est défendu à toute église ou paroisse de France, et à tout citoyen français, de reconnaître en aucun cas, et sous quelque prétexte que ce soit, l'autorité d'un évêque ordinaire ou métropolitain dont le siège serait établi sous la domination d'une puissance étrangère, ni celle de ses délégués, résidant en France ou ailleurs : le tout sans préjudice de l'unité de foi, et de la communion qui sera entretenue avec le Chef visible de l'église universelle, ainsi qu'il sera dit ci-après.

V. Lorsque l'évêque diocésain aura prononcé dans son synode sur des matières de sa compétence, il y aura lieu au recours au métropolitain, lequel prononcera dans le synode métropolitain.

VI. Il sera procédé incessamment, et sur l'avis de l'évêque et de l'Administration des districts, à une nouvelle formation et circonscription de toutes les paroisses du royaume. Le nombre et l'étendue en seront déterminés d'après les règles qui vont être établies.

VII. L'église cathédrale de chaque diocèse sera ramenée à

67

son état primitif d'être en même temps église paroissiale et église épiscopale, par la suppression des paroisses, et par le démembrement des habitations qu'il sera jugé convenable d'y réunir.

VIII. La paroisse épiscopale n'aura pas d'autre pasteur immédiat que l'évêque; tous les prêtres qui y seront établis seront ses vicaires et en feront les fonctions.

IX. Il y aura seize vicaires de l'église cathédrale dans les villes qui comprendront plus de 10,000 âmes, et douze seulement dans celles où la population sera au-dessous de 10,000 âmes.

X. Il sera conservé ou établi dans chaque diocèse un seul séminaire pour la préparation aux ordres, sans entendre rien préjuger, quant à présent, sur les autres maisons d'instruction et d'éducation.

XI. Le séminaire sera établi autant que faire se pourra, près de l'église cathédrale, et même dans l'enceinte des bâtiments destinés à l'habitation de l'évêque.

XII. Pour la conduite et l'instruction des jeunes élèves reçus dans le séminaire, il y aura un vicaire-supérieur et trois vicaires-directeurs subordonnés à l'évêque.

XIII. Les vicaires-supérieurs et vicaires-directeurs seront tenus d'assister avec les jeunes ecclésiastiques du séminaire à tous les offices de la paroisse cathédrale, et d'y faire toutes les fonctions dont l'évêque ou son premier vicaire jugeront à propos de les charger.

XIV. Les vicaires des églises cathédrales, le vicaire supérieur et vicaires-directeurs du séminaire, formeront ensemble le conseil habituel et permanent de l'évêque, qui ne pourra faire aucun acte de juridiction en ce qui concerne le gouvernement du diocèse et du séminaire, qu'après en avoir délibéré avec eux. Pourra néanmoins l'évêque, dans le cours de ses visites, rendre seul telles ordonnances provisoires qu'il appartiendra.

XV. Dans toutes les villes et bourgs qui ne comprendront pas plus de 6,000 âmes, il n'y aura qu'une seule paroisse; les autres paroisses seront supprimées et réunies à l'église principale.

XVI. Dans les villes où il y a plus de 6,000 âmes, chaque

paroisse pourra comprendre un plus grand nombre de paroissiens, et il en sera conservé autant que les besoins des peuples et les localités le demanderont.

XVII. Les assemblées administratives, de concert avec l'évêque diocésain, désigneront à la prochaine législature les paroisses, annexes, ou succursales des villes ou de campagne qu'il conviendra de resserer ou d'étendre, d'établir ou de supprimer, et ils en indiqueront les arrondissements, d'après ce que demanderont les besoins des peuples, la dignité du culte, et les différentes localités.

XVIII. Les assemblées administratives et l'évêque diocésain pourront même après avoir arrêté entre eux la suppression et réunion d'une paroisse, convenir que dans les lieux écartés, ou qui, pendant une partie de l'année, ne communiqueront que difficilement avec l'église paroissiale, il sera établi ou conservé une chapelle où le curé enverra les jours de fêtes et de dimanches un vicaire pour y dire la messe, et faire au peuple les instructions nécessaires.

XIX. La réunion qui pourra se faire d'une paroisse à une autre, emportera toujours la réunion des biens de la fabrique de l'église supprimée, à la fabrique de l'église où se fera la réunion.

XX. Tous titres et offices, autres que ceux mentionnés en la présente constitution, les dignités, canonicats, prébendes, demi-prébendes, chapelles, chapellenies, tant des églises cathédrales que des églises collégiales, et tous chapitres réguliers et séculiers de l'un et de l'autre sexe; les abbayes et prieurés en règle ou en commende aussi de l'un et de l'autre sexe, et tous autres bénéfices et prestimonies généralement quelconques de quelque nature et sous quelque dénomination que ce soit, sont, à compter du jour de la publication du présent décret, éteints et supprimés, sans qu'il puisse jamais en être établi de semblables.

XXI. Tous bénéfices en patronage laïque sont soumis à toutes les dispositions des décrets concernant les bénéfices de pleine collation ou de patronage ecclésiastique.

XXII. Sont pareillement compris auxdites dispositions tous titres et fondations de pleine collation laïcale, excepté les chapelles actuellement desservies dans l'enceinte des maisons particulières par un chapelain ou desservant, à la seule disposition du propriétaire.

XXIII. Le contenu dans les articles précédents aura lieu, nonobstant toutes clauses, même de réversion, apposées dans les actes de fondation.

XXIV. Les fondations de messe et autres services acquittés présentement dans les églises paroissiales par les curés et par les prêtres qui y sont attachés sans être pourvus de leurs places en titre perpétuel de bénéfices, continueront provisoirement à être acquittées et payées comme par le passé, sans néanmoins que, dans les églises où il est établi des sociétés de prêtres non pourvus en titre perpétuel de bénéfices, et connus sous les divers noms de filleuls, aggrégés, familiers, communalistes, mi-partistes, chapelains ou autres, ceux d'entre eux qui viendront à mourir ou à se retirer, puissent être remplacés.

XXV. Les fondations faites pour subvenir à l'éducation des parents des fondateurs continueront d'être exécutées conformément aux dispositions écrites dans les titres de fondation, et à l'égard des autres fondations pieuses, les parties intéressées présenteront leurs mémoires aux assemblées de département, pour, sur leur avis et celui de l'évêque diocésain, être statué par le corps législatif sur leur conservation ou leur remplacement.

Titre II.—*Nomination aux Bénéfices*

ART. Iᵉʳ. A compter du jour de la publication du présent décret, on ne connaîtra qu'une seule manière de pourvoir aux évêchés et aux cures: c'est à savoir la forme des élections.

II. Toutes les élections se feront par la voie du scrutin, et à la pluralité absolue des suffrages.

III. L'élection des évêques se fera dans la forme prescrite et par le corps électoral, indiquée dans le décret du 22 décembre 1789, pour la nomination des membres de l'assemblée du département.

IV. Sur la première nouvelle que le procureur-général-syndic du département recevra de la vacance du siège épiscopal, par mort, démission ou autrement, il en donnera avis aux procureurs-syndics des districts, à l'effet par eux de convoquer les électeurs qui auront procédé à la dernière nomination des membres de l'Assemblée administrative, et en même temps il indiquera le jour où devra se faire l'élection de l'évêque, lequel sera, au plus tard, le troisième dimanche après la lettre d'avis qu'il écrira.

V. Si la vacance du siège épiscopal arrivait dans les quatre derniers mois de l'année où doit se faire l'élection des membres de l'administration de département, l'élection de l'évêque serait différée et renvoyée à la prochaine assemblée des électeurs.

VI. L'élection de l'évêque ne pourra se faire ou être commencée qu'un jour de dimanche dans l'église principale du chef-lieu du département, à l'issue de la messe paroissiale, à laquelle seront tenus d'assister tous les électeurs.

VII. Pour être éligible à un évêché, il sera nécessaire d'avoir rempli au moins pendant quinze ans, les fonctions du ministère ecclésiastique dans le diocèse en qualité de curé, de desservant ou de vicaire, ou comme vicaire-supérieur, ou comme vicaire-directeur du séminaire.

VIII. Les évêques dont les sièges sont supprimés par le présent décret, pourront être élus aux évêchés actuellement vacants, ainsi qu'à ceux qui vaqueront par la suite, ou qui seront érigés en quelques départements, encore qu'ils n'eussent pas quinze années d'exercice.

IX. Seront pareillement éligibles tous dignitaires, chanoines, et en général tous bénéficiers et titulaires qui étaient obligés à résidence, ou exerçaient des fonctions ecclésiastiques, et dont les bénéfices, titres, offices ou emplois se trouvent supprimés par le présent décret, lorsqu'ils auront quinze années d'exercice comptées, comme il est dit des curés dans l'article précédent.

X. Pourront aussi être élus les curés actuels qui auraient dix années d'exercice dans une cure du diocèse, encore qu'ils n'eussent pas auparavant rempli les fonctions de vicaire.

XI. Les curés et autres ecclésiastiques qui, par l'effet de la nouvelle conscription des diocèses, se trouveront dans un diocèse différent de celui où ils exerçaient leurs fonctions, seront réputés les avoir exercées dans leur nouveau diocèse, et ils y seront en conséquence éligibles, pourvu qu'ils aient d'ailleurs le temps d'exercice ci-devant exigé.

XII. Il en sera de même des curés dont les paroisses auraient été supprimées en vertu du présent décret; et il leur sera compté, comme temps d'exercice, celui qui se sera écoulé depuis la suppression de leur cure.

XIII. Les missionnaires, les vicaires généraux des évêques, les ecclésiastiques desservant les hôpitaux, ou chargés de l'éducation publique, seront pareillement éligibles, lorsqu'ils auront rempli leurs fonctions pendant quinze ans, à compter de leur promotion au sacerdoce.

XIV. La proclamation de l'élu se fera par le président de l'assemblée électorale dans l'église où l'élection aura été faite, en présence du peuple et du clergé, et avant de commencer la messe solennelle qui sera célébrée à cet effet.

XV. Le procès-verbal de l'élection et de la proclamation sera envoyé au Roi par le président le l'assemblée des électeurs, pour donner à Sa Majesté connaissance du choix qui aura été fait.

XVI. Au plus tard, dans le mois qui suivra son élection, celui qui aura été élu à un évêché, se présentera en personne à son évêque métropolitain, et s'il est élu pour le siège de la métropole, au plus ancien évêque de l'arrondissement, avec le procès-verbal d'élection et de proclamation; et il le suppliera de lui accorder la confirmation canonique.

XVII. Le métropolitain ou l'ancien évêque aura la faculté d'examiner l'élu en présence de son conseil, sur sa doctrine et ses mœurs. S'il le juge capable, il lui donnera l'institution canonique; s'il croit devoir la lui refuser, les causes du refus seront données par écrit, signées du métropolitain et de son conseil, sauf aux parties intéressées à se pourvoir par voie d'appel comme d'abus, ainsi qu'il sera dit ci-après.

XVIII. L'évêque à qui la confirmation sera demandée ne pourra exiger de l'élu d'autre serment qu'il fait profession de la religion catholique, apostolique et romaine.

XIX. Le nouvel évêque ne pourra s'adresser au Pape pour en obtenir aucune confirmation; mais il lui écrira comme au chef visible de l'église universelle, en témoignage de l'unité de foi et de la communion qu'il doit entretenir avec lui.

XX. La consécration de l'évêque ne pourra se faire que dans son église cathédrale par son métropolitain, ou à son défaut par le plus ancien évêque de l'arrondissement de la métropole, assisté des évêques des deux diocèses les plus voisins, un jour de dimanche pendant la messe paroissiale, en présence du peuple et du clergé.

XXI. Avant que la cérémonie de la consécration commence, l'élu prêtera, en présence des officiers municipaux, du peuple et du clergé, le serment solennel de veiller avec soin sur les fidèles du diocèse qui lui est confié, d'être fidèle à la nation, à la loi et au Roi, et de maintenir de tout son pouvoir la constitution décrétée par l'Assemblée nationale et acceptée par le Roi.

XXII. L'évêque aura la liberté de choisir les vicaires de son église cathédrale dans tout le clergé de son diocèse, à la charge par lui de ne pouvoir nommer que des prêtres qui auront exercé des fonctions ecclésiastiques au moins pendant dix ans; il ne pourra les destituer que de l'avis de son conseil, et par une délibération qui y aura été prise à la pluralité des voix en connaissance de cause.

XXIII. Les curés actuellement établis en aucune église cathédrale ainsi que ceux des paroisses qui seront supprimées pour être réunies à l'église cathédrale, et en former le territoire, seront de plein droit, s'ils le demandent, les premiers vicaires de l'évêque, chacun suivant l'ordre de leur ancienneté dans les fonctions pastorales.

XXIV. Les vicaire-supérieur et vicaires-directeurs du séminaire seront nommés par l'évêque et son conseil, et ne pourront être destitués que de la même manière que les vicaires de l'église cathédrale.

XXV. L'élection des curés se fera dans la forme prescrite, et par les électeurs indiqués dans le décret du 22 décembre 1789, pour la nomination des membres de l'assemblée administrative du district.

XXVI. L'assemblée des électeurs pour la nomination aux cures se formera tous les ans à l'époque de la formation des assemblées de district, quand même il n'y aurait qu'une seule cure vacante dans le district, à l'effet de quoi les municipalités seront tenues de donner avis au procureur-syndic du district de toutes les vacances de cures qui arriveront dans leur arrondissement, par mort, démission ou autrement.

XXVII. En convoquant l'assemblée des électeurs, le procureur-syndic enverra à chaque municipalité la liste de toutes les cures auxquelles il faudra nommer.

XXVIII. L'élection des curés se fera par scrutins séparés pour chaque cure vacante.

XXIX. Chaque électeur, avant de mettre son bulletin dans le vase du scrutin, fera serment de ne nommer que celui qu'il aura choisi en son âme et conscience, comme le plus digne, sans y avoir été déterminé par dons, promesses, sollicitations ou menaces. Ce serment sera prêté pour l'élection des évêques, comme pour celle des curés.

XXX. L'élection des curés ne pourra se faire, ou être commencée, qu'un jour de dimanche dans la principale église du chef-lieu de district, à l'issue de la messe paroissiale, à laquelle tous les électeurs seront tenus d'assister.

XXXI. La proclamation des élus sera faite par le président du corps électoral dans l'église principale, avant la messe solennelle qui sera célébrée à cet effet, et en présence du peuple et du clergé.

XXXII. Pour être éligible à une cure, il sera nécessaire d'avoir rempli les fonctions de vicaire dans une paroisse ou dans un hôpital et autre maison de charité du diocèse, au moins pendant cinq ans.

XXXIII. Les curés dont les paroisses seront supprimées en exécution du présent décret, pourront être élus, encore qu'ils n'eussent pas cinq années d'exercice dans le diocèse.

XXXIV. Seront pareillement éligibles aux cures, tous ceux qui ont été ci-dessus déclarés éligibles aux évêchés, pourvu qu'ils aient aussi cinq années d'exercice.

XXXV. Celui qui aura été proclamé élu à une cure se présentera en personne à l'évêque avec le procès-verbal de son élection et proclamation, à l'effet d'obtenir de lui institution canonique.

XXXVI. L'évêque aura la faculté d'examiner l'élu en présence de son conseil, sur sa doctrine et ses mœurs; s'il le juge capable, il lui donnera l'institution canonique; s'il croit devoir la lui refuser, les causes du refus seront données par écrit, signées de l'évêque et de son conseil, sauf aux parties le recours à la puissance civile, ainsi qu'il sera dit ci-après.

XXXVII. En examinant l'élu qui lui demandera l'institution canonique, l'évêque ne pourra exiger de lui d'autre serment, sinon qu'il fait profession de la religion catholique, apostolique et romaine.

XXXVIII. Les curés élus et institués prêteront le même serment que les évêques dans leur église, un jour de dimanche, avant la messe paroissiale, en présence des officiers municipaux du lieu, du peuple et du clergé; jusque-là ils ne pourront faire aucune fonction curiale.

XXXIX. Il y aura, tant dans l'église cathédrale que dans chaque église paroissiale, un registre particulier, sur lequel le secrétaire-greffier de la municipalité du lieu écrira, sans frais, le procès-verbal de la prestation du serment de l'évêque ou du curé: il n'y aura pas d'autre acte de prise de possession que ce procès-verbal.

XL. Les évêchés et les cures seront réputés vacants, jusqu'à ce que les élus aient prêté le serment ci-dessus mentionné.

XLI. Pendant la vacance du siège épiscopal, le premier et, à son défaut, le second vicaire de l'église cathédrale, remplacera l'évêque, tant pour les fonctions curiales que pour les actes de juridiction qui n'exigent pas le caractère épiscopal: mais en tout il sera tenu de se conduire pas les avis du conseil.

XLII. Pendant la vacance d'une cure, l'administration de la paroisse sera confiée au premier vicaire, sauf à y établir un vicaire de plus, si la municipalité le requiert; et dans le cas où il n'y aurait pas de vicaire dans la paroisse, il y sera établi un desservant par l'évêque.

XLIII. Chaque curé aura le droit de choisir ses vicaires; mais il ne pourra fixer son choix que sur des prêtres ordonnés ou admis dans le diocèse par l'évêque.

XLIV. Aucun curé ne pourra révoquer ses vicaires que pour des causes légitimes, jugées telles par l'évêque et son conseil.

Titre III.—*Du traitement des ministres de la religion*

ART. Ier. Les ministres de la religion exerçant les premières et les plus importantes fonctions de la société, et obligés de résider continuellement dans le lieu du service auquel la confiance des peuples les a appelés, seront défrayés par la nation.

II. Il sera fourni à chaque évêque, à chaque curé et aux desservants des annexes et succursales, un logement convenable, à la charge par eux d'y faire toutes les réparations locatives, sans entendre rien innover quant à présent, à l'égard des paroisses où le logement du curé est fourni en argent, et sauf aux départements à prendre connaissance des demandes qui seront formées par les paroisses et par les curés. Il leur sera en outre assigné à tous le traitement qui va être réglé.

III. Le traitement des évêques sera, savoir:

Pour l'évêque de Paris, de 50,000 livres.

Pour les évêques des villes dont la population est de 50,000 âmes et au-dessus, de 20,000 livres.

Pour tous les autres évêques, de 12,000 livres.

IV. Le traitement des vicaires des églises cathédrales sera, savoir:

A Paris, pour le premier vicaire, de 6,000 livres.

Pour le second, de 4,000 livres.

Pour tous les autres vicaires, de 3,000 livres.

Dans les villes dont la population est de 50,000 âmes et au-dessus, pour le premier vicaire, de 4,000 livres.

Pour le second, de 3,000 livres.

Pour tous les autres, de 2,400 livres.

Dans les villes dont la population est de moins de 50,000 âmes, pour le premier vicaire, de 3,000 livres.

Pour le second, de 2,400 livres.

Pour tous les autres, de 2,000 livres.

V. Le traitement des curés sera, savoir: à Paris, de 6,000 livres.

Dans les villes dont la population est de 50,000 âmes et au-dessus, de 4,000 livres.

Dans celles dont la population est de moins de 50,000 âmes et plus de 10,000 âmes, de 3,000 livres.

Dans les villes et bourgs dont la population est au-dessous de 10,000 âmes, et au-dessus de 3,000 âmes, de 2,400 livres.

Dans toutes les autres villes et bourgs, et dans les villages, lorsque la paroisse offrira une population de 3,000 âmes et au-dessous, jusqu'à 2,500, de 2,000 livres; lorsqu'elle en offrira une de 2,500 âmes jusqu'à 2,000, de 1,800 livres; lorsqu'elle en offrira une de moins de 2,000 et de plus de 1,000, de 1,500 livres, et lorsqu'elle en offrira une de 1,000 âmes et au-dessous, de 1,200 livres.

VI. Le traitement des vicaires sera, savoir: à Paris, pour le premier vicaire, de 2,400 livres: pour le second, de 1,500 livres, et pour tous les autres, de 1,000 livres.

Dans les villes dont la population est de 50,000 âmes et au-dessus, pour le premier vicaire, de 1,200 livres: pour le second, de 1,000 livres, et pour tous les autres, de 800 livres.

Dans toutes les autres villes et bourgs où la population sera de plus de 3,000 âmes, de 800 livres pour les deux premiers vicaires, et de 700 livres pour tous les autres.

Dans toutes les autres paroisses de villes et de campagne, de 700 livres pour chaque vicaire.

VII. Le traitement en argent des ministres de la religion leur sera payé d'avance, de trois mois en trois mois, par le trésorier du district, à peine par lui d'y être contraint par corps sur une simple sommation; et dans le cas où l'évêque, curé ou vicaire, viendrait à mourir ou à donner sa démission avant la fin du quartier, il ne pourra être exercé contre lui ni contre ses héritiers, aucune répétition.

VIII. Pendant la vacance des évêchés, des cures et de tous offices ecclésiastiques, payés par la nation, les fruits du traitement qui y est attaché seront versés dans la caisse du district, pour subvenir aux dépenses dont il va être parlé.

IX. Les curés qui, à cause de leur grand âge, ou de leurs infirmités, ne pourraient plus vaquer à leurs fonctions, en donneront avis au directoire du département qui, sur les instructions de la municipalité et de l'administration du district, laissera à leur choix, s'il y a lieu, ou de prendre un vicaire de plus, lequel sera payé par la nation sur le même pied que les autres vicaires, ou de se retirer avec une pension égale au traitement qui aurait été fourni au vicaire.

X. Pourront aussi les vicaires, aumôniers des hôpitaux, supérieurs de séminaires, et tous autres exerçant des fonctions publiques, en faisant constater leur état de la manière qui vient d'être prescrite, se retirer avec une pension de la valeur du traitement dont ils jouissent, pourvu qu'il n'excède pas la somme de 800 livres.

XI. La fixation qui vient d'être faite du traitement des ministres de la religion aura lieu à compter du jour de la publication du présent décret, mais seulement pour ceux qui seront pourvus par la suite d'offices ecclésiastiques. A l'égard des titulaires actuels, soit ceux dont les titres sont conservés, leur traitement sera fixé par un décret particulier.

XII. Au moyen du traitement qui leur est assuré par la présente constitution, les évêques, les curés et leurs vicaires exerceront gratuitement les fonctions épiscopales et curiales.

Titre IV.—De la loi de la résidence

ART. Ier. La loi de la résidence sera religieusement observée; et tous ceux qui seront revêtus d'un office ou emploi ecclésiastique y seront soumis sans aucune exception ni distinction.

II. Aucun évêque ne pourra s'absenter chaque année pendant plus de quinze jours consécutifs, hors de son diocèse, que dans le cas d'une véritable nécessité, et avec l'agrément du directoire du département dans lequel son siège sera établi.

III. Ne pourront pareillement les curés et les vicaires s'absenter du lieu de leurs fonctions, au delà du terme qui vient d'être fixé, que pour des raisons graves; et même, en ce cas, seront tenus les curés d'obtenir l'agrément, tant de leur évêque, que du directoire de leur district; les vicaires, la permission du curé.

IV. Si un évêque ou un curé s'écartait de la loi de la

résidence, la municipalité du lieu en donnerait avis au procureur-général-syndic du département, qui l'avertirait par écrit de rentrer dans son devoir, et après la seconde monition, le poursuivrait pour le faire déclarer déchu de son traitement pour tout le temps de son absence.

V. Les évêques, les curés et les vicaires ne pourront accepter de charges d'emplois ou de commissions qui les obligeraient de s'éloigner de leur diocèse ou de leur paroisse, ou qui les enlèveraient aux fonctions de leur ministère; et ceux qui en sont actuellement pourvus seront tenus de faire leur option dans le délai de trois mois, à compter de la notification qui leur sera faite du présent décret, par le procureur-général-syndic de leur département ; sinon et après l'expiration de ce délai, leur office sera réputé vacant, et il leur sera donné un successeur en la forme ci-dessus prescrite.

VI. Les évêques, les curés et les vicaires pourront comme citoyens actifs assister aux assemblées primaires et électorales, y être nommés électeurs, députés aux législatures, élus membres du conseil général de la commune et du conseil des administrations des districts et des départements. Mais leurs fonctions sont déclarées incompatibles avec celles de maire et autres officiers municipaux, et des membres des directoires de district et de département; et s'ils étaient nommés, ils seraient tenus de faire leur option.

VII. L'incompatibilité mentionnée dans l'article VI n'aura effet que pour l'avenir; et si aucuns évêques, curés ou vicaires ont été appelés par les vœux de leurs concitoyens aux offices de maire et autres municipaux, ou nommés membres des directoires de district et de département, ils pourront continuer d'en exercer les fonctions.

[*Acton*, 159 f.; *C.M.H.*, 196; *Jaurès*, II, 165 f.; *Lavisse*, I, 190; *Legg*, II, *App. C.*; *Madelin*, 146 f. (165 f.); *Mathiez*, I, 145 (109). *Text from ed. Gratuit* (*Brit. Mus. F.* 1863).]

15
SERMENT DU CLERGÉ
Assemblée Nationale: séance du 27 novembre, 1790

L'ASSEMBLÉE nationale, ouï, le rapport qui lui a été fait, au nom de ses comités ecclésiastique, des rapports, d'aliénation et des recherches, décrète ce qui suit:

Art. I. Les évêques, les ci-devant archevêques, les curés, conservés en fonctions, seront tenus, s'ils ne l'ont pas fait, de prêter le serment auquel ils sont assujétis par l'article 39 du décret du 24 juillet dernier, réglé par les articles 21 et 38 de celui du même mois, concernant la constitution civile du clergé; en conséquence, ils jureront, en vertu de ce dernier décret, de veiller avec soin sur les fidèles du diocèse, ou de la paroisse qui leur est confiée; d'être fidèles à la nation, à la loi et au roi, et de maintenir de tout leur pouvoir la constitution décrétée par l'assemblée nationale et acceptée par le roi; savoir, ceux qui sont actuellement dans leur diocèse ou leurs cures, dans la huitaine; ceux qui en sont absens, mais qui sont en France, dans un mois; et ceux qui sont en pays étranger, dans deux mois; le tout à compter de la publication du présent décret.

II. Les vicaires des évêques, les supérieurs et directeurs des séminaires, les vicaires des curés, les professeurs de séminaires et de colléges, et tout sutres ecclésiastiques fonctionnaires publics, feront, dans les mêmes délais, le serment de remplir leurs fonctions avec exactitude, d'être fidèles à la nation, à la loi et au roi, et de maintenir de tout leur pouvoir la constitution décrétée par l'assemblée nationale et acceptée par le roi.

III. Le serment sera prêté un jour de dimanche à l'issue de la messe; savoir par les évêques, les ci-devant archevêques, leurs vicaires, les supérieurs et directeurs de séminaires, dans l'église épiscopale; et par les curés, leurs vicaires, et tous autres ecclésiastiques fonctionnaires publics, dans l'église de leurs paroisses, et en présence du conseil-général de la commune et des fidèles. A cet effet, ils feront, par écrit, au moins deux jours d'avance, leurs déclarations au greffe de la municipalité, de leur intention de prêter le serment, et se concerteront avec le maire, pour en arrêter le jour.

IV. Ceux desdits évêques, ci-devant archevêques, curés et autres ecclésiastiques fonctionnaires publics, qui sont membres de l'assemblée nationale, et qui y exercent actuellement leurs fonctions de députés, prêteront le serment qui les concerne respectivement, à l'assemblée nationale, dans la huitaine du jour auquel la sanction du présent décret y aura été annoncée; et dans la huitaine suivante, ils enverront un extrait de la prestation de leur serment à leur municipalité.

V. Ceux desdits évêques, ci-devant archevêques, curés et autres ecclésiastiques fonctionnaires publics, qui n'auront pas prêté, dans les délais déterminés, le serment qui leur est respectivement prescrit, seront réputés avoir renoncé à leur office, et il sera pourvu à leur remplacement, comme en cas des vacances par démission, à la forme du titre II du décret du 12 juillet dernier, concernant la constitution civile du clergé; à l'effet de quoi, le maire sera tenu, huitaine après l'expiration dudit délai, de dénoncer le défaut de prestation de serment; savoir, de la part de l'évêque, ou ci-devant archevêque, de ses vicaires, des supérieurs et directeurs de séminaires, au procureur-général-syndic du département; et de celle du curé, de ses vicaires, et des autres fonctionnaires publics, au procureur-syndic du district: l'assemblée les rendant garans et responsables les uns et les antres de leur négligence à procurer l'exécution du présent décret.

VI. Dans le cas où lesdits évêques, ci-devant archevêques, curés, vicaires et autres ecclésiastiques fonctionnaires publics, après avoir prêté leur serment respectif, viendraient à y manquer, soit en refusant d'obéir aux décrets de l'assemblée nationale, acceptés ou sanctionnés par le roi; soit en formant ou en excitant des oppositions à leur exécution, ils seront poursuivis dans les tribunaux de district comme rebelles à la loi, et punis par la privation de leur traitement, et en outre déclarés déchus des droits de citoyens actifs, incapables d'aucune fonction publique. En conséquence, il sera pourvu à leur remplacement en la forme dudit décret du

12 juillet dernier, sauf plus grandes peines, s'il y échéait,
suivant l'exigence et la gravité des cas.

VII. Ceux desdits évêques, archevêques, curés et autres
ecclésiastiques fonctionnaires publics, conservés en fonction, et refusant de prêter leur serment respectif, ainsi que
ceux qui ont été supprimés; ensemble les membres des
corps ecclésiastiques déclarés également supprimés, qui
s'immisceraient dans aucunes de leurs fonctions publiques,
ou dans celles qu'ils exerçaient, en corps, seront poursuivis
comme perturbateurs du repos public, et punis des mêmes
peines que ci-dessus.

VIII. Seront de même poursuivies comme perturbateurs
de l'ordre public, et punies suivant la rigueur des lois, toutes
personnes eccélésiastiques ou laïques, qui se coaliseient
pour combiner un refus d'obéir ajx décrets de l'assemblée
nationale, acceptés ou sanctionnés par le roi, ou pour
former, ou pour exciter des oppositions à leur exécution.

[*Acton*, 170; *C.M.H.*, 198; *Jaurès, II*, 291; *Madelin*, 152
(172); *Mathiez, I*, 151 (113). *Text from Procès-Verbal, No.*
484.]

16

LOI CHAPELIER

Assemblée Nationale: séance du 14 juin, 1791

M. CHAPELIER. Je viens au nom de votre comité de
constitution, vous déférer une contravention aux
principes constitutionnels qui suppriment les corporations, contravention de laquelle naissent de grands dangers
pour l'ordre public; plusieurs personnes ont cherché à
recréer les corporations anéanties, en formant des assemblées
d'arts, métiers, dans lesquelles il a été nommé des présidens,
des secrétaires, des syndics et autres officiers. Le but de ces
assemblées, qui se propagent dans le royaume, et qui ont
déjà établi entr'elles des correspondances, est de forcer les
entrepreneurs de travaux, les ci-devant maîtres, à augmenter

le prix de la journée de travail, d'empêcher les ouvriers et les particuliers qui les occupent dans leurs ateliers, de faire entr'eux des conventions à l'amiable, de leur faire signer sur des registres l'obligation de se soumettre aux taux de la journée de travail fixé par ces assemblées, et autres réglemens qu'elles se permettent de faire. On emploie même la violence pour faire exécuter ces réglemens; on force les ouvriers de quitter leurs boutiques, lors même qu'ils sont contens du salaire qu'ils reçoivent. On veut dépeupler les ateliers; et déjà plusieurs ateliers se sont soulevés, et différens désordres ont été commis.

Les premiers ouvriers qui se sont assemblés, en ont obtenu la permission de la municipalité de Paris. A cet égard, la municipalité paraît avoir commis une faute. Il doit sans doute être permis à tous les citoyens de s'assembler; mais il ne doit pas être permis aux citoyens de certaines professions de s'assembler pour leurs prétendus intérêts communs. Il n'y a plus de corporations dans l'État; il n'y a plus que l'intérêt particulier de chaque individu, et l'intérêt-général. Il n'est permis à personne d'inspirer aux citoyens un intérêt intermédiaire, de les séparer de la chose publique par un esprit de corporation.

Les assemblées dont il s'agit ont présenté, pour obtenir l'autorisation de la municipalité, des motifs spécieux; elles se sont dites destinées à procurer des secours aux ouvriers de la même profession, malades ou sans travail; ces caisses de secours ont paru utiles; mais qu'on ne se méprenne pas sur cette assertion; c'est à la nation, c'est aux officiers publics, en son nom, à fournir des travaux à ceux qui en ont besoin pour leur existence, et des secours aux infirmes. Ces distributions particulières de secours, lorsqu'elles ne sont pas dangereuses par leur mauvaise administration, tendent au moins à faire renaître les corporations; elles exigent la réunion fréquente des individus d'une même profession, la nomination de syndics et autres officiers, la formation de réglemens, l'exclusion de ceux qui ne se soumettraient pas à ces réglemens. C'est ainsi que renaîtraient les priviléges, les maîtrises, etc. Votre comité a cru qu'il était instant de prévenir les progrès de ce désordre. Ces malheureuses sociétés ont succédé à Paris à une société qui s'y était établie sous le nom de société *des devoirs*. Ceux qui ne satisfaisaient pas aux devoirs, aux réglemens de cette société, étaient vexés de toute manière. Nous avons les plus fortes raisons de croire que l'institution de ces assemblées a été stimulée dans l'esprit des ouvriers, moins dans le but de faire augmenter, par leur coalition, le salaire de la journée de travail, que dans l'intention secrète de fomenter des troubles.

Il faut donc remonter au principe, que c'est aux conventions libres, d'individu à individu, à fixer la journée pour chaque ouvrier; c'est ensuite à l'ouvrier à maintenir la convention qu'il a faite avec celui qui l'occupe. Sans examiner quel doit être raisonnablement le salaire de la journée de travail, et avouant seulement qu'il devrait être un peu plus considérable qu'il l'est à présent (on murmure), et ce que je dis là est extrêmement vrai; car dans une nation libre, les salaires doivent être assez considérables pour que celui qui les reçoit, soit hors de cette dépendance absolue que produit la privation des besoins de première nécessité, et qui est presque celle de l'esclavage. C'est ainsi que les ouvriers anglais sont payés davantage que les français. Je disais donc que, sans fixer ici le taux précis de la journée de travail, taux qui doit dépendre des conventions librement faites entre les particuliers, le comité de constitution avait cru indispensable de vous soumettre le projet de décret suivant, qui a pour objet de prévenir, tant les coalitions que formeraient les ouvriers pour faire augmenter le prix de la journée de travail, que celles que formeraient les entrepreneurs pour le faire diminuer.

Art. Ier. L'anéantissement de toutes espèces de corporations du citoyens du même état et profession, étant l'une des bases fondamentales de la constitution française, il est défendu de les rétablir de fait, sous quelque prétexte et sous quelque forme que ce soit.

II. Les citoyens d'un même état ou profession, les entrepreneurs, ceux qui ont boutique ouverte, les ouvriers et compagnons d'un art quelconque, ne pourront, lorsqu'ils se trouveront ensemble, se nommer ni président ni secrétaires ni syndics, tenir des registres, prendre des arrêtés ou délibérations, former des réglemens sur leurs prétendus intérêts communs.

III. Il est interdit à tous corps administratifs ou municipaux de recevoir aucune adresse ou pétition sous la dénomination d'un état ou profession, d'y faire aucune réponse, et il leur est enjoint de déclarer nulles les délibérations qui pourraient être prises de cette manière, et de veiller soigneusement à ce qu'il ne leur soit donné aucune suite ni exécution.

IV. Si contre les principes de la liberté et de la constitution, des citoyens attachés aux mêmes professions, arts et métiers, prenaient des délibérations, ou faisaient entre eux des conventions tendantes à refuser de concert, ou à n'accorder qu'à un prix déterminé le secours de leur industrie ou de leurs travaux, lesdites délibérations et conventions, accompagnées ou non du serment, sont déclarées inconstitutionnelles, attentatoires à la liberté et à la déclaration des droits de l'homme, et de nul effet; les corps administratifs et municipaux sont tenus de les déclarer telles; les auteurs, chefs et instigateurs qui les auront provoquées, rédigées ou présidées, seront cités devant le tribunal de police, à la requête du procureur de la commune, et condamnés en 500 liv. d'amende, et suspendus pendant un an de l'exercice de tous leurs droits de citoyens actifs, et de l'entrée dans les assemblées primaires.

V. Il est défendu à tous corps administratifs et municipaux, à peine par leurs membres, d'en répondre en leur propre nom, d'employer, admettre ou souffrir qu'on admette aux ouvrages de leurs professions dans aucuns travaux publics, ceux des entrepreneurs, ouvriers et compagnons qui provoqueraient ou signeraient lesdites délibérations ou conventions, si ce n'est dans le cas où de leur propre mouvement, ils se seraient présentés au greffe du tribunal de police pour les rétracter ou désavouer.

VI. Si lesdites délibérations ou conventions affiches apposées ou distribuées en lettres circulaires, contenaient quelques menaces contre les entrepreneurs, artisans, ouvriers, ou journaliers étrangers qui viendraient travailler dans le lieu, ou contre ceux qui se contenteroient d'un salaire inférieur, tous auteurs, instigateurs et signataires des actes ou écrits, seront punis d'une amende de 1,000 liv. chacun, et de trois mois de prison.

VII. Ceux qui useroient de menaces ou de violences contre les ouvriers usant de la liberté accordée par les lois constitutionnelles au travail et à l'industrie, seront poursuivis par la voie criminelle, et punis selon la rigueur des lois, comme perturbateurs du repos public.

VIII. Tous attroupemens composés d'artisans, ouvriers, compagnons, journaliers, ou excités par eux contre le libre exercice de l'industrie et du travail appartenant à toutes sortes de personnes, et sous tout espèce de conditions convenues de gré à gré, ou contre l'action de la police et l'exécution des jugemens rendus en cette matière, ainsi que contre les enchères et adjudications publiques des diverses entreprises, seront tenus pour attroupemens séditieux; et comme tels, ils seront dissipés par les dépositaires de la force publique, sur les réquisitions légales qui leur en seront faites, et punis selon toute la rigueur des lois, sur les auteurs, instigateurs et chefs desdits attroupemens, et sur tous ceux qui auront commis des voies de fait et des actes de violence.

[*Jaurès*, II, 260 *f.*; *Lavisse*, I, 294; *Mathiez*, I, 165 (123). Text from *Procès-Verbal*, No. 680.]

17

PROCLAMATION DU ROI A TOUS LES FRANÇAIS, A SA SORTIE DE PARIS

Assemblée Nationale: séance du 21 juin, 1791. Extrait de la proclamation

LORSQUE le roi a pu espérer de voir renaître l'ordre et le bonheur par les moyens employés par l'assemblée nationale et par sa résidence auprès de cette assemblée, aucun sacrifice ne lui a coûté; il n'aurait pas même argué du défaut de liberté, dont il est privé depuis le mois d'octobre 1789; mais aujourd'hui que le résultat de toutes les opérations est de voir la royauté détruite, les propriétés violées, la sûreté des personnes compromise, une anarchie complète dans toutes les parties de l'empire, sans aucune apparence d'autorité suffisante pour l'arrêter, le roi, après avoir protesté contre tous les actes émanés de lui pendant sa captivité, croit devoir mettre sous les yeux des Français, le tableau de sa conduite.

Au mois de juillet 1789, le roi, sûr de sa conscience, n'a pas craint de venir parmi les Parisiens. Au mois d'octobre de la même année, prévenu des mouvemens des factieux, il a craint qu'on arguât de son départ pour fomenter la guerre civile. Tout le monde est instruit de l'impunité des crimes qui se commirent alors. Le roi, cédant au vœu manifesté par l'armée des Parisiens, vint s'établir avec sa famille au château des Tuileries. Rien n'était prêt pour le recevoir; et le roi, bien loin de trouver les commodités auxquelles il était accoutumé dans ses autres demeures, n'y a pas même rencontré les agrémens que se procurent les personnes aisées. Malgré toutes les contraintes, il a cru devoir dès le lendemain de son arrivée, rassurer les provinces sur son séjour à Paris. Un sacrifice plus pénible lui était réservé: il a fallu qu'il éloignât de lui ses gardes-du-corps, dont il avait éprouvé la fidélité. Deux ont été massacrés, plusieurs ont été blessés en exécutant l'ordre qu'ils avaient reçu de ne pas faire feu. Tout l'art des factieux s'est employé à faire envisager sous un mauvais aspect une épouse fidèle qui venait de mettre le comble à sa bonne conduite: il est même évident que toutes les machinations étaient dirigées contre le roi lui-même. C'est aux soldats des gardes-françaises et à la garde nationale parisienne que la garde du roi a été confiée, sous les ordres de la municipalité de Paris, dont le commandant général relève.

Le roi s'est ainsi vu prisonnier dans ses propres États; car comment pourrait-on appeler autrement celui qui se voit forcément entouré par des personnes qu'il suspecte; ce n'est pas pour inculper la garde nationale parisienne que je rappelle ces détails; mais pour rapporter l'exacte vérité; je rends au contraire justice à son attachement lorsqu'elle n'a pas été égarée par les factieux. Le roi a ordonné la convocation des États-généraux, il a accordé au Tiers-État une double représentation; la réunion des ordres, les sacrifices du 23 juin, tout cela a été son ouvrage; mais ses soins ont été méconnus et denaturés. Lorsque les États-généraux se sont donné le nom d'assemblée nationale, on se rappelle les menées des factieux sur plusieurs provinces: on se rappelle les mouvemens qui ont été occasionnés pour anéantir la disposition des cahiers qui portaient que la confection des lois serait faite de concert avec le roi. L'assemblée a mis le roi hors de la constitution, en lui refusant le droit de sanctionner les actes constitutionnels, en rangeant dans cette classe ceux qu'il lui plaisait d'y ranger, et en limitant à la troisième législature, son refus de sanction. On lui a donné 25,000,000 qui sont absorbés en totalité par la dépense que nécessite l'éclat nécessaire à sa maison. On lui a laissé l'usufruit de quelques domaines avec des formes gênantes, en le privant du patrimoine de ses ancêtres; on a eu attention de ne pas comprendre dans ses dépenses des services rendus au roi comme s'ils n'étaient pas inséparables de ceux rendus à l'État. Qu'on examine les differens points de l'administration, et on verra que le roi en est écarté: il n'a point de part à la confection des lois; seulement il peut prier l'assemblée de s'occuper de telle ou telle chose. Quant à l'administration de la justice, il ne fait qu'expédier les provisions des juges et nommer les commissaires du roi dont les fonctions sont bien moins considérables que celles des anciens procureurs-généraux. La partie publique a été dévolue à de nouveaux officiers. Il restait une dernière prérogative, la plus belle de toutes; celle de faire grâce et de commuer les peines; vous l'avez ôtée au roi, ce sont maintenant les jurés qui l'ont en appliquant suivant leur volonté le sens de la loi. Cela diminue la majesté royale; les peuples étaient accoutumés à y recourir comme à un centre commun de bonté et de bienfaisance. L'administration intérieure dans les départemens est embarrassée par des rouages qui nuisent au mouvement de la machine; la surveillance des ministres se réduit à rien.

Les sociétés des Amis de la constitution sont bien plus fortes et rendent nulles toutes les autres actions. Le roi a été déclaré chef suprême de l'armée, cependant tout le travail a été fait par les comités de l'assemblée nationale sans ma participation; on a accordé au roi la nomination de quelques places, encore le choix qu'il a fait, a-t-il éprouvé des contrariétés; on a été obligé de refaire le travail des officiers-généraux de l'armée, parce que les choix déplaisaient aux clubs; ce n'est qu'à eux qu'on doit attribuer la plupart des révoltes des régimens: quand l'armée ne respecte plus les officiers, elle est la terreur et fléau de l'État; le roi a toujours pensé que les officiers devaient être punis comme les soldats, et que les portes devaient être ouvertes à ces derniers pour parvenir aux avancemens, suivant leur mérite. Quant aux affaires étrangères, on a accordé au roi la nomination des ambassadeurs et la conduite des négociations; on lui a ôté le droit de faire la guerre; on ne devait cependant pas soupçonner qu'il la déclarerait de but en blanc. Le droit de faire la paix est d'un tout autre genre. Le roi ne veut faire qu'un avec la nation, mais quelle puissance voudra entamer des négociations, lorsque le droit de révision sera accordé à l'assemblée nationale? Indépendamment du secret nécessaire et impossible à garder dans une assemblée délibérante nécessairement publiquement, on aime encore à ne traiter qu'avec la personne qui peut, sans aucune intervention, passer le contrat. Quant aux finances, le roi avait reconnu, avant les états-généraux, le droit qu'a la nation d'accorder des subsides, et à cet égard il a accordé, le 23 juin, tout ce qui avait été demandé. Le 4 février, le roi a prié l'assemblée de s'occuper des finances; elle ne l'a fait que tard; on n'a pas encore le tableau exact de la recette et dépense; on s'est laissé aller à des calculs hypothétiques; la contribution ordinaire est arriérée, et la ressource des douze cents millions d'assignats est presque consommée; on n'a laissé au roi, dans cette partie, que de stériles nominations; il connaît la difficulté de cette administration; et s'il était possible que cette machine pût aller sans sa surveillance directe, sa majesté ne regretterait que de ne pas diminuer les impôts; ce qu'elle a désiré, et qu'elle aurait effectué sans la guerre d'Amérique.

Le roi a été déclaré chef suprême de l'administration du

royaume, et il n'a pu rien changer sans la décision de l'assemblée. Les chefs du parti dominant ont jeté une telle défiance sur les agens du roi, et les peines portées contre les prévaricateurs ont tant fait naître d'inquiétude, que ces agens sont restés sans force. La forme du gouvernement est surtout vicieuse par deux causes; l'assemblée excède les bornes de ses pouvoirs, en s'occupant de la justice et de l'administration de l'intérieur; elle exerce par son comité des recherches le plus barbare de tous les despotismes. Il s'est établi des associations connues sous le nom des Amis de la constitution, qui offrent des corporations infiniment plus dangereuses que les anciennes; elles délibèrent sur toutes les parties du gouvernement, exercent une puissance tellement prépondérante que tous les corps, sans en excepter l'assemblée nationale même, ne font rien que par leur ordre. Le roi ne pense pas qu'il soit possible de conserver un pareil gouvernement; plus on voit s'approcher le terme des travaux de l'assemblée, plus les gens sages perdent de leur crédit. Les nouveaux réglemens, au lieu de jeter du baume sur les plaies, aigrissent au contraire les mécontentemens; les mille journaux et pamphlets calomniateurs, qui ne sont que les échos des clubs, perpétuent le désordre, et jamais l'assemblée n'a osé y remédier; on ne tend qu'à un gouvernement métaphysique et impossible dans son exécution.

Français, est-ce là ce que vous entendiez en envoyant vos représentans? Désiriez-vous que le despotisme des clubs remplaçât la monarchie sous laquelle le royaume a prospéré pendant quatorze cents ans? L'amour des Français pour leur roi est compté au nombre de leurs vertus. J'en ai eu des marques trop touchantes pour pouvoir l'oublier: le roi n'offrirait point le tableau suivant, si ce n'était pour tracer à ses fidèles sujets l'esprit des factieux. Les gens soudoyés pour le triomphe de M. Necker ont affecté de ne pas prononcer le nom du roi; ils ont, à cette époque, poursuivi l'archevêque de Paris; un courrier du roi fut arrêté, fouillé, et les lettres qu'il portait, décachetées; pendant ce temps, l'assemblée semblait insulter au roi; il s'était déterminé à porter à Paris des paroles de paix; pendant sa marche on a arrêté de ne faire entendre aucun cri de *vive le roi!* On faisait même la motion de l'enlever, et de mettre la reine au couvent, cette motion a été applaudie.

Dans la nuit du 4 au 5, lorsqu'on a proposé à l'assemblée d'aller siéger chez le roi, elle a répondu qu'il n'était pas de sa dignité de s'y transporter; depuis ce moment, les scènes d'horreur se sont renouvelées. À l'arrivée du roi à Paris, un innocent a été massacré presque sous ses yeux dans le jardin même des Tuileries; tous ceux qui ont parlé contre la religion et le trône ont reçu les honneurs du triomphe. A la fédération du 14 juillet, l'assemblée nationale a déclaré que le roi en était le chef, c'était montrer qu'elle en pouvait nommer un autre; sa famille a été placée dans un endroit séparé du sien, c'est cependant alors qu'elle a passé les plus doux momens de son séjour à Paris.

Depuis, pour cause de religion, Mesdames ont voulu se rendre à Rome; malgré la déclaration des droits, on s'y est opposé, on s'est porté à Bellevue, et ensuite à Arnay-le-Duc où il a fallu des ordres de l'assemblée, pour les laisser aller, ceux du roi ayant été méprisés. Lors de l'émeute que les factieux ont excitée à Vincennes, les personnes qui s'étaient réunies autour du roi par amour pour lui ont été maltraitées, et on a poussé l'audace jusqu'à briser leurs armes devant le roi qui s'en était rendu le dépositaire. Au sortir de sa maladie, il se disposait à aller à Saint-Cloud, on s'est servi pour l'arrêter, du respect qu'on lui connaît pour la religion de ses pères; le club des Cordeliers l'a dénoncé lui-même comme réfractaire à la loi; en vain M. de la Fayette a-t-il fait ce qu'il a pu pour protéger son départ: on a arraché par violence les fidèles serviteurs qui l'entouraient, et il est rentré dans sa prison. Ensuite, il a été obligé d'ordonner l'éloignement de sa chapelle, d'approuver la lettre du ministre aux puissances étrangères, et d'aller à la messe du nouveau curé de Saint-Germain-l'Auxerrois. D'après tous ces motifs et l'impossibilité où est le roi d'empêcher le mal, il est naturel qu'il ait cherché à se mettre en sûreté.

Français, et vous qu'il appelait habitans de la bonne ville de Paris, méfiez-vous de la suggestion des factieux, revenez à votre roi, il sera toujours votre ami, quand votre sainte religion sera respectée, quand le gouvernement sera assis sur un pied stable, et la liberté établie sur des bases inébranlables.

Paris, le 20 juin, 1791.   *Signé* Louis.

P.S. Le roi défend à ses ministres de signer aucun ordre en son nom, jusqu'à ce qu'ils aient reçu des ordres ultérieurs, et enjoint au garde-des-sceaux de lui renvoyer le sceau lorsqu'il en sera requis de sa part.

Signé Louis.

[*Acton*, 193; *Lavisse, I*, 296; *Legg, II*, 43; *Mathiez, I*, 170 (127). *Text as edited by Buchez and Roux, X*, 269–74.]

18
ADRESSE DE L'ASSEMBLÉE

Assemblée Nationale: séance du 22 juin, 1791

M. DESMEUNIERS, *au nom du comité de constitution.* Vous avez ordonné à votre comité de vous présenter le projet d'une adresse aux Français, dans laquelle vous rappeliez d'abord aux citoyens la nécessité de maintenir l'ordre public, et dans laquelle vous répondiez au mémoire du roi, qui a été remis sur votre bureau. Ce mémoire, comme vous le savez, est très-volumineux. Le comité a cru devoir se contenter en ce moment d'en réunir les principaux traits, et d'y faire une réponse courte et accommodée aux circonstances. Voici ce projet d'adresse.

L'assemblée nationale aux Francais

'Un grand attentat vient de se commettre. L'assemblée nationale était au terme de ses longs travaux; la constitution allait être finie; les orages de la révolution allaient cesser; et les ennemis du bien public ont voulu, par un seul forfait, immoler la nation entière à leurs vengeances. Le roi et la famille royale ont été enlevés le 21 de ce mois. (On murmure.)

Je prie l'assemblée d'entendre avec attention jusqu'à la

fin. Le comité de constitution a rédigé son projet d'adresse dans le sens que les circonstances lui ont paru dicter. Je poursuis.

'Mais vos représentans triompheront de tous les obstacles. Ils mesurent avec calme l'étendue des devoirs qui leur sont imposés. La liberté publique sera maintenue; les conspirateurs et les esclaves apprendront à connaître l'intrépidité de la nation française; et nous prenons, au nom de la nation, l'engagement solennel de venger la loi ou de mourir. (On applaudit.)

' La France veut être libre, et elle sera libre. On veut faire rétrograder la révolution, et la révolution ne rétrogradera pas, elle est l'effet de votre volonté, rien n'arrêtera sa marche. Il convenait d'abord d'accommoder la loi à l'état momentané où se trouve le royaume. Le roi, dans la constitution, exerce le pouvoir de la sanction royale sur les décrets du corps-législatif; il est chef du pouvoir exécutif; et en cette qualité, il fait exécuter les lois par son ministre. S'il quitte son poste, quoiqu'il soit enlevé malgré lui, les représentans de la nation ont le droit de lui suppléer. L'assemblée nationale a en conséquence décrété que le sceau de l'État et la signature du ministre de la justice seraient apposés à tous ses décrets pour leur donner le caractère de loi. Aucun ordre du roi ne pouvant être exécuté sans être contresigné par le ministre responsable, il a fallu une simple délégation de l'assemblée constituante pour l'autoriser à signer les ordres et les seuls ordres qui lui seraient donnés par l'assemblée nationale, on a suivi dans cette circonstance la loi constitutionnelle sur la régence qui autorise les ministres à exercer les fonctions du pouvoir exécutif jusqu'à la nomination du régent.

' Par ces dispositions, vos représentans ont assuré l'ordre dans l'intérieur du royaume; pour repousser les attaques du dehors, ils viennent de donner à l'armée un renfort de trois cent mille gardes nationales. Tout offre donc aux citoyens des mesures de sécurité. Que les esprits ne se laissent pas frapper d'étonnement; l'assemblée constituante est à son poste: tous les pouvoirs constitués sont en activité; les citoyens de Paris, ses gardes nationales, dont le patriotisme et le zèle sont au-dessus de tout éloge, veillent autour de vos représentans; les citoyens actifs de tout le royaume sont armés, et la France peut attendre ses ennemis. . . .

' Faut-il craindre les suites d'un écrit arraché avant son départ à un roi séduit, que nous ne croirons inexcusable qu'aux derniers instans? On conçoit à peine l'ignorance et l'aveuglement qui l'ont dicté. Cet écrit méritera d'être discuté par la suite avec plus d'étendue: vos représentans se contenteront d'en examiner en ce moment quelques idées.

' L'assemblée nationale a fait une proclamation solennelle des vérités politiques et des droits dont la reconnaissance fera un jour le bonheur du genre humain, et pour l'engager à renoncer à sa déclaration des droits, on lui présente la théorie même de l'esclavage.

' Français, on ne craint pas de vous rappeler le jour fameux du 23 juin 1789, ce jour où le chef du pouvoir exécutif, le premier fonctionnaire public de la nation, osa dicter ses volontés absolues à vos représentans chargés par vos ordres de faire une constitution. L'assemblée nationale a gémi des désordres commis le 5 octobre, elle a ordonné une poursuite criminelle contre les coupables; et, parce qu'il a été difficile de découvrir quelques brigands au milieu de tout un peuple, on dit qu'elle a approuvé tous ces crimes. La nation est plus juste, elle n'a pas reproché à Louis XVI les violences exercées sous son règne et sous celui de ses aïeux. . . . (On applaudit.)

' On ose rappeler la fédération du 14 juillet, et sur cet acte auguste, quelles sont les réflexions de ceux qui ont dicté la lettre du roi? C'est que le premier fonctionnaire public a été obligé de se mettre à la tête des représentans de la nation au milieu des députés de tout le royaume; il a prêté le serment solennel de maintenir la constitution. Si le roi ne déclarait pas un jour que des séditieux ont surpris sa bonne foi, on aurait donc dénoncé son parjure au monde entier. (On applaudit.) Est-il besoin de nous fatiguer à repondre à tous les reproches de cette lettre.

' On dit que le roi a éprouvé des désagrémens dans son habitation à Paris, et qu'il n'y trouvait pas les mêmes plaisirs qu'auparavant: c'est-à-dire, sans doute, qu'une nation doit se régénérer sans aucune agitation, sans troubler un seul instant les plaisirs et les aisances des cours. Des adresses de félicitation et d'adhésion à vos décrets, c'est, dit-on, l'ouvrage des factieux; oui, sans doute, de vingt-six millions de factieux. (On applaudit.)

' Il fallait reconstituer tous les pouvoirs, parce que tous les pouvoirs étaient corrompus, parce que des dettes effrayantes, accumulées par l'impéritie et les désordres du gouvernement, allaient précipiter la nation dans l'abîme, et on nous reproche de n'avoir pas assez écouté les refus du roi! Mais la royauté n'existe-t-elle pas pour le peuple? et si une grande nation s'oblige à la maintenir, n'est-ce pas uniquement parce qu'elle la croit utile à son amour? La constitution a laissé au roi cette belle prérogative et affermi la seule autorité qu'il puisse désirer d'exercer. Vos représentans ne seraient-ils pas bien coupables, s'ils avaient sacrifié vingt-six millions de citoyens à l'intérêt d'un seul homme?

' Le travail des citoyens alimente le trésor de l'État, la maxime du pouvoir absolu est de ne voir dans les contributions publiques qu'une dette payée au despotisme. L'assemblée nationale a réglé les dépenses avec une stricte justice; elle a cru devoir, au nom de la nation, agir avec munificence, lorsqu'il s'est agi d'appliquer une partie des contributions publiques aux dépenses du premier fonctionnaire public de la nation, et plus de trente millions accordés à la famille royale sont présentés comme une somme trop modique. Les décrets sur la guerre et la paix ont ôté au roi et à ses ministres le droit de sacrifier les peuples aux caprices des cours: la ratification définitive des traités a été réservée aux représentans de la nation. On se plaint d'avoir perdu une prérogative: quelle prérogative que celle de n'être pas soumis à consulter la volonté nationale pour sacrifier le sang et les fortunes des citoyens! Qui mieux que le corps-législatif peut connaître le vœu et les intérêts de la nation? On veut pouvoir faire la guerre impunément. Eh quoi! n'avons-nous pas fait sous d'anciens gouvernemens une assez longue expérience des suites terribles de l'ambition des ministres? On nous accuse d'avoir dépouillé le roi en organisant l'ordre judiciaire, comme si le roi d'une grande nation devait se montrer dans l'administration de la justice, autrement que pour faire observer la loi et pour exécuter les jugemens! On veut qu'il ait le droit de faire grâce, de commuer les peines; et tout le monde ne sait-il pas comment ce droit était exercé, et sur qui tombait une pareille faveur? L'on sait que le roi ne pouvait pas l'exercer par lui-même, et c'est ainsi, qu'après avoir revendiqué le despotisme royal, il était bien naturel aussi de revendiquer le despotisme ministériel.

' La nécessité des circonstances a quelquefois déterminé l'assemblée nationale à se mêler malgré elle des affaires d'administration. Ne devait-elle pas agir lorsque le gouvernement restait dans une coupable inertie? Faut-il le dire! le roi ni les ministres n'avaient alors la confiance de la nation. L'assemblée nationale a-t-elle dû conserver de la défiance? Vous devez en juger d'après le départ du roi. Les sociétés des Amis de la constitution ont soutenu la révolution: elles sont plus nécessaires que jamais, et l'on ose dire qu'elles gouvernent les corps administratifs et l'empire comme si c'étaient des corps délibérans.

' Français! tous les pouvoirs sont organisés, tous les fonctionnaires publics sont à leur poste; l'assemblée nationale veille au salut de l'État: que votre contenance soit ferme et tranquille. Un seul danger est imminent: vous avez à vous défendre de la suspension des travaux industriels, du retard du paiement des impositions, des mouvemens exagérés qui commenceraient par amener l'anarchie, et finiraient par la guerre civile. C'est sur ces dangers que l'assemblée nationale appelle la sollicitude de tous les citoyens. Dans ce moment de crise, les haines particulières, tous les intérêts privés doivent disparaître.

' Le peuple qui veut conserver sa liberté doit montrer cette fermeté tranquille qui fait pâlir les tyrans. Que les factieux qui espéraient tout bouleverser voient l'ordre se maintenir, la constitution s'affermir, et être plus chère aux Français à mesure qu'elle sera plus attaquée. La capitale peut servir de modèle au reste de la France. Le départ du roi n'y a excité aucun désordre; et ce qui fait le désespoir des malveillans, elle jouit d'une tranquillité parfaite. Pour mettre sous le joug le territoire de cet empire, il faudrait anéantir la nation entière. Le despotisme formera s'il veut une pareille entreprise, il sera vaincu; ou, à la suite de ses triomphes, il ne trouvera que des ruines. ' (On applaudit à plusieurs reprises.)

L'assemblée approuve la rédaction de cette adresse, et ordonne qu'elle sera envoyée à tous les départemens.

[*Lavisse, I,* 312; *Legg, II,* 62. *Text from Buchez and Roux, X,* 313–8.]

19
DÉCLARATIONS DU ROI ET DE LA REINE
Assemblée Nationale: séance du 27 juin, 1791

M. DUPORT fait lecture des deux procès-verbaux qui sont conçus en ces termes:

Déclaration du roi

Cejourd'hui dimanche 26 juin 1791, nous François-Denis Tronchet, Adrien-Jean-François Duport et Antoine-Balthasard-Joseph d'André, commissaires nommés par l'assemblée nationale, pour l'exécution de son décret de ce jour, ledit décret portant que 'l'assemblée nationale nommera trois commissaires, pris dans son sein, pour recevoir par écrit de la bouche du roi sa déclaration, laquelle sera signée du roi et des commissaires, et qu'il en sera usé de même pour la déclaration de la reine:'

Nous étant réunis au comité militaire, nous en sommes partis à l'heure de six et demie, pour nous rendre au château des Tuileries, où étant, nous avons été introduits dans la chambre du roi, et seuls avec lui, le roi nous a fait la déclaration suivante:

Je vois, messieurs, par l'objet de la mission qui vous est donnée, qu'il ne s'agit point ici d'un interrogatoire; mais je veux bien répondre au désir de l'assemblée nationale, et je ne craindrai jamais de rendre publics les motifs de ma conduite.

Les motifs de mon départ sont les outrages et les menaces qui ont été faits, le 18 avril, à ma famille et à moi-même.

Depuis ce temps, plusieurs écrits ont cherché à provoquer des violences contre ma personne et ma famille, et ces insultes sont restées jusqu'à présent impunies; j'ai cru dès-lors qu'il n'y avait pas de sûreté, ni même de décence pour moi de rester à Paris.

J'ai désiré en conséquence de quitter cette ville. Ne le pouvant faire publiquement, j'ai résolu de sortir de nuit et sans suite: jamais mon intention n'a été de sortir du royaume; je n'ai eu aucun concert sur cet objet ni avec les puissances étrangères, ni avec mes parens, ni avec aucun des autres Français sortis du royaume.

Je pourrais donner pour preuve de mon intention, que des logemens étaient préparés à Montmédy pour me recevoir, ainsi que ma famille. J'avais choisi cette place, parce qu'étant fortifiée, ma famille y aurait été en sûreté, et qu'étant près de la frontière, j'aurais été plus à portée de m'opposer à toute espèce d'invasion dans la France, si on avait voulu en tenter quelqu'une, et de me porter moi-même partout où j'aurais pu croire qu'il y avait quelque danger. Enfin, j'avais choisi Montmédy comme le premier point de ma retraite, jusqu'au moment où j'aurais trouvé à propos de me rendre dans telle autre partie du royaume qui m'aurait paru convenable.

Un de mes principaux motifs, en quittant Paris, était de faire tomber l'argument qu'on tirait de ma non-liberté; ce qui pouvait fournir une occasion de troubles.

Si j'avais eu intention de sortir du royaume, je n'aurais pas publié mon mémoire le jour même de mon départ, mais j'aurais attendu d'être hors des frontières.

Je conservais toujours le désir de retourner à Paris, et c'est dans ce sens qu'on doit entendre la dernière phrase de mon mémoire dans lequel il est dit: *Francais, et vous surtout Parisiens, quel plaisir n'aurais-je pas à me trouver au milieu de vous!*

Je n'avais dans ma voiture que 13,200 liv. en or, et 56,000 liv. en assignats, contenus dans le portefeuille qui m'a été renvoyé par le département.

Je n'ai prévenu Monsieur de mon départ que peu de temps auparavant; il n'a passé dans le pays étranger que parce qu'il avait été convenu entre lui et moi que nous ne suivrions pas la même route; et il devait revenir en France auprès de moi.

J'avais fait donner des ordres peu de jours avant mon départ aux trois personnes qui m'accompagnaient en courriers, de se faire faire des habits de courrier, parce qu'ils devaient être envoyés porter des dépêches. Ce n'est que la veille que l'un d'eux a reçu verbalement mes ordres.

Le passeport était nécessaire pour faciliter mon voyage; il n'a été indiqué pour un pays étranger que parce qu'on n'en donne pas au bureau des affaires étrangères pour l'intérieur du royaume; et la route indiquée pour Francfort n'a pas même été suivie dans le voyage.

Je n'ai jamais fait aucune autre protestation que dans le mémoire que j'avais laissé à mon départ.

Cette protestation même ne porte pas, ainsi que le contenu au mémoire l'atteste, sur le fond des principes de la constitution, mais sur la forme des sanctions, c'est-à-dire sur le peu de liberté dont je paraissais jouir, et sur ce que les décrets n'ayant pas été présentés en masse, je ne pouvais pas juger de l'ensemble de la constitution : le principal reproche qui est contenu dans ce mémoire, se rapporte aux difficultés dans les moyens d'administration et d'exécution.

J'ai reconnu dans mon voyage que l'opinion publique était décidée en faveur de la constitution. Je n'avais pas cru pouvoir connaître pleinement cette opinion publique à Paris; mais dans les notions que j'ai recueillies personnellement dans ma route, je me suis convaincu combien il était nécessaire, même pour le soutien de la constitution, de donner de la force aux pouvoirs établis pour maintenir l'ordre public.

Aussitôt que j'ai reconnu la volonté générale, je n'ai point hésité, comme je n'ai jamais hésité de faire le sacrifice de tout ce qui m'est personnel, pour le bonheur de mon peuple, qui a toujours été l'objet de mes désirs.

J'oublierai volontiers tous les désagrémens que je peux avoir essuyés, pour assurer la paix et la félicité de la nation.

Le roi, après avoir fait lecture de la présente déclaration, a observé qu'il avait omis d'ajouter que la gouvernante de son fils, et les femmes de la suite, n'ont été averties que peu de temps avant son départ. Et le roi a signé avec nous.

Ainsi signé Louis, Tronchet, Adrien Duport, d'André.

Déclaration de la reine

Cejourd'hui lundi 27 juin 1791, nous, François-Denis Tronchet, Adrien-Jean-François Duport, et Antoine-Balthasard-Joseph d'André, commissaires nommés par l'assemblée nationale pour l'exécution de son décret d'hier, ledit décret portant que 'l'assemblée nationale nommera trois commissaires pris dans son sein pour recevoir par écrit de la bouche du roi sa déclaration, laquelle sera signé du roi et des Commissaires, et qu'il en sera usé de même pour la déclaration de la reine:' Nous étant réunis au comité de constitution, nous en sommes partis à dix heures et demie du matin, pour nous rendre au château des Tuileries, où étant, nous avons été introduits dans la chambre de la reine, et seuls avec elle, la reine nous a fait la déclaration suivante:

Je déclare que le roi désirant partir avec ses enfans, rien dans la nature n'aurait pu m'empêcher de le suivre; j'ai assez prouvé depuis deux ans, dans plusieurs circonstances, que je ne le quitterai jamais.

Ce qui m'a encore plus déterminée, c'est l'assurance positive que j'avais que le roi ne voudrait jamais quitter le royaume. S'il en avait eu le désir, toute ma force aurait été employée pour l'en empêcher.

La gouvernante de mon fils, qui était malade depuis cinq semaines, n'a reçu les ordres que dans la journée du départ; elle ignorait absolument la destination du voyage; elle n'a emporté avec elle aucune espèce de hardes; j'ai été obligée moi-même de lui en prêter.

Les trois courriers n'ont pas su la destination, ni le but du voyage. Sur le chemin on leur donnait l'argent pour payer les chevaux, et ils recevaient l'ordre pour la route.

Les deux femmes-de-chambre ont été averties dans l'instant même du départ; et l'une d'elles, qui a son mari dans le château, n'a pas pu le voir avant de partir.

Monsieur et Madame devaient venir nous rejoindre en France, et ils n'ont passé par le pays étranger que pour ne pas embarrasser et faire manquer de chevaux sur la route.

Nous sommes sortis par l'appartement de M. Villequier, en prenant la précaution de ne sortir que séparément et à diverses reprises.

Et après avoir fait lecture à la reine de la présente déclaration, elle a reconnu qu'elle était conforme à ce qu'elle nous avait dit; et elle a signé avec nous.

Signé Marie-Antoinette, Tronchet, Adrien Duport, d'André.

[*Legg, II*, 90. *Text from Procès-Verbal, No.* 687.]

20
PÉTITIONS DU CHAMP DE MARS

I

Pétition du 16 *juillet*, 1791

LES François soussignés, membres du Souverain, considérant que dans les questions auxquelles est attaché le salut du peuple, il est de son devoir d'exprimer son vœu pour éclairer et diriger ses mandataires;

Que jamais il ne s'est présenté de question plus importante que celle qui concerne la désertion du Roi;

Que le décret rendu le 15 juillet ne contient aucune disposition relative à Louis XVI;

Qu'en obéissant à ce décret, il importe de statuer complètement sur le sort futur de cet individu; que sa conduite doit servir de base à cette décision;

Que Louis XVI, après avoir accepté les fonctions royales, et juré de défendre la Constitution, a déserté le poste qui lui était confié, a protesté, par une déclaration écrite et signée de sa main, contre cette même Constitution, a cherché à paralyser, par sa fuite et par ses ordres, le pouvoir exécutif, et à renverser la Constitution par sa complicité avec des hommes accusés aujourd'hui de cet attentat;

Que son parjure, sa désertion, sa protestation, sans parler de tous les autres actes criminels qui les ont précédés, accompagnés et suivis, emportent une abdication formelle de la couronne constitutionelle qui lui avoit été conférée;

Que l'assemblée nationale l'a jugé ainsi en s'emparant du

pouvoir exécutif, suspendant les pouvoirs du Roi et le tenant dans un état d'arrestation;

Que de nouvelles promesses de la part de Louis XVI d'observer la Constitution ne pourroient offrir un garant suffisant à la Nation contre un nouveau parjure et contre une nouvelle conspiration;

Considérant enfin qu'il seroit aussi contraire à la majesté de la Nation outragée que contraire à ses intérêts de confier désormais les rênes de l'Empire à un homme parjure, traître et fugitif;

Demandent formellement et spécialement que l'Assemblée nationale ait à recevoir, au nom de la Nation, l'abdication faite, le 21 juin, par Louis XVI de la couronne qui lui avait été déléguée [et de pourvoir à son remplacement par tous les moyens constitutionnels].[1]

Déclarent lesdits soussignés qu'ils ne reconnoîtront jamais Louis XVI pour leur Roi,[2] à moins que la majorité de la Nation n'émette un vœu contraire à celui de la présente pétition.[3]

II

Pétition du 17 juillet, 1791

REPRÉSENTANS de la Nation, vous touchez au terme de vos travaux; bientôt des successeurs, tous nommés par le peuple, alloient marcher sur vos traces sans rencontrer les obstacles que vous ont présentés les députés des deux ordres privilégiés, ennemis nécessaires de tous les principes de la sainte égalité.

Un grand crime se commet. *Louis XVI fuit.* Il abandonne indignement son poste; l'empire est à deux doigts de l'anar-

[1] Ce membre de phrase ne figure pas dans le texte publié par l'*Orateur du peuple*, t. VII, n° 7, pas plus que dans celui publié dans la *Bouche de fer*, n° du 17 juillet 1791. [Note de Mathiez.]

[2] 'Ni aucun autre,' ajoute la *Bouche de Fer*.

[3] Ce texte est le texte officiel élaboré par les commissaires du club et envoyé par eux á l'imprimerie du Cercle social, sur le refus de Baudouin de l'imprimer. Il provient d'une épreuve saisie chez Momoro et jointe á la procédure (Arch. nat., F⁷ 4622).

chie. Des citoyens l'arrêtent à Varennes et il est ramené à Paris. Le peuple de cette capitale vous demande instamment de ne rien prononcer sur le sort du coupable, sans avoir entendu l'expression du vœu des 82 autres départemens.

Vous différez. Une foule d'adresses arrivent à l'Assemblée. Toutes les sections de l'empire demandent simultanément que Louis soit jugé. Vous, Messieurs, vous avez préjugé qu'il étoit innocent et inviolable, en déclarant, par votre décret du 16, que la chartre (*sic*) constitutionnelle lui sera présentée alors que la Constitution sera achevée. Législateurs! Ce n'étoit pas là le vœu du peuple, et nous avons pensé que votre plus grande gloire, que votre devoir même consistoit à être les organes de la volonté publique. Sans doute, Messieurs, que vous avez été entraînés à cette décision par la foule de ces députés réfractaires qui ont fait d'avance leur protestation contre toute la Constitution. Mais, Messieurs . . . mais, représentans d'un peuple généreux et confiant, rappelez-vous que ces 290 protestans n'avoient point de voix à l'Assemblée nationale; que le décret est donc nul dans la forme et dans le fond; nul dans le fond, parce qu'il est contraire au vœu du souverain; nul en la forme, parce qu'il est porté par 290 individus sans qualités.

Ces considérations, toutes ces vues du bien général, ce désir impérieux d'éviter l'anarchie, à laquelle nous exposeroit le défaut d'harmonie entre les représentans et les représentés, tout nous a fait la loi de vous demander, au nom de la France entière, de revenir sur ce décret, de prendre en considération que le délit de Louis XVI est prouvé, que ce roi a abdiqué; de recevoir son abdication, et de convoquer un nouveau corps constituant pour procéder d'une manière vraiment nationale, au jugement du coupable, et surtout au remplacement et à l'organisation d'un nouveau pouvoir exécutif.

[*Acton*, 196; *Aulard*, 134 *f.* (*I*, 310 *f.*); *C.M.H.*, 200; *Jaurès*, II, 394; *Lavisse*, I, 398; *Legg*, II, 96 *f.*; *Madelin*, 175 (198); *Mathiez*, I, 175 (131). *Text from Mathiez*, '*Club des Cordeliers*,' *pp.* 122–3, 135–6.]

21

LOI SUR LA PRESSE

Séances des 22 et 23 août, 1791

ART. Ier. Nul homme ne peut être recherché ni poursuivi pour raison des écrits qu'il aura fait imprimer ou publier sur quelque matière que ce soit, si ce n'est qu'il ait provoqué à dessein la désobéissance à la Loi, l'avilissement des pouvoirs constitués et la résistance à leurs actes, ou quelqu'une des actions déclarées crimes ou délits par Loi.

La censure sur les actes des pouvoirs constitués est permise; mais les calomnies volontaires contre la probité des fonctionnaires publics et contre la droiture de leurs intentions, dans l'exercice de leurs fonctions, pourront être poursuivis par ceux qui en sont l'objet.

Les calomnies ou injures contre quelques personnes que ce soit, relatives aux actions de leur vie privée, seront punies sur leur poursuite.

II. Nul ne peut être jugé, soit par la voie civile, soit par la voie criminelle, pour fait d'écrits imprimés ou publiés, sans qu'il ait été reconnu et déclaré par un juré, 1° s'il y a délit dans l'écrit dénoncé; 2° si la personne suivie est coupable.

[*Legg, II*, 124. *Text from Procès-Verbal, Nos.* 743–4.]

22

DÉCLARATION SIGNÉE EN COMMUN PAR L'EMPEREUR ET LE ROI DE PRUSSE

Le 27 août, 1791

SA Majesté l'Empereur et Sa Majesté le Roi de Prusse, ayant entendu les désirs et représentations de Monsieur et de M. le Comte d'Artois, se déclarent conjointement qu' Elles regardent la situation où se trouve actuellement le Roi de France, comme un objet d'un intérêt commun à tous les Souverains de l'Europe. Elles espèrent que cet intérêt ne peut manquer d'être reconnu par les Puissances dont le secours est réclamé, et qu'en conséquence Elles ne refuseront pas d'employer, conjointement avec Leurs dites Majestés, des moyens les plus efficaces, relativement à leurs forces, pour mettre le Roi de France en état d'affermir, dans la plus parfaite liberté, les bases d'un gouvernement monarchique également convenable aux droits des Souverains et au bien-être de la Nation française. Alors, et dans ce cas, Leurs dites Majestés l'Empereur et le Roi de Prusse sont résolus d'agir promptement, d'un mutuel accord, avec les forces nécessaires pour obtenir le but proposé et commun. En attendant, Elles donneront à leurs troupes les ordres convenables pour qu'elles soient à portée de se mettre en activité.

A Pillnitz, le 27 août 1791.

Signés, Léopold et Frédéric-Guillaume.

[*Acton*, 202; *Jaurès, II*, 412; *Lavisse, I*, 327; *Legg, II*, 126; *Mathiez, I*, 177 (131). *Text from Brit. Mus.* 8050. *h.* 31, *as given by Legg.*]

23
LE ROI ACCEPTE LA CONSTITUTION
Séance du 14 septembre, 1791

MESSIEURS,
J'ai examiné attentivement l'acte constitutionnel que vous avez présenté à mon acceptation; je l'accepte, et je le ferai exécuter. Cette déclaration eût pu suffire dans un autre temps; aujourd'hui, je dois aux intérêts de la Nation, je me dois à moi-même de faire connaître mes motifs.

Dès le commencement de mon règne, j'ai désiré la réforme des abus, et, dans tous les actes du gouvernement, j'ai aimé à prendre pour règle l'opinion publique. Diverses causes, au nombre desquelles on doit placer la situation des finances à mon avènement au trône, et les frais immenses

d'une guerre honorable, soutenue longtemps sans accroissement d'impôts, avaient établi une disproportion considérable
entre les revenus et les dépenses de l'État. Frappé de la
grandeur du mal, je n'ai pas cherché seulement les moyens
d'y porter remède; j'ai senti la nécessité d'en prévenir le
retour; j'ai conçu le projet d'assurer le bonheur du Peuple
sur des bases constantes, et d'assujettir à des règles invari-
ables l'autorité même dont j'étais dépositaire; j'ai appelé
autour de moi la Nation pour l'exécuter.

Dans le cours des événements de la Revolution, mes intentions n'ont jamais varié. Lorsqu'après avoir réformé les
anciennes institutions, vous avez commencé à mettre à leur
place les premiers essais de votre ouvrage, je n'ai point
attendu, pour y donner mon assentiment, que la Constitution entière me fût connue. J'ai favorisé l'établissement de
ses parties avant même d'avoir pu en juger l'ensemble; et si
les désordres qui ont accompagné presque toutes les époques
de la Révolution venaient trop souvent affliger mon cœur,
j'espérais que la Loi reprendrait de la force entre les mains
des nouvelles autorités; et qu'en approchant du terme des
vos travaux, chaque jour lui rendrait ce respect sans lequel
le Peuple ne peut avoir ni liberté, ni bonheur. J'ai persisté
longtemps dans cette espérance, et ma résolution n'a changé
qu'au moment où elle m'a abandonné.

Que chacun se rappelle l'époque où je me suis éloigné de
Paris; la Constitution était prête à s'achever, et cependant
l'autorité des Lois semblait s'affaiblir chaque jour. L'opinion,
loin de se fixer, se subdivisait en une multitude de partis;
les avis les plus exagérés semblaient seuls obtenir de la
faveur; la licence des écrits était au comble; aucun pouvoir
n'était respecté.

Je ne pouvais plus reconnaître le caractère de la volonté
générale, dans les Lois que je voyais partout sans force et
sans exécution. Alors, je dois le dire, si vous m'eussiez
présenté la Constitution, je n'aurais pas cru que l'intérêt du
Peuple, règle constante et unique de ma conduite, me permît
de l'accepter. Je n'avais qu'un sentiment; je ne me formai
qu'un seul projet; je voulus m'isoler de tous les partis, et
savoir quel était véritablement le vœu de la Nation.

Les motifs qui me dirigeaient ne subsistent plus aujourd'hui. Depuis lors, les inconvénients et les maux dont je me plaignais vous ont frappés comme moi. Vous avez manifesté la volonté de rétablir l'ordre ; vous avez porté vos regards sur l'indiscipline de l'armée ; vous avez connu la nécessité de réprimer les abus de la presse. La revision de votre travail a mis au nombre des lois réglementaires plusieurs articles qui m'avaient été présentés comme constitutionnels. Vous avez établi des formes légales pour la revision de ceux que vous avez placés dans la Constitution. Enfin, le vœu du Peuple n'est plus douteux pour moi ; je l'ai vu se manifester à la fois, et par son adhésion à votre ouvrage, et par son attachement au maintien du gouvernement monarchique.

J'accepte donc la Constitution ; je prends l'engagement de la maintenir au dedans, de la défendre contre les attaques du dehors, et de la faire exécuter par tous les moyens qu'elle met en mon pouvoir.

Je déclare qu'instruit de l'adhésion que la grande majorité du Peuple donne à la Constitution, je renonce au concours que j'avais réclamé dans ce travail, et que n'étant responsable qu'à la Nation, nul autre, lorsque j'y renonce, n'aurait le droit de s'en plaindre.

Je manquerais cependant à la vérité, si je disais que j'ai aperçu, dans les moyens d'exécution et d'administration, toute l'énergie qui serait nécessaire pour imprimer le mouvement et pour conserver l'unité dans toutes les parties d'un si vaste empire. Mais puisque les opinions sont aujourd'hui divisées sur ces objets, je consens que l'expérience seule en demeure juge. Lorsque j'aurai fait agir avec loyauté tous les moyens qui m'ont été remis, aucun reproche ne pourra m'être adressé ; et la Nation, dont l'intérêt seul doit servir de règle, s'expliquera par les moyens que la Constitution lui a réservés.

Mais, Messieurs, pour l'affermissement de la liberté, pour la stabilité de la Constitution, pour le bonheur individuel de tous les Français, il est des intérêts sur lesquels un devoir impérieux nous prescrit de réunir tous nos efforts. Ces intérêts sont le respect des Lois, le rétablissement de l'ordre,

et la réunion de tous les citoyens. Aujourd'hui que la Constitution est définitivement arrêtée, des Français vivant sous
les mêmes Lois ne doivent connaître d'ennemis que ceux qui
les enfreignent: la discorde et l'anarchie, voilà nos ennemis
communs.

Je les combattrai de tout mon pouvoir: il importe que
vous et vos successeurs me secondiez avec énergie; que,
sans vouloir dominer la pensée, la Loi protège également
tous ceux qui lui soumettent leurs actions, que ceux que la
crainte des persécutions et des troubles aurait éloignés de
leur patrie, soient certains de trouver, en y rentrant, la
sûreté et la tranquillité. Et pour éteindre les haines, pour
adoucir les maux qu'une grande révolution entraîne toujours
à sa suite; pour que la Loi puisse, d'aujourd'hui, commencer
à recevoir une pleine exécution, consentons à l'oubli du
passé; que les accusations et les poursuites qui n'ont pour
principe que les événements de la Révolution, soient éteintes
dans une réconciliation générale. Je ne parle pas de ceux qui
n'ont été déterminés que par leur attachement pour moi;
pourriez-vous y voir des coupables? Quant à ceux qui, par
des excès où je pourrais apercevoir des injures personnelles,
ont attiré sur eux la poursuite des Lois, j'éprouve à leur
égard que je suis le Roi de tous les Français.

Signé, Louis.

13 septembre 1791.

P.S.—J'ai pensé, Messieurs, que c'était dans le lieu même
où la Constitution a été formée, que je devais en prononcer
l'acceptation solennelle; je me rendrai, en conséquence,
demain, à midi, à l'Assemblée nationale.

[*Acton*, 198; *C.M.H.*, 201; *Legg, II*, 137; *Madelin*, 185
(207); *Mathiez, I*, 177 (132). *Text from Procès-Verbal, No.*
765.]

24

CONSTITUTION FRANÇAISE

Décrétée par l'assemblée nationale constituante aux années 1789, 1790 *et* 1791

DÉCLARATION DES DROITS DE L'HOMME ET DU CITOYEN

LES représentans du peuple français, constitués en assemblée nationale, considérant que l'ignorance, l'oubli ou le mépris des droits de l'homme sont les seules causes des malheurs publics et de la corruption des gouvernemens, ont résolu d'exposer dans une déclaration solennelle les droits naturels, inaliénables et sacrés de l'homme, afin que cette déclaration, constamment présente à tous les membres du corps social, leur rappelle sans cesse leurs droits et leurs devoirs; afin que les actes du pouvoir législatif et ceux du pouvoir exécutif, pouvant être à chaque instant comparés avec le but de toute institution politique, en soient plus respectés; afin que les réclamations des citoyens, fondées désormais sur des principes simples et incontestables, tournent toujours au maintien de la constitution et au bonheur de tous.

En conséquence, l'assemblée nationale reconnaît et déclare, en présence et sous les auspices de l'Être Suprême, les droits suivans de l'homme et du du citoyen:

Art. Ier. Les hommes naissent et demeurent libres et égaux en droits. Les distinctions sociales ne peuvent être fondées que sur l'utilité commune.

II. Le but de toute association politique est la conservation des droits naturels et imprescriptibles de l'homme. Ces droits sont la liberté, la propriété, la sûreté, et la résistance à l'oppression.

III. Le principe de toute souveraineté réside essentiellement dans la nation. Nul corps, nul individu ne peut exercer d'autorité qui n'en émane expressément.

IV. La liberté consiste à pouvoir faire tout ce qui ne nuit pas à autrui. Ainsi l'exercice des droits naturels de chaque homme n'a de bornes que celles qui assurent aux autres membres de la société la jouissance de ces mêmes droits. Ces bornes ne peuvent être déterminées que par la loi.

V. La loi n'a le droit de défendre que les actions nuisibles à la société. Tout ce qui n'est pas défendu par la loi ne peut être empêché, et nul ne peut être contraint à faire ce qu'elle n'ordonne pas.

VI. La loi est l'expression de la volonté générale. Tous les citoyens ont droit de concourir personnellement ou par leurs représentans à sa formation. Elle doit être la même pour tous, soit qu'elle protège, soit qu'elle punisse. Tous les citoyens, étant égaux à ses yeux, sont également admissibles à toutes dignités, places et emplois publics, selon leur capacité, et sans autre distinction que celle de leurs vertus et de leurs talens.

VII. Nul homme ne peut être accusé, arrêté, ni détenu que dans les cas déterminés par la loi, et selon les formes qu'elle a prescrites. Ceux qui sollicitent, expédient, exécutent ou font exécuter des ordres arbitraires doivent être punis; mais tout citoyen appelé ou saisi en vertu de la loi doit obéir à l'instant; il se rend coupable par la résistance.

VIII. La loi ne doit établir que des peines strictement et évidemment nécessaires, et nul ne peut être puni qu'en vertu d'une loi établie et promulguée antérieurement au délit, et légalement appliquée.

IX. Tout homme étant présumé innocent jusqu'à ce qu'il ait été déclaré coupable, s'il est jugé indispensable de l'arrêter, toute rigueur qui ne serait pas nécessaire pour s'assurer de sa personne doit être sévèrement réprimée par la loi.

X. Nul ne doit être inquiété pour ses opinions, même religieuses, pourvu que leur manifestation ne trouble pas l'ordre public établi par la loi.

XI. La libre communication des pensées et des opinions est un des droits les plus précieux de l'homme: tout citoyen peut donc parler, écrire, imprimer librement, sauf à répondre de l'abus de cette liberté dans les cas déterminés par la loi.

XII. La garantie des droits de l'homme et du citoyen nécessite une force publique: cette force est donc instituée pour l'avantage de tous, et non pour l'utilité particulière de ceux auxquels elle est confiée.

XIII. Pour l'entretien de la force publique et pour les dépenses d'administration, une contribution commune est indispensable; elle doit être également répartie entre tous les citoyens, en raison de leurs facultés.

XIV. Tous les citoyens ont le droit de constater par eux-mêmes ou par leurs représentans la nécessité de la contribution publique, de la consentir librement, d'en suivre l'emploi, et d'en déterminer la quotité, l'assiette, le recouvrement et la durée.

XV. La société a le droit de demander compte à tout agent public de son administration.

XVI. Toute société dans laquelle la garantie des droits n'est pas assurée, ni la séparation des pouvoirs déterminée, n'a point de constitution.

XVII. La propriété étant un droit inviolable et sacré, nul ne peut en être privé, si ce n'est lorsque la nécessité publique, légalement constatée, l'exige évidemment, et sous la condition d'une juste et préalable indemnité.

———

L'assemblée nationale, voulant établir la constitution française sur les principes qu'elle vient de reconnaître et de déclarer, abolit irrévocablement les institutions qui blessaient la liberté et l'égalité des droits.

Il n'y a plus ni noblesse, ni pairie, ni distinctions héréditaires, ni distinction d'ordres, ni régime féodal, ni justices patrimoniales, ni aucun des titres, dénominations et prérogatives qui en dérivaient, ni aucun ordre de chevalerie, ni aucune des corporations ou décorations pour lesquelles on exigeait des preuves de noblesse, ou qui supposaient des distinctions de naissance, ni aucune autre supériorité que celle des fonctionnaires publics dans l'exercice de leurs fonctions.

Il n'y a plus ni vénalité ni hérédité d'aucun office public.

Il n'y a plus pour aucune partie de la nation ni pour aucun individu, aucun privilége ni exception au droit commun de tous les Français.

Il n'y a plus ni jurandes, ni corporations de professions, arts et métiers.

La loi ne reconnaît plus ni vœux religieux ni aucun autre engagement qui serait contraire aux droits naturels ou à la constitution.

TITRE PREMIER

Dispositions fondamentales garanties par la constitution

La constitution garantit comme droits naturels et civils :

1° Que tous les citoyens sont admissibles aux places et emplois, sans autre distinction que celle des vertus et des talens ;

2° Que toutes les contributions seront réparties entre tous les citoyens également, en proportion de leurs facultés ;

3° Que les mêmes délits seront punis des mêmes peines, sans aucune distinction des personnes.

La constitution garantit pareillement comme droits naturels et civils :

La liberté à tout homme d'aller, de rester, de partir, sans pouvoir être arrêté accusé ni détenu que selon les formes déterminées par la constitution ;

La liberté à tout homme de parler, d'écrire, d'imprimer et publier ses pensées, sans que les écrits puissent être soumis à aucune censure ni inspection avant leur publication, et d'exercer le culte religieux auquel il est attaché ;

La liberté aux citoyens de s'assembler paisiblement et sans armes, en satisfaisant aux lois de police ;

La liberté d'adresser aux autorités constituées des pétitions signées individuellement.

Le pouvoir législatif ne pourra faire aucunes lois qui portent atteinte et mettent obstacle à l'exercice des droits naturels et civils consignés dans le présent titre et garantis par la constitution ; mais comme la liberté ne consiste qu'à pouvoir faire tout ce qui ne nuit ni aux droits d'autrui ni à la sûreté publique, la loi peut établir des peines contre les actes qui, attaquant ou la sûreté publique ou les droits d'autrui, seraient nuisibles à la société.

La constitution garantit l'inviolabilité des propriétés, ou la juste et préalable indemnité de celles dont la nécessité publique, légalement constatée, exigerait le sacrifice.

Les biens destinés aux dépenses du culte et à tous services d'utilité publiques appartiennent à la nation, et sont dans tous les temps à sa disposition.

La constitution garantit les aliénations qui ont été ou qui seront faites suivant les formes établies par la loi.

Les citoyens ont le droit d'élire ou choisir les ministres de leurs cultes.

Il sera créé et organisé un établissement général de *secours publics* pour élever les enfans abandonnés, soulager les pauvres infirmes, et fournir du travail aux pauvres valides qui n'auraient pas pu s'en procurer.

Il sera créé et organisé une *Instruction publique* commune à tous les citoyens, gratuite à l'égard des parties d'enseignement indispensables pour tous les hommes, et dont les établissemens seront distribués graduellement dans un rapport combiné avec la division du royaume.

Il sera établi des fêtes nationales pour conserver le souvenir de la constitution française, entretenir la fraternité entre les citoyens, et les attacher à la constitution, à la patrie et aux lois.

Il sera fait un code de lois civiles communes à tout le royaume.

TITRE II

De la division du royaume et de l'état des citoyens

Art. Ier. Le royaume est un et indivisible; son territoire est distribué en quatre-vingt-trois départemens, chaque département en districts, chaque district en cantons.

II. Sont citoyens français:

Ceux qui sont nés en France d'un père français;

Ceux qui, nés en France d'un père étranger, ont fixé leur résidence dans le royaume;

Ceux qui, nés en pays étranger d'un père français, sont revenus s'établir en France et ont prêté le serment civique;

Enfin ceux qui, nés en pays étranger, et descendant à quelque degré que ce soit d'un Français ou d'une Française expatriés pour cause de religion, viennent demeurer en France et prêtent le serment civique.

III. Ceux qui, nés hors du royaume de parens étrangers, résident en France, deviennent citoyens français après cinb ans de domicile continu dans le royaume s'ils y ont en outre acquis des immeubles, ou épousé une Française, ou formé un établissement d'agriculture ou de commerce, et s'ils ont prêté le serment civique.

IV. Le pouvoir législatif pourra, pour des considérations importantes, donner à un étranger un acte de naturalisation sans autres conditions que de fixer son domicile en France et d'y prêter le serment civique.

V. Le serment civique est : *Je jure d'être fidèle à la nation, à la loi et au roi, et de maintenir de tout mon pouvoir la constitution du royaume décrétée par l'assemblée nationale constituante aux années 1789, 1790 et 1791.*

VI. La qualité de citoyen français se perd :

1° Par la naturalisation en pays étranger ;

2° Par la condamnation aux peines qui emportent la dégradation civique, tant que le condamné n'est pas réhabilité ;

3° Par un jugement de contumace, tant que le jugement n'est pas anéanti ;

4° Par l'affiliation à tout ordre de chevalerie étranger ou à toute corporation étrangère qui supposerait soit des preuves de noblesse, soit des distinctions de naissance, ou qui exigerait des vœux religieux.

VII. La loi ne considère le mariage que comme contrat civil.

Le pouvoir législatif établira pour tous les habitans sans distinction le mode par lequel les naissances, mariages et décès seront constatés, et il désignera les officiers publics qui en recevront et conserveront les actes.

VIII. Les citoyens français, considérés sous le rapport des relations locales qui naissent de leur réunion dans les villes et dans de certains arrondissemens du territoire des campagnes, forment les *communes.*

Le pouvoir législatif pourra fixer l'étendue de l'arrondissement de chaque commune.

IX. Les citoyens qui composent chaque commune ont le droit d'élire à temps, suivant les formes déterminées par la

loi, ceux d'entre eux qui, sous le titre d'officiers municipaux,
sont chargés de gérer les affaires particulières de la commune.

Il pourra être délégué aux officiers municipaux quelques
fonctions relatives à l'intérêt général de l'État.

X. Les règles que les officiers municipaux seront tenus de
suivre dans l'exercice tant des fonctions municipales que de
celles qui leur auront été déléguées pour l'intérêt général,
seront fixées par les lois.

TITRE III
Des pouvoirs publics

Art. Ier. La souveraineté est une, indivisible, inaliénable
et imprescriptible; elle appartient à la nation; aucune section
du peuple ni aucun individu ne peut s'en attribuer l'exercice.

II. La nation de qui seule émanent tous les pouvoirs, ne
peut les exercer que par délégation.

La constitution française est représentative: les représentans sont le corps-législatif et le roi.

III. Le pouvoir législatif est délégué à une assemblée
nationale composée de représentans temporaires, librement
élus par le peuple, pour être exercé par elle avec la sanction
du roi, de la manière qui sera déterminée ci-après.

IV. Le pouvoir judiciaire est délégué à des juges élus à
temps par le peuple.

CHAPITRE PREMIER
De l'assemblée nationale législative

Art. Ier. L'assemblée nationale, formant le corps-législatif, est permanente, et n'est composée que d'une chambre.

II. Elle sera formée tous les deux ans par de nouvelles
élections.

Chaque période de deux années formera une législature.

III. Les dispositions de l'article précédent n'auront pas
lieu à l'égard du prochain corps-législatif, dont les pouvoirs
cesseront le dernier jour d'avril 1793.

IV. Le renouvellement du corps-législatif se fera de plein
droit.

V. Le corps-législatif ne pourra être dissous par le roi.

SECTION PREMIÈRE

Nombre des représentans. Bases de la représentation

Art. Ier. Le nombre des représentans au corps-législatif est de sept cent quarante-cinq, à raison des quatre-vingt-trois départemens dont le royaume est composé, et indépendamment de ceux qui pourraient être accordés aux colonies.

II. Les représentans seront distribués entre les quatre-vingt-trois départemens selon les trois proportions du territoire, de la population et de la contribution directe.

III. Des sept cent quarante-cinq représentans, deux cent quarante-sept sont attachés au territoire.

Chaque département en nommera trois, à l'exception du département de Paris, qui n'en nommera qu'un.

IV. Deux cent quarante-neuf représentans sont attribués à la population.

La masse totale de la population active du royaume est divisée en deux cent quarante-neuf parts, et chaque département nomme autant de députés qu'il a de parts de population.

V. Deux cent quarante-neuf représentans sont attachés à la contribution directe.

La somme totale de la contribution directe du royaume est de même divisée en deux cent quarante-neuf parts, et chaque département nomme autant de députés qu'il paie de parts de contribution.

SECTION II

Assemblées primaires. Nomination des électeurs

Art. Ier. Pour former l'assemblée nationale législative, les citoyens actifs se réuniront tous les deux ans en assemblées primaires dans les villes et dans les cantons.

Les assemblées primaires se formeront de plein droit le second dimanche de mars, si elles n'ont pas été convoquées plus tôt par les fonctionnaires publics déterminés par la loi.

II. Pour être citoyen actif il faut:

Être né ou devenu Français;

Être âgé de vingt-cinq ans accomplis;

Être domicilié dans la ville ou dans le canton depuis le temps déterminé par la loi;

Payer dans un lieu quelconque du royaume une contribution directe au moins égale à la valeur de trois journées de travail, et en présenter la quittance;

N'être pas dans un état de domesticité, c'est-à-dire de serviteur à gages;

Être inscrit dans la municipalité de son domicile au rôle des gardes nationales;

Avoir prêté le serment civique.

III. Tous les six ans, le corps-législatif fixera le *minimum* et le *maximum* de la valeur de la journée de travail, et les administrateurs des départemens en feront la détermination locale pour chaque district.

IV. Nul ne pourra exercer les droits de citoyen actif dans plus d'un endroit ni se faire représenter par un autre.

V. Sont exclus des droits de citoyen actif:

Ceux qui sont en état d'accusation;

Ceux qui, après avoir été constitués en état de faillite ou d'insolvabilité, prouvé par pièces authentiques, ne rapportent pas un acquit général de leurs créanciers.

VI. Les assemblées primaires nommeront des électeurs en proportion du nombre des citoyens actifs domiciliés dans la ville ou le canton.

Il sera nommé un électeur à raison de cent citoyens actifs présens ou non à l'assemblée.

Il en sera nommé deux depuis cent cinquante-un jusqu'à deux cent cinquante, et ainsi de suite.

VII. Nul ne pourra être nommé électeur s'il ne réunit aux conditions nécessaires pour être citoyen actif, savoir: dans les villes au-dessus de six mille âmes, celle d'être propriétaire ou usufruitier d'un bien évalué sur les rôles de contribution à un revenu égal à la valeur locale de deux cents journées de travail, ou d'être locataire d'une habitation évaluée sur les mêmes rôles à un revenu égal à la valeur de cent cinquante journées de travail;

Dans les villes au-dessous de six mille âmes, celle d'être propriétaire ou usufruitier d'un bien évalué sur les rôles de contribution à un revenu égal à la valeur locale de cent cinquante journées de travail, ou d'être locataire d'une habitation évaluée sur les mêmes rôles à un revenu égal à la valeur de cent journées de travail;

Et dans les campagnes celle d'être propriétaire ou usu-fruitier d'un bien évalué sur les rôles de contribution à un revenu égal à la valeur locale de cent cinquante journées de travail, ou d'être fermier ou métayer de biens évalués sur les mêmes rôles à la valeur de quatre cents journées de travail.

A l'égard de ceux qui seront en même temps propriétaires ou usufruitiers d'une part, et locataires, fermiers ou métayers de l'autre, leurs facultés à ces divers titres seront accumulées jusqu'au taux nécessaire pour établir leur éligibilité.

SECTION III
Assemblées électorales. Nomination des représentans

Art. Iᵉʳ. Les électeurs nommés en chaque département se réuniront pour élire le nombre des représentans dont la nomination sera attribuée à leur département, et un nombre de suppléans égal au tiers de celui des représentans.

Les assemblées électorales se formeront de plein droit le dernier dimanche de mars, si elles n'ont pas été convoquées plus tôt par les fonctionnaires publics déterminés par la loi.

II. Les représentans et les suppléans seront élus à la pluralité absolue des suffrages, et ne pourront être choisis que parmi les citoyens actifs du département.

III. Tous les citoyens actifs, quel que soit leur état, profession ou contribution, pourront être élus représentans de la nation.

IV. Seront néanmoins obligés d'opter les ministres et les autres agens du pouvoir exécutif révocables à volonté, les commissaires de la trésorerie nationale, les percepteurs et receveurs des contributions directes, les préposés à la per-ception et aux régies des contributions indirectes et des domaines nationaux, et ceux qui, sous quelque dénomination que ce soit, sont attachés à des emplois de la maison militaire et civile du roi.

Seront également tenus d'opter les administrateurs, sous-administrateurs, officiers-municipaux et commandans de gardes nationales.

V. L'exercice des fonctions judiciaires sera incompatible avec celles de représentant de la nation pendant toute la durée de la législature.

Les juges seront remplacés par leurs suppléans, et le roi pourvoira par des brevets de commission au remplacement de ses commissaires auprès des tribunaux.

VI. Les membres du corps-législatif pourront être réélus à la législature suivante, et ne pourront l'être ensuite qu'après l'intervalle d'une législature.

VII. Les représentans nommés dans les départemens ne seront pas représentans d'un département particulier, mais de la nation entière, et il ne pourra leur être donné aucun mandat.

Tenue et régime des assemblées primaires et électorales

Art. Ier. Les fonctions des assemblées primaires et électorales se bornent à élire; elles se sépareront aussitôt après les élections faites, et ne pourront se former de nouveau que lorsqu'elles seront convoquées, si ce n'est au cas de l'article premier de la section II et de l'article premier de la section III ci-dessus.

II. Nul citoyen actif ne peut entrer ni donner son suffrage dans une assemblée s'il est armé.

III. La force armée ne pourra être introduite dans l'intérieur sans le vœu exprès de l'assemblée, si ce n'est qu'on y commît des violences, auquel cas l'ordre du président suffira pour appeler la force publique.

IV. Tous les deux ans il sera dressé dans chaque district des listes par canton des citoyens actifs, et la liste de chaque canton y sera publiée et affichée deux mois avant l'époque de l'assemblée primaire.

Les réclamations qui pourront avoir lieu, soit pour contester la qualité des citoyens employés sur la liste, soit de la part de ceux qui se prétendront omis injustement, seront portées aux tribunaux pour y être jugées sommairement.

La liste servira de règle pour l'admission des citoyens dans la prochaine assemblée primaire, en tout ce qui n'aura pas été rectifié par des jugemens rendus avant la tenue de l'assemblée.

V. Les assemblées électorales ont le droit de vérifier la qualité et les pouvoirs de ceux qui s'y présenteront, et leurs décisions seront exécutées provisoirement, sauf le jugement du corps-législatif, lors de la vérification des pouvoirs des députés.

VI. Dans aucun cas et sous aucun prétexte, le roi ni aucun des agens nommés par lui ne pourront prendre connaissance des questions relatives à la régularité des convocations, à la tenue des assemblées, à la forme des élections, ni aux droits politiques des citoyens; sans préjudice des fonctions des commissaires du roi, dans les cas déterminés par la loi, où les questions relatives aux droits politiques des citoyens doivent être portées dans les tribunaux.

SECTION V

Réunion des représentans en assemblée nationale législative

Art. Ier. Les représentans se réuniront le premier lundi du mois de mai, au lieu des séances de la dernière législature.

II. Ils se formeront provisoirement en assemblée sous la présidence du doyen d'âge, pour vérifier les pouvoirs des représentans présens.

III. Dès qu'ils seront au nombre de trois cent soixante-treize membres vérifiés, ils se constitueront sous le titre d'*assemblée nationale législative*; elle nommera un président, un vice-président et des secrétaires, et commencera l'exercice de ses fonctions.

IV. Pendant tout le cours du mois de mai, si le nombre des représentans présens est au-dessous de trois cent soixante-treize, l'assemblée ne pourra faire aucun acte législatif.

Elle pourra prendre un arrêté pour enjoindre aux membres absens de se rendre à leurs fonctions dans le délai de quinzaine au plus tard, à peine de 3,000 livres d'amende, s'ils ne proposent pas une excuse qui soit jugée légitime par l'assemblée.

V. Au dernier jour de mai, quel que soit le nombre des

membres présens, ils se constitueront en assemblée nationale législative.

VI. Les représentans prononceront tous ensemble, au nom du peuple français, le serment de *vivre libres ou mourir.*

Ils prêteront ensuite individuellement le serment *de maintenir de tout leur pouvoir la constitution du royaume décrétée par l'assemblée nationale constituante aux années* 1789, 1790 *et* 1791; *de ne rien proposer ni consentir, dans le cours de la législature, qui puisse y porter atteinte, et d'être en tout fidèles à la nation, à la loi et au roi.*

VII. Les représentans de la nation sont inviolables; ils ne pourront être recherchés, accusés ni jugés en aucun temps pour ce qu'ils auront dit, écrit ou fait dans l'exercice de leurs fonctions de représentans.

VIII. Ils pourront, pour fait criminel, être saisis en flagrant délit ou en vertu d'un mandat d'arrêt; mais il en sera donné avis sans délai au corps-législatif, et la poursuite ne pourra être continuée qu'après que le corps-législatif aura décidé qu'il y a lieu à accusation.

CHAPITRE II
De la royauté, de la régence et des ministres

SECTION PREMIÈRE
De la royauté et du roi

Art. Ier. La royauté est indivisible, et déléguée héréditairement à la race régnante, de mâle en mâle, par ordre de primogéniture, à l'exclusion perpétuelle des femmes et de leur descendance.

(Rien n'est préjugé sur l'effet des renonciations dans la race actuellement régnante.)

II. La personne du roi est inviolable et sacrée; son seul titre est *roi des Français.*

III. Il n'y a point en France d'autorité supérieure à celle de la loi. Le roi ne règne que par elle, et ce n'est qu'au nom de la loi qu'il peut exiger l'obéissance.

IV. Le roi, à son avènement au trône, ou dès qu'il aura atteint sa majorité, prêtera à la nation, en présence du corps-législatif, le serment d'*être fidèle à la nation et à la loi, d'employer tout le pouvoir qui lui est délégué à maintenir la constitution décrétée par l'assemblée nationale constituante aux années* 1789, 1790 *et* 1791, *et à faire exécuter les lois.*

Si le corps-législatif n'est pas assemblé, le roi fera publier une proclamation, dans laquelle seront exprimés ce serment et la promesse de le réitérer aussitôt que le corps-législatif sera réuni.

V. Si un mois après l'invitation du corps-législatif, le roi n'a pas prêté ce serment, ou si, après l'avoir prêté, il le rétracte, il sera censé avoir abdiqué la royauté.

VI. Si le roi se met à la tête d'une armée et en dirige les forces contre la nation, ou s'il ne s'oppose pas par un acte formel à une telle entreprise qui s'exécuterait en son nom, il sera censé avoir abdiqué la royauté.

VII. Si le roi, étant sorti du royaume, n'y rentrait pas après l'invitation qui lui en serait faite par le corps-législatif et dans le délai qui sera fixé par la proclamation, lequel ne pourra être moindre de deux mois, il serait censé avoir abdiqué la royauté.

Le délai commencera à courir du jour où la proclamation du corps-législatif aura été publiée dans le lieu de ses séances; et les ministres seront tenus, sous leur responsabilité, de faire tous les actes du pouvoir exécutif dont l'exercice sera suspendu dans la main du roi absent.

VIII. Après l'abdication expresse ou légale, le roi sera dans la classe des citoyens, et pourra être accusé et jugé comme eux pour les actes postérieurs à son abdication.

IX. Les biens particuliers que le roi possède à son avènement au trône sont réunis irrévocablement au domaine de la nation; il a la disposition de ceux qu'il acquiert à titre singulier: s'il n'en a pas disposé, ils sont pareillement réunis à la fin du règne.

X. La nation pourvoit à la splendeur du trône par une liste civile, dont le corps-législatif déterminera la somme à chaque changement de règne pour toute la durée du règne.

XI. Le roi nommera un administrateur de la liste civile, qui exercera les actions judiciaires du roi, et contre lequel toutes les actions à la charge du roi seront dirigées et les jugemens prononcés: les condamnations obtenues par les créanciers de la liste civile seront exécutoires contre l'administrateur personnellement et sur ses propres biens.

XII. Le roi aura, indépendamment de la garde d'honneur qui lui sera fournie par les citoyens gardes nationales du lieu de sa résidence, une garde payée sur les fonds de la liste civile. Elle ne pourra excéder le nombre de douze cents hommes à pied, et de six cents hommes à cheval.

Les grades et les règles d'avancement y seront les mêmes que dans les troupes de ligne; mais ceux qui composeront la garde du roi rouleront pour tous les grades exclusivement sur eux-mêmes, et ne pourront en obtenir aucun dans l'armée de ligne.

Le roi ne pourra choisir les hommes de sa garde que parmi ceux qui sont actuellement en activité de service dans les troupes de ligne, ou parmi les citoyens qui ont fait depuis un an le service des gardes nationales, pourvu qu'ils soient résidens dans le royaume, et qu'ils aient précédemment prêté le serment civique.

La garde du roi ne pourra être commandée ni requise pour aucun autre service public.

SECTION II
De la régence

Art. Ier. Le roi est mineur jusqu'à l'âge de dix-huit ans accomplis, et pendant sa minorité il y a un régent du royaume.

II. La régence appartient au parent du roi le plus proche en degré suivant l'ordre de l'hérédité au trône, et âgé de vingt-cinq ans accomplis, pourvu qu'il soit Français et régnicole, qu'il ne soit pas héritier présomptif d'une autre couronne, et qu'il ait précédemment prêté le serment civique.

Les femmes sont exclues de la régence.

III. Si un roi mineur n'avait aucun parent réunissant les qualités ci-dessus exprimées, le régent du royaume sera élu ainsi qu'il va être dit aux articles suivants.

IV. Le corps-législatif ne pourra élire le régent.

V. Les électeurs de chaque district se réuniront au chef-lieu du district d'après une proclamation qui sera faite dans la première semaine du nouveau règne par le corps-législatif, s'il est réuni, et s'il était séparé, le ministre de la justice sera tenu de faire cette proclamation dans la même semaine.

VI. Les électeurs nommeront en chaque district, au scrutin individuel et à la pluralité absolue des suffrages, un citoyen éligible et domicilié dans le district, auquel ils donneront, par le procès-verbal de l'élection, un mandat spécial borné à la seule fonction d'élire le citoyen qu'il jugera en son âme et conscience le plus digne d'être régent du royaume.

VII. Les citoyens mandataires nommés dans les districts seront tenus de se rassembler dans la ville où le corps-législatif tiendra sa séance, le quarantième jour au plus tard, à partir de celui de l'avénement du roi mineur au trône, et ils y formeront l'assemblée électorale qui procédera à la nomination du régent.

VIII. L'élection du régent sera faite au scrutin individuel et à la pluralité absolue des suffrages.

IX. L'assemblée électorale ne pourra s'occuper que de l'élection, et se séparera sitôt que l'election sera terminée; tout autre acte qu'elle entreprendrait de faire est déclaré inconstitutionnel et de nul effet.

X. L'assemblée électorale fera présenter par son président le procès-verbal de l'élection au corps-législatif, qui, après avoir vérifié la régularité de l'élection, la fera publier dans tout le royaume par une proclamation.

XI. Le régent exerce jusqu'à la majorité du roi toutes les fonctions de la royauté, et n'est pas personnellement responsable des actes de son administration.

XII. Le régent ne peut commencer l'exercice de ses fonctions qu'après avoir prêté à la nation, en présence du corps-législatif, le serment d'être fidèle à la nation, à la loi et au roi, *d'employer tout le pouvoir délégué au roi, et dont l'exercice lui est confié pendant la minorité du roi, à maintenir la constitution décrétée par l'assemblée nationale constituante aux années 1789, 1790 et 1791, et à faire exécuter les lois.*

Si le corps-législatif n'est pas assemblé, le régent fera publier une proclamation dans laquelle seront exprimés ce serment et la promesse de le réitérer aussitôt que le corps-législatif sera réuni.

XIII. Tant que le régent n'est pas entré en exercice de ses fonctions la sanction des lois demeure suspendue; les ministres continuent de faire, sous leur responsabilité, tous les actes du pouvoir exécutif.

XIV. Aussitôt que le régent aura prêté le serment, le corps-législatif déterminera son traitement, lequel ne pourra être changé pendant la durée de la régence.

XV. Si, à raison de la minorité d'âge du parent appelé à la régence, elle a été dévolue à un parent plus éloigné ou déférée par élection, le régent qui sera entré en exercice continuera ses fonctions jusqu'à la majorité du roi.

XVI. La régence du royaume ne confère aucun droit sur la personne du roi mineur.

XVII. La garde du roi mineur sera confiée à sa mère, et s'il n'a pas de mère, ou si elle est remariée au temps de l'avènement de son fils au trône, ou si elle se remarie pendant la minorité, la garde sera déférée par le corps-législatif.

Ne peuvent être élus pour la garde du roi mineur ni le régent et ses descendans, ni les femmes.

XVIII. En cas de démence du roi notoirement reconnue, légalement constatée et déclarée par le corps-législatif après trois délibérations successivement prises de mois en mois, il y a lieu à la régence tant que la démence dure.

SECTION III
De la famille du roi

Art. Ier. L'héritier présomptif portera le nom de *prince royal*.

Il ne peut sortir du royaume sans un décret du corps-législatif et le consentement du roi.

S'il en est sorti, et si, étant parvenu à l'âge de dix-huit ans, il ne rentre pas en France après avoir été requis par une proclamation du corps-législatif, il est censé avoir abdiqué le droit de succession au trône.

II. Si l'héritier présomptif est mineur, le parent majeur

premier appelé à la régence est tenu de résider dans le royaume.

Dans le cas où il en serait sorti, et n'y rentrerait pas sur la réquisition du corps-législatif, il sera censé avoir abdiqué son droit à la régence.

III. La mère du roi mineur ayant sa garde ou le gardien élu, s'ils sortent du royaume, sont déchus de la garde.

Si la mère de l'héritier présomptif mineur sortait du royaume elle ne pourrait, même après son retour, avoir la garde de son fils mineur devenu roi que par un décret du corps-législatif.

IV. Il sera fait une loi pour régler l'éducation du roi mineur et celle de l'héritier présomptif mineur.

V. Les membres de la famille du roi, appelés à la succession éventuelle au trône, jouissent des droits de citoyen actif, mais ne sont éligibles à aucune des places, emplois ou fonctions qui sont à la nomination du peuple.

A l'exception des départemens du ministère, ils sont susceptibles des places et emplois à la nomination du roi; néanmoins ils ne pourront commander en chef aucune armée de terre ou de mer, ni remplir les fonctions d'ambassadeurs qu'avec le consentement du corps-législatif, accordé sur la proposition du roi.

VI. Les membres de la famille du roi appelés à la succession éventuelle au trône ajouteront la dénomination de *prince français* au nom qui leur aura été donné dans l'acte civil constatant leur naissance, et ce nom ne pourra être ni patronimique ni formé d'aucune des qualifications abolies par la présente constitution.

La dénomination de *prince* ne pourra être donnée à aucun autre individu, et n'emportera aucun privilège ni aucune exception au droit commun de tous les Français.

VII. Les actes par lesquels seront légalement constatés les naissances, mariages et décès des princes français, seront présentés au corps-législatif, qui en ordonnera le dépôt dans ses archives.

VIII. Il ne sera accordé aux membres de la famille du roi aucun apanage réel.

Les fils puînés du roi recevront à l'âge de vingt-cinq ans

accomplis ou lors de leur mariage une rente apanagère, laquelle sera fixée par le corps-législatif, et finira à l'extinction de leur postérité masculine.

SECTION IV

Des ministres

Art. Ier. Au roi seul appartiennent le choix et la révocation des ministres.

II. Les membres de l'assemblée nationale actuelle et des législatures suivantes, les membres du tribunal de cassation et ceux qui serviront dans le haut-juré, ne pourront être promus au ministère, ni recevoir aucunes places, dons, pensions, traitemens ou commissions du pouvoir exécutif, ou de ses agens pendant la durée de leurs fonctions, ni pendant deux ans après en avoir cessé l'exercice.

Il en sera de même de ceux qui seront seulement inscrits sur la liste du haut juré, pendant tout le temps que durera leur inscription.

III. Nul ne peut entrer en exercice d'aucun emploi, soit dans les bureaux du ministère, soit dans ceux des régies ou administrations des revenus publics, ni en général d'aucun emploi à la nomination du pouvoir exécutif, sans prêter le serment civique, ou sans justifier qu'il l'a prêté.

IV. Aucun ordre du roi ne peut être exécuté s'il n'est signé par lui et contresigné par le ministre ou l'ordonnateur du département.

V. Les ministres sont responsables de tous les délits par eux commis contre la sûreté nationale et la constitution;

De tout attentat à la propriété et la à liberté individuelle;

De toute dissipation des deniers destinés aux dépenses de leur département.

VI. En aucun cas, l'ordre du roi, verbal ou par écrit, ne peut soustraire un ministre à la responsabilité.

VII. Les ministres sont tenus de présenter chaque année au corps-législatif, à l'ouverture de la session, l'aperçu des dépenses à faire dans leur département, de rendre compte de l'emploi des sommes qui y étaient destinées, et d'indiquer les abus qui auraient pu s'introduire dans les différentes parties du gouvernement.

VIII. Aucun ministre en place ou hors de place ne peut être poursuivi en matière criminelle, pour fait de son administration, sans un décret du corps-législatif.

CHAPITRE III

De l'exercice du pouvoir législatif

SECTION PREMIÈRE

Pouvoirs et fonctions de l'assemblée nationale législative

Art. Ier. La constitution délègue exclusivement au corps-législatif les pouvoirs et fonctions ci-après :

1° De proposer et décréter les lois : le roi peut seulement inviter le corps-législatif à prendre un objet en considération ;

2° De fixer les dépenses publiques ;

3° D'établir les contributions publiques, d'en déterminer la nature, la quotité, la durée et le mode de perception ;

4° De faire la répartition de la contribution directe entre les départemens du royaume, de surveiller l'emploi de tous les revenus publics, et de s'en faire rendre compte ;

5° De décréter la création ou la suppression des offices publics ;

6° De déterminer le titre, le poids, l'empreinte et la dénomination des monnaies ;

7° De permettre ou de défendre l'introduction des troupes étrangères sur le territoire français, et des forces navales étrangères dans les ports du royaume.

8° De statuer annuellement, après la proposition du roi, sur le nombre d'hommes et de vaisseaux dont les armées de terre et de mer seront composées ; sur la solde et le nombre d'individus de chaque grade ; sur les règles d'admission et d'avancement, les formes de l'enrôlement et du dégagement, la formation des équipages de mer ; sur l'admission des troupes ou des forces navales étrangères au service de France, et sur le traitement des troupes en cas de licenciement ;

9° De statuer sur l'administration, et d'ordonner l'aliénation des domaines nationaux ;

10° De poursuivre, devant la haute-cour nationale, la responsabilité des ministres et des agens principaux du pouvoir exécutif;

D'accuser et de poursuivre, devant la même cour, ceux qui seront prévenus d'attentat et de complot contre la sûreté générale de l'État, ou contre la constitution;

11° D'établir les lois d'après lesquelles les marques d'honneur ou décorations purement personnelles seront accordées à ceux qui ont rendu des services à l'État;

12° Le corps-législatif a seul le droit de décerner les honneurs publics à la mémoire des grands hommes.

II. La guerre ne peut être décidée que par un décret du corps-législatif, rendu sur la proposition formelle et nécessaire du roi, et sanctionné par lui.

Dans le cas d'hostilités imminentes ou commencées, d'un allié à soutenir, ou d'un droit à conserver par la force des armes, le roi en donnera sans aucun délai la notification au corps-législatif, et en fera connaître les motifs.

Si le corps-législatif est en vacances, le roi le convoquera aussitôt.

Si le corps-législatif décide que la guerre ne doive pas être faite, le roi prendra sur-le-champ des mesures pour faire cesser ou prévenir toutes hostilités, les ministres demeurant responsables des délais.

Si le corps-législatif trouve que les hostilités commencées soient une agression coupable de la part des ministres ou de quelque autre agent du pouvoir exécutif, l'auteur de l'agression sera poursuivi criminellement.

Pendant tout le cours de la guerre, le corps-législatif peut requérir le roi de négocier la paix, et le roi est tenu de déférer à cette réquisition.

A l'instant où la guerre cessera, le corps-législatif fixera le délai dans lequel les troupes élevées au-dessus du pied de paix seront congédiées, et l'armée réduite à son état ordinaire.

III. Il appartient au corps-législatif de ratifier les traités de paix, d'alliance et de commerce, et aucun traité n'aura d'effet que par cette rectification.

Le corps-législatif a le droit de déterminer le lieu de ses séances, de les continuer autant qu'il le jugera nécessaire, et de s'ajourner : au commencement de chaque règne, s'il n'est pas réuni, il sera tenu de se rassembler sans délai.

Il a le droit de police dans le lieu de ses séances, et dans l'enceinte extérieure qu'il aura déterminée.

Il a le droit de discipline sur ses membres ; mais il ne peut prononcer de punition plus forte que la censure, les arrêts pour huit jours, ou la prison pour trois jours.

Il a le droit de disposer, pour sa sûreté et pour le maintien du respect qui lui est dû, des forces qui, de son consentement, seront établies dans la ville où il tiendra ses séances.

IV. Le pouvoir exécutif ne peut faire passer ou séjourner aucun corps de troupes de ligne dans la distance de trente mille toises du corps-législatif, si ce n'est sur sa réquisition ou avec son autorisation.

SECTION II
Tenue des séances et forme de délibérer

Art. Ier. Les délibérations du corps-législatif seront publiques, et les procès-verbaux de ses séances seront imprimés.

II. Le corps-législatif pourra cependant en toute occasion se former en *comité général*.

Cinquante membres auront le droit de l'exiger.

Pendant la durée du comité général, les assistans se retireront ; le fauteuil du président sera vacant ; l'ordre sera maintenu par le vice-président.

III. Aucun acte législatif ne pourra être délibéré et décrété que dans la forme suivante :

IV. Il sera fait trois lectures du projet de décret à trois intervalles, dont chacun ne pourra être moindre de huit jours.

V. La discussion sera ouverte après chaque lecture, et néanmoins, après la première ou seconde lecture, le corps-législatif pourra déclarer qu'il y a lieu à l'ajournement, ou qu'il n'y a pas lieu à délibérer : dans ce dernier cas, le projet de décret pourra être représenté dans la même session.

Tout projet de décret sera imprimé et distribué avant que la seconde lecture puisse en être faite.

VI. Après la troisième lecture, le président sera tenu de mettre en délibération, et le corps-législatif décidera, s'il se trouve en état de rendre un décret définitif, ou s'il veut renvoyer la décision à un autre temps pour recueillir de plus amples éclaircissemens.

VII. Le corps-législatif ne peut délibérer si la séance n'est composée de deux cents membres au moins, et aucun décret ne sera formé que par la pluralité absolue des suffrages.

VIII. Tout projet de loi qui, soumis à la discussion, aura été rejeté après la troisième lecture, ne pourra être représenté dans la même session.

IX. Le préambule de tout décret définitif énoncera, 1° les dates des séances auxquelles les trois lectures du projet auront été faites; 2° le décret par lequel il aura été arrêté après la troisième lecture de décider définitivement.

X. Le roi refusera sa sanction aux décrets dont le préambule n'attestera pas l'observation des formes ci-dessus: si quelqu'un de ces décrets était sanctionné, les ministres ne pourront le sceller ni le promulguer, et leur responsabilité à cet égard durera six années.

XI. Sont exceptés des dispositions ci-dessus, les décrets reconnus et déclarés urgens par une délibération préalable du corps-législatif; mais ils peuvent être modifiés ou révoques dans le cours de la même session.

Le décret par lequel la matière aura été déclarée urgente en énoncera les motifs, et il sera fait mention de ce décret préalable dans le préambule du décret définitif.

SECTION III
De la sanction royale

Art. Ier. Les décrets du corps-législatif sont présentés au roi, qui peut leur refuser son consentement.

II. Dans le cas où le roi refuse son consentement, ce refus n'est que suspensif.

Lorsque les deux législatures qui suivront celle qui aura présenté le décret auront successivement représenté le même décret dans les mêmes termes, le roi sera censé avoir donné la sanction.

III. Le consentement du roi est exprimé sur chaque décret par cette formule signée de sa main : *Le roi consent et fera exécuter*.

Le refus suspensif est exprimé par celle-ci : *Le roi examinera*.

IV. Le roi est tenu d'examiner son consentement ou son refus sur chaque décret dans les deux mois de la présentation.

V. Tout décret auquel le roi a refusé son consentement ne peut lui être représenté par la même législature.

VI. Les décrets sanctionnés par le roi, et ceux qui lui auront été présentés par trois législatures consécutives, ont force de loi, et portent le nom et l'intitulé de *loi*.

VII. Seront néanmoins exécutés comme loi, sans être sujets à la sanction, les actes du corps-législatif concernant sa constitution en assemblée délibérante :

Sa police intérieure et celle qu'il pourra exercer dans l'enceinte extérieure qu'il aura déterminée ;

La vérification des pouvoirs de ses membres présens ;

Les injonctions aux membres absens ;

La convocation des assemblées primaires en retard ;

L'exercice de la police constitutionnelle sur les administrateurs et sur les officiers municipaux ;

Les questions, soit d'éligibilité, soit de validité, des élections.

Ne sont pareillement sujets à la sanction les actes relatifs à la responsabilité des ministres, ni les décrets portant qu'il y a lieu à accusation.

VIII. Les décrets du corps-législatif concernant l'établissement, la prorogation et la perception des contributions publiques, porteront le nom et l'intitulé de *loi* ; ils seront promulgués et exécutés sans être sujets à la sanction, si ce n'est pour les dispositions qui établiraient des peines autres que des amendes et contraintes pécuniaires.

Ces décrets ne pourront être rendus qu'après l'observation des formalités prescrites par les articles IV, V, VI, VII, VIII et IX de la section II du présent chapitre, et le corps-législatif ne pourra y insérer aucunes dispositions étrangères à leur objet.

CONSTITUTION

Relations du corps-législatif avec le roi

Art. Ier. Lorsque le corps-législatif est définitivement constitué, il envoie au roi une députation pour l'en instruire. Le roi peut chaque année faire l'ouverture de la session, et proposer les objets qu'il croit devoir être pris en considération pendant le cours de cette session, sans néanmoins que cette formalité puisse être considérée comme nécessaire à l'activité du corps-législatif.

II. Lorsque le corps-législatif veut s'ajourner au-delà de quinze jours, il est tenu d'en prévenir le roi par une députation au moins huit jours d'avance.

III. Huitaine au moins avant la fin de chaque session, le corps-législatif envoie au roi une députation pour lui annoncer le jour où il se propose de terminer ses séances : le roi peut venir faire la clôture de la session.

IV. Si le roi trouve important au bien de l'État que la session soit continuée, ou que l'ajournement n'ait pas lieu, ou qu'il n'ait lieu que pour un temps moins long, il peut à cet effet envoyer un message, sur lequel le corps-législatif est tenu de délibérer.

V. Le roi convoquera le corps-législatif dans l'intervalle de ses sessions toutes les fois que l'intérêt de l'État lui paraîtra l'exiger, ainsi que dans les cas qui auront été prévus et déterminés par le corps-législatif avant de s'ajourner.

VI. Toutes les fois que le roi se rendra au lieu des séances du corps-législatif, il sera reçu et reconduit par une députation ; il ne pourra être accompagné dans l'intérieur de la selle que par le prince royal et par les ministres.

VII. Dans aucun cas le président ne pourra faire partie d'une députation.

VIII. Le corps-législatif cessera d'être corps délibérant tant que le roi sera présent.

IX. Les actes de la correspondance du roi avec le corps-législatif seront toujours contresignés par un ministre.

X. Les ministres du roi auront entrée dans l'assemblée nationale législative ; ils y auront une place marquée ; ils seront entendus toutes les fois qu'ils le demanderont, sur les objets relatifs à leur administration, ou lorsqu'ils seront requis de donner des éclaircissemens. Ils seront également entendus sur les objets étrangers à leur administration quand l'assemblée nationale leur accordera la parole.

CHAPITRE IV

De l'exercice du pouvoir exécutif

Art. Ier. Le pouvoir exécutif suprême réside exclusivement dans la main du roi.

Le roi est le chef suprême de l'administration générale du royaume: le soin de veiller au maintien de l'ordre et de la tranquillité publique lui est confié.

Le roi est le chef suprême de l'armée de terre et de l'armée navale.

Au roi est délégué le soin de veiller à la sûreté extérieure du royaume, d'en maintenir les droits et les possessions.

II. Le roi nomme les ambassadeurs et les autres agens des négociations politiques.

Il confère le commandement des armées et des flottes, et les grades de maréchal de France et d'amiral.

Il nomme les deux tiers des contre-amiraux, la moitié des lieutenans-généraux, maréchaux-de-camp, capitaines de vaisseau et colonels de la gendarmerie nationale.

Il nomme le tiers des colonels et des lieutenans-colonels, et le sixième des lieutenans de vaisseau; le tout en se conformant aux lois sur l'avancement.

Il nomme, dans l'administration civile de la marine, les ordonnateurs, les contrôleurs, les trésoriers des arsenaux, les chefs des travaux, sous-chefs des bâtimens civils; la moitié des chefs d'administration et des sous-chefs de construction.

Il nomme les commissaires auprès des tribunaux.

Il nomme les préposés en chef aux régies des contributions indirectes, et l'administration des domaines nationaux.

Il surveille la fabrication des monnaies, et nomme les officiers chargés d'exercer cette surveillance dans la commission générale et dans les hôtels des monnaies.

L'effigie du roi est empreinte sur toutes les monnaies du royaume.

III. Le roi fait délivrer des lettres-patentes, brevets et commissions aux fonctionnaires publics ou autres qui doivent en recevoir.

IV. Le roi fait dresser la liste des pensions et gratifications pour être présentée au corps-législatif à chacune de ses sessions, et décrétée s'il y a lieu.

SECTION PREMIÈRE
De la promulgation des lois

Art. Ier. Le pouvoir exécutif est chargé de faire sceller les lois du sceau de l'État, et de les faire promulguer.

Il est chargé également de faire promulguer et exécuter les actes du corps-législatif qui n'ont pas besoin de la sanction du roi.

II. Il sera fait deux expéditions originales de chaque loi, toutes deux signées du roi, contresignées par le ministre de la justice, et scellées du sceau de l'État.

L'une restera déposée aux archives du sceau, et l'autre sera remise aux archives du corps-législatif.

III. La promulgation des lois sera ainsi conçue:

'N. (*le nom du roi*), par la grâce de Dieu et par la loi constitutionnelle de l'État, roi des Français, à tous présens et à venir, salut. L'assemblée nationale a décrété et nous voulons et ordonnons ce qui suit:

(*La copie littérale du décret sera insérée sans aucun changement.*)

" Mandons et ordonnons à tous les corps administratifs et tribunaux que les présentes ils fassent consigner dans leurs registres, lire, publier et afficher dans leurs départemens et ressorts respectifs, et exécuter comme loi du royaume; en foi de quoi nous avons signé ces présentes, auxquelles nous avons fait apposer le sceau de l'État." '

IV. Si le roi est mineur, les lois, proclamations, et autres actes émanés de l'autorité royale pendant la régence, seront conçus ainsi qu'il suit:

'N. (*le nom du régent*), régent du royaume, au nom de N. (*le nom du roi*), par la grâce de Dieu et par la loi constitutionnelle de l'État, roi des Français, etc., etc., etc.'

V. Le pouvoir exécutif est tenu d'envoyer les lois aux corps administratifs et aux tribunaux, de se faire certifier cet envoi et d'en justifier au corps-législatif.

VI. Le pouvoir exécutif ne peut faire aucune loi, même provisoire, mais seulement des proclamations conformes aux lois pour en ordonner ou en rappeler l'exécution.

SECTION II

De l'administration intérieure

Art. Ier. Il y a dans chaque département une administration supérieure, et dans chaque district une administration subordonnée.

II. Les administrateurs n'ont aucun caractère de représentation.

Ils sont des agens élus à temps par le peuple pour exercer, sous la surveillance et l'autorité du roi, les fonctions administratives.

III. Ils ne peuvent ni s'immiscer dans l'exercice du pouvoir législatif ou suspendre l'exécution des lois, ni rien entreprendre sur l'ordre judiciaire ni sur les dispositions ou opérations militaires.

IV. Les administrateurs sont essentiellement chargés de répartir les contributions directes et de surveiller les deniers provenant de toutes les contributions et revenus publics dans leur territoire. Il appartient au pouvoir législatif de déterminer les règles et le mode de leurs fonctions, tant sur les objets ci-dessus exprimés que sur toutes les autres parties de l'administration intérieure.

V. Le roi a le droit d'annuler les actes des administrateurs de département contraires aux lois ou aux ordres qu'il leur aura adressés.

Il peut, dans le cas d'une désobéissance persévérante, ou s'ils compromettent par leurs actes la sûreté ou la tranquillité publique, les suspendre de leurs fonctions.

VI. Les administrateurs de département ont de même le droit d'annuler les actes des sous-administrateurs de district contraires aux lois ou aux arrêtés des administrateurs de département, ou aux ordres que ces derniers leur auront donnés ou transmis.

Ils peuvent également, dans le cas d'une désobéissance persévérante des sous-administrateurs, ou si ces derniers compromettent par leurs actes la sûreté ou la tranquillité publique, les suspendre de leurs fonctions, à la charge d'en instruire le roi, qui pourra lever ou confirmer la suspension.

VII. Le roi peut, lorsque les administrateurs de département n'auront pas usé du pouvoir qui leur est délégué dans l'article ci-dessus, annuler directement les actes des sous-administrateurs, et les suspendre dans les mêmes cas.

VIII. Toutes les fois que le roi aura prononcé ou confirmé la suspension des administrateurs ou sous-administrateurs, il en instruira le corps-législatif.

Celui-ci pourra ou lever la suspension, ou la confirmer, ou même dissoudre l'administration coupable, et, s'il y a lieu, renvoyer tous les administrateurs ou quelques-uns d'eux aux tribunaux criminels, ou porter contre eux le décret d'accusation.

SECTION III
Des relations extérieures

Art. Ier. Le roi seul peut entretenir des relations politiques au dehors, conduire les négociations, faire des préparatifs de guerre proportionnés à ceux des États voisins, distribuer les forces de terre et de mer ainsi qu'il le jugera convenable, et en régler la direction en cas de guerre.

II. Toute déclaration de guerre sera faite en ces termes: *De la part du roi des Francais, au nom de la nation.*

III. Il appartient au roi d'arrêter et de signer avec toutes les puissances étrangères tous les traités de paix, d'alliance et de commerce, et autres conventions qu'il jugera nécessaires au bien de l'État, sauf la ratification du corps-législatif.

CHAPITRE V
Du pouvoir judiciaire

Art. Ier. Le pouvoir judiciaire ne peut en aucun cas être exercé par le corps-législatif ni par le roi.

II. La justice sera rendue gratuitement par des juges élus à temps par le peuple et institués par lettres-patentes du roi, qui ne pourra les refuser.

Ils ne pourront être ni destitués que pour forfaiture dûment jugée, ni suspendus que par une accusation admise.

L'accusateur public sera nommé par le peuple.

III. Les tribunaux ne peuvent ni s'immiscer dans l'exercice du pouvoir législatif, ou suspendre l'exécution des lois, ni entreprendre sur les fonctions administratives, ou citer devant eux les administrateurs pour raison de leurs fonctions.

IV. Les citoyens ne peuvent être distraits des juges que la loi leur assigne, par aucune commission, ni par d'autres attributions et évocations que celles qui sont déterminées par les lois.

V. Le droit des citoyens de terminer définitivement leurs contestations par la voie de l'arbitrage, ne peut recevoir aucune atteinte par les actes du pouvoir législatif.

VI. Les tribunaux ordinaires ne peuvent recevoir aucune action au civil, sans qu'il leur soit justifié que les parties ont comparu, ou que le demandeur a cité sa partie adverse devant des médiateurs, pour parvenir à une conciliation.

VII. Il y aura un ou plusieurs juges de paix dans les cantons et dans les villes; le nombre en sera déterminé par le pouvoir législatif.

VIII. Il appartient au pouvoir législatif de régler le nombre et les arrondissemens des tribunaux, et le nombre des juges dont chaque tribunal sera composé.

IX. En matière criminelle, nul citoyen ne peut être jugé que sur une accusation reçue par des jurés, ou décrétée par le corps-législatif dans les cas où il lui appartient de poursuivre l'accusation.

Après l'accusation admise, le fait sera reconnu et déclaré par des jurés.

L'accusé aura la faculté d'en récuser jusqu'à vingt sans donner des motifs.

Les jurés qui déclareront le fait ne pourront être au-dessous du nombre de douze.

L'application de la loi sera faite par des juges.

L'instruction sera publique, et l'on ne pourra refuser aux accusés le secours d'un conseil.

Tout homme acquitté par un jury légal ne peut plus être repris ni accusé à raison du même fait.

X. Nul homme ne peut être saisi que pour être conduit devant l'officier de police, et nul ne peut être mis en arrestation ou détenu qu'en vertu d'un mandat des officiers de police, d'une ordonnance de prise de corps d'un tribunal, d'un décret d'accusation du corps-législatif, dans le cas où il lui appartient de le prononcer, ou d'un jugement de condamnation à prison ou détention correctionnelle.

XI. Tout homme saisi et conduit devant l'officier de police, sera examiné sur-le-champ, ou au plus tard dans les vingt-quatre heures.

S'il résulte de l'examen qu'il n'y ait aucun sujet d'inculpation contre lui, il sera remis aussitôt en liberté, ou s'il y a lieu de l'envoyer à la maison d'arrêt, il y sera conduit dans le plus bref délai, qui, en aucun cas, ne pourra excéder trois jours.

XII. Nul homme arrêté ne peut être retenu, s'il donne caution suffisante dans tous les cas où la loi permet de rester libre sous cautionnement.

XIII. Nul homme, dans le cas où sa détention est autorisée par la loi, ne peut être conduit et détenu que dans les lieux légalement et publiquement désignés pour servir de maison d'arrêt, de maison de justice ou de prison.

XIV. Nul gardien ou geôlier ne peut recevoir ni retenir aucun homme qu'en vertu d'un mandat, ordonnance de prise de corps, décret d'accusation ou jugement mentionné dans l'article X ci-dessus, et sans que la transcription en ait été faite sur son registre.

XV. Tout gardien ou geôlier est tenu, sans qu'aucun ordre puisse l'en dispenser, de représenter la personne du détenu à l'officier civil ayant la police de la maison de détention, toutes les fois qu'il en sera requis par la loi.

La représentation de la personne du détenu ne pourra de même être refusée à ses parens et amis porteurs de l'ordre de l'officier civil, qui sera toujours tenu de l'accorder, à moins que le gardien ou geôlier ne représente une ordonnance du juge, transcrite sur son registre, pour tenir l'arrêté au secret.

XVI. Tout homme, quelle que soit sa place ou son emploi, autre que ceux à qui la loi donne le droit d'arrestation, qui donnera, signera, exécutera ou fera exécuter l'ordre d'arrêter un citoyen; ou quiconque, même dans les cas d'arrestation autorisées par la loi, conduira, recevra ou retiendra un citoyen dans un lieu de détention non publiquement et légalement désigné; et tout gardien ou geôlier qui contreviendra aux dispositions des articles XIV et XV ci-dessus, seront coupables du crime de détention arbitraire.

XVII. Nul homme ne peut être recherché ni poursuivi pour raison des écrits qu'il aura fait imprimer ou publier sur quelque matière que ce soit, si ce n'est qu'il ait provoqué à dessein la désobéissance à la loi, l'avilissement des pouvoirs constitués, la résistance à leurs actes ou quelques-unes des actions déclarées crimes ou délits par la loi.

La censure sur les actes des pouvoirs constitués est permise; mais les calomnies volontaires contre la probité des fonctionnaires publics et la droiture de leurs intentions dans l'exercice de leurs fonctions, pourront être poursuivies par ceux qui en sont l'objet.

Les calomnies et injures contre quelques personnes que ce soit, relatives aux actions de leur vie privée, seront punies sur leur poursuite.

XVIII. Nul ne peut être jugé, soit par la voie civile, soit par la voie criminelle, pour faits d'écrits imprimés ou publiés, sans qu'il ait été reconnu et déclaré par un juré: 1° s'il y a délit dans l'écrit dénoncé; 2° si la personne poursuivie en est coupable.

XIX. Il y aura pour tout le royaume un seul tribunal de cassation, établi auprès du corps-législatif; il aura pour fonctions de prononcer:

Sur les demandes en cassation contre les jugemens rendus en dernier ressort par les tribunaux;

Sur les demandes en renvoi d'un tribunal à un autre pour cause de suspicion légitime;

Sur les réglemens de juges et les prises à partie contre un tribunal entier.

XX. En matière de cassation, le tribunal de cassation ne pourra jamais connaître du fond des affaires; mais, après avoir cassé le jugement qui aura été rendu sur une procédure dans laquelle les formes auront été violées, ou qui contiendra une contravention expresse à la loi, il renverra le fond du procès au tribunal qui doit en connaître.

XXI. Lorsqu'après deux cassations, le jugement du troisième tribunal sera attaqué par les mêmes moyens que les deux premiers, la question ne pourra plus être agitée au tribunal de cassation sans avoir été soumise au corps-législatif, qui portera un décret déclaratoire de la loi, auquel le tribunal de cassation sera tenu de se conformer.

XXII. Chaque année le tribunal de cassation sera tenu d'envoyer à la barre du corps-législatif une députation de huit de ses membres, qui lui présenteront l'état des jugemens rendus, à côté de chacun desquels seront la notice abrégée de l'affaire, et le texte de la loi qui aura déterminé la décision.

XXIII. Une haute-cour nationale, formée des membres du tribunal de cassation et de hauts-jurés, connaîtra des délits des ministres et agens principaux du pouvoir exécutif, et des crimes qui attaqueront la sûreté générale de l'État, lorsque le corps-législatif aura rendu un décret d'accusation.

Elle ne se rassemblera que sur la proclamation du corps-législatif, et à une distance de trente mille toises au moins du lieu où la législature tiendra ses séances.

XXIV. Les expéditions exécutoires des jugemens des tribunaux seront conçues ainsi qu'il suit:

'N. (*le nom du roi*), par la grâce de Dieu et par la loi constitutionnelle de l'État, roi des Français, à tous présens et à venir, salut. Le tribunal de . . . a rendu le jugement suivant:

(*Ici sera copié le jugement, dans lequel il sera fait mention du nom des juges.*)

' Mandons et ordonnons à tous huissiers sur ce requis de mettre ledit jugement à exécution; à nos commissaires auprès des tribunaux d'y tenir la main, et à tous commandans et officiers de la force publique de prêter main-forte lorsqu'ils en seront légalement requis. En foi de quoi le présent jugement a été signé par le président du tribunal et par le greffier. '

XXV. Les fonctions des commissaires du roi auprès des

tribunaux seront de requérir l'observation des lois dans les jugemens à rendre, et de faire exécuter les jugemens rendus.

Ils ne seront point accusateurs publics; mais ils seront entendus sur toutes les accusations, et requerront pendant le cours de l'instruction pour la régularité des formes, et avant le jugement pour l'application de la loi.

XXVI. Les commissaires du roi auprès des tribunaux dénonceront au directeur du jury, soit d'office, soit d'après les ordres qui leur seront donnés par le roi:

Les attentats contre la liberté individuelle des citoyens, contre la libre circulation des subsistances et autres objets de commerce, et contre la perception des contributions;

Les délits par lesquels l'exécution des ordres donnés par le roi dans l'exercice des fonctions qui lui sont déléguées, serait troublée ou empêchée;

Les attentats contre le droit des gens, et les rébellions à l'exécution des jugemens et de tous les actes exécutoires émanés des pouvoirs constitués.

XXVII. Le ministre de la justice dénoncera au tribunal de cassation, par la voie du commissaire du roi, et sans préjudice du droit des parties intéressées, les actes par lesquels les juges auraient excédé les bornes de leur pouvoir.

Le tribunal les annulera; et s'ils donnent lieu à la forfaiture, le fait sera dénoncé au corps-législatif, qui rendra le décret d'accusation, s'il y a lieu, et renverra les prévenus devant la haute-cour nationale.

TITRE IV
De la force publique

Art. Ier. La force publique est instituée pour défendre l'État contre les ennemis du dehors, et assurer au dedans le maintien de l'ordre et l'exécution des lois.

II. Elle est composée:

De l'armée de terre et de mer;

De la troupe spécialement destinée au service intérieur;

Et subsidiairement des citoyens actifs, et de leurs enfans en état de porter les armes, inscrits sur el rôle de la garde nationale.

III. Les gardes nationales ne forment ni un corps militaire, ni une institution dans l'État; ce sont les citoyens eux-mêmes appelés au service de la force publique.

IV. Les citoyens ne pourront jamais se former ni agir comme gardes nationales qu'en vertu d'une réquisition ou d'une autorisation légale.

V. Ils sont soumis en cette qualité à une organisation déterminée par la loi.

Ils ne peuvent avoir dans tout le royaume qu'une même discipline et un même uniforme.

Les distinctions de grade et la subordination ne subsistent que relativement au service et pendant sa durée.

VI. Les officiers sont élus à temps, et ne peuvent être réélus qu'après un intervalle de service comme soldats.

Nul ne commandera la garde nationale de plus d'un district.

VII. Toutes les parties de la force publique employées pour la sûreté de l'État contre les ennemis du dehors agiront sous les ordres du roi.

VIII. Aucun corps ou détachement de troupes de ligne ne peut agir dans l'interieur du royaume sans une réquisition légale.

IX. Aucun agent de la force publique ne peut entrer dans la maison d'un citoyen, si ce n'est pour l'exécution des mandemens de police et de justice, ou dans les cas formellement prévus par la loi.

X. La réquisition de la force publique, dans l'intérieur du royaume, appartient aux officiers civils, suivant les règles déterminées par le pouvoir législatif.

XI. Si les troubles agitent tout un département, le roi donnera, sous la responsabilité de ses ministres, les ordres nécessaires pour l'exécution des lois et le rétablissement de l'ordre, mais à la charge d'en informer le corps-législatif s'il est assemblé, et de le convoquer s'il est en vacances.

XII. La force publique est essentiellement obéissante; nul corps armé ne peut délibérer.

XIII. L'armée de terre et de mer, et la troupe destinée à la sùreté intérieure, sont soumises à des lois particulières, soit pour le maintien de la discipline, soit pour la forme des jugemens et la nature des peines en matière de délits militaires.

TITRE V

Des contributions publiques

Art. Ier. Les contributions publiques seront délibérées et fixées chaque année par le corps-législatif, et ne pourront subsister au-delà du dernier jour de la session suivante, si elles n'ont pas été expressément renouvelées.

II. Sous aucun prétexte, les fonds nécessaires à l'acquittement de la dette nationale et au paiement de la liste civile, ne pourront être ni refusés ni suspendus.

Le traitement des ministres du culte catholique pensionnés, conservés, élus ou nommés en vertu des décrets de l'assemblée nationale constituante, fait partie de la dette nationale.

Le corps-législatif ne pourra en aucun cas charger la nation du paiement des dettes d'aucun individu.

III. Les comptes détaillés de la dépense des départemens ministériels, signés et certifiés par les ministres ou ordonnateurs généraux, seront rendus publics par la voie de l'impression au commencement des sessions de chaque législature.

Il en sera de même des états de recette des diverses contributions, et de tous les revenus publics.

Les états de ces dépenses et recettes seront distingués suivant leur nature, et exprimeront les sommes touchées et dépensées année par année dans chaque district.

Les dépenses particulières à chaque département, et relatives aux tribunaux, aux corps administratifs et autres établissemens, seront également rendues publiques.

IV. Les administrateurs de département et sous-administrateurs ne pourront ni établir aucune contribution publique, ni faire aucune répartition au-delà du temps et des sommes fixées par le corps-législatif, ni délibérer ou permettre, sans y être autorisés par lui, aucun emprunt local à la charge des citoyens du département.

V. Le pouvoir exécutif dirige et surveille la perception et

le versement des contributions, et donne tous les ordres nécessaires à cet effet.

TITRE VI

Des rapports de la nation française avec les nations étrangères

La nation française renonce à entreprendre aucune guerre dans la vue de faire des conquêtes, et n'emploiera jamais ses forces contre la liberté d'aucun peuple.

La constitution n'admet point de droit d'aubaine.

Les étrangers établis ou non en France succèdent à leurs parens étrangers ou français.

Ils peuvent contracter, acquérir et recevoir des biens situés en France, et en disposer, de même que tout citoyen français, par tous les moyens autorisés par les lois.

Les étrangers qui se trouvent en France sont soumis aux mêmes lois criminelles et de police que les citoyens français, sauf les conventions arrêtées avec les puissances étrangères; leur personne, leurs biens, leur industrie, leur culte, sont également protégés par la loi.

TITRE VII

De la révision des décrets constitutionnels

Art. Ier. L'assemblée nationale constituante déclare que la nation a le droit imprescriptible de changer sa constitution; et néanmoins, considérant qu'il est plus conforme à l'intérêt national d'user seulement par les moyens pris dans la constitution même, du droit d'en réformer les articles dont l'expérience aurait fait sentir les inconvéniens, décrète qu'il y sera procédé, par une assemblée de révision, en la forme suivante:

II. Lorsque trois législatures consécutives auront émis un vœu uniforme pour le changement de quelque article constitutionnel, il y aura lieu à la révision demandée.

III. La prochaine législature et la suivante ne pourront proposer la réforme d'aucun article constitutionnel.

IV. Des trois législatures qui pourront par la suite proposer quelques changemens, les deux premières ne s'occuperont de cet objet que dans les deux derniers mois de leur dernière session, et la troisième, à la fin de sa première session annuelle ou au commencement de la seconde.

Leurs délibérations sur cette matière seront soumises aux mêmes formes que les actes législatifs; mais les décrets par lesquels elles auront émis leur vœu, ne seront pas sujets à la sanction du roi.

V. La quatrième législature, augmentée de deux cent quarante-neuf membres élus en chaque département par doublement du nombre ordinaire qu'il fournit pour sa population, formera l'assemblée de révision.

Ces deux cent quarante-neuf membres seront élus après que la nomination des représentans au corps-législatif aura été terminée, et il en sera fait un procès-verbal séparé.

L'assemblée de révision ne sera composée que d'une chambre.

VI. Les membres de la troisième législature qui aura demandé le changement, ne pourront étre élus à l'assemblée de révision.

VII. Les membres de l'assemblée de révision, après avoir prononcé tous ensemble le serment de *vivre libres ou mourir,* prêteront individuallement celui *de se borner à statuer sur les objets qui leur auront été soumis par le vœu uniforme des trois législatures précédentes; de maintenir au surplus de tout leur pouvoir la constitution du royaume, décrétée par l'assemblée nationale constituante aux années* 1789, 1790 *et* 1791, *et d'être en tout fidèles à la nation, à la loi et au roi.*

VIII. L'assemblée de révision sera tenue de s'occuper ensuite, et sans délai, des objets qui auront été soumis à son examen. Aussitôt que son travail sera terminé, les deux cent quarante-neuf membres nommés en augmentation se retireront sans pouvoir prendre part en aucun cas aux actes législatifs.

—

Les colonies et possessions françaises dans l'Asie, l'Afrique et l'Amérique, quoiqu'elles fassent partie de l'empire francais, ne sont pas comprises dans la présente constitution.

Aucun des pouvoirs institués par la constitution n'a le droit de la changer dans son ensemble ni dans ses parties,

L'assemblée nationale constituante en remet le dépôt à la fidélité du corps-législatif, du roi et des juges, à la vigilance des pères de famille, aux épouses et aux mères, à l'affection des jeunes citoyens, au courage de tous les Français.

———

Les décrets rendus par l'assemblée nationale constituante qui ne sont pas compris dans l'acte de constitution seront exécutés comme lois, et les lois antérieures auxquelles elle n'a pas dérogé seront également observées tant que les uns ou les autres n'auront pas été révoqués ou modifiés par le pouvoir législatif.

———

Du 3 septembre, 1791

L'assemblée nationale ayant entendu la lecture de l'acte constitutionnel ci-dessus, et après l'avoir approuvé, déclare que la constitution est terminée, et qu'elle ne peut y rien changer.

Il sera nommé à l'instant une députation de soixante membres pour offrir dans le jour l'acte constitutionnel au roi.

FIN DE LA CONSTITUTION

[*Acton,* 109 *f.; Aulard,* 53 *f.* (*I,* 168 *f.*); *C.M.H.,* 201 *f.; Lavisse, I,* 152 *f.; Legg, II, Appendix; Madelin,* 104 *f.* (119 *f.*); *Mathiez, I,* 108 *f.* (82 *f.*). *Text from ed. Gratuit,* 1791 (*Brit. Mus. F.* 1863).]

25

LES ÉMIGRANS

(1)

Lettre du Roi aux Princes Français, ses Frères

Paris, le 16 *octobre,* 1791

J'AURAIS cru que mes démarches auprès de vous, et l'acceptation que j'ai donnée à la constitution, suffisaient, sans un acte ultérieur de ma part, pour vous déterminer à rentrer dans le royaume, ou du moins à abandonner les projets dont vous paraissez être occupés. Votre conduite, depuis ce temps, devant me faire croire que mes intentions réelles ne vous sont pas bien connues, j'ai cru devoir à vous et à moi de vous en donner l'assurance de ma propre main.

Lorsque j'ai accepté, sans aucune modification, la nouvelle constitution du royaume, le voeu du peuple et le désir de la paix m'ont prnicipalement déterminé; j'ai cru qu'il était temps que les troubles de la France eussent un terme; et voyant qu'il était en mon pouvoir d'y concourir par mon acceptation, je n'ai pas balancé à la donner librement et volontairement: ma résolution est invariable. Si les nouvelles lois exigent des changemens, j'attendrai que le temps et la réflexion les sollicitent: je suis déterminé à n'en provoquer et à n'en souffrir aucun par des moyens contraires à la tranquillité publique et à la loi que j'ai acceptée.

Je crois que les motifs qui m'ont déterminé doivent avoir le même empire sur vous. Je vous invite donc à suivre mon exemple. Si, comme je n'en doute pas, le bonheur et la tranquillité de la France vous sont chers, vous n'hésiterez pas à concourir par votre conduite à les faire renaître: en faisant cesser les inquiétudes qui agitent les esprits, vous contribuerez au rétablissement de l'ordre, vous assurerez l'avantage aux opinions sages et modérées, et vous servirez efficacement le bien, que votre éloignement et les projets qu'on vous suppose ne peuvent que contrarier.

Je donnerai mes soins à ce que tous les Français qu pourront rentrer dans le royaume y jouissent paisiblement des droits que la loi leur reconnaît et leur assure. Ceux qui voudront me prouver leur attachement ne balanceront pas. Je regarderai l'attention sérieuse que vous donnerez à ce que je vous marque comme une grande preuve d'attachement envers votre frère et de fidélité envers votre roi, et je vous saurai gré toute ma vie de m'avoir épargné la nécessité d'agir en opposition avec vous, par la résolution invariable où je suis de maintenir ce que j'ai annoncé.

Signé Louis.

(2)

Décret concernant les émigrans (du 9 novembre, 1791)

L'ASSEMBLÉE nationale, considérant que la tranquillité et la sûreté du royaume lui commandent de prendre des mesures promptes et efficaces contre les Français qui malgré l'amnistie ne cessent de tramer au dehors contre la constitution française, et qu'il est temps enfin de réprimer sévèrement ceux que l'indulgence n'a pu ramener aux devoirs et aux sentimens de citoyens libres, a déclaré qu'il y a urgence pour le décret suivant, et, le décret d'urgence préablement rendu, a décrété ce qui suit:

Art. Ier. Les Français rassemblés au-delà des frontières du royaume sont dès ce moment déclarés suspects de conjuration contre la patrie.

II. Si au premier janvier prochain ils sont encore en état de rassemblement, ils seront déclarés coupables de conjuration; ils seront poursuivis comme tels, et punis de mort.

III. Quant aux princes français et aux fonctionnaires publics civils et militaires qui l'étaient à l'époque de leur sortie du royaume, leur absence à l'époque ci-dessus citée du premier janvier 1792 les constituera coupables du même crime de conjuration contre la patrie, et ils seront punis de la peine portée dans le précédent article.

IV. Dans les quinze premiers jours du même mois la haute-cour nationale sera convoquée, s'il y a lieu.

V. Les revenus des conjurés condamnés par contumace seront pendant leur vie perçus au profit de la nation, sans préjudice des droits des femmes, enfans et créanciers légitimes.

VI. Dès à présent tous les revenus des princes français absens du royaume seront séquestrés; nul paiement de traitement, pension ou revenu quelconque ne pourra être fait directement ni indirectement auxdits princes, leurs mandataires ou délégués, jusqu'à ce qu'il en ait été autrement décrété par l'assemblée nationale, sous peine de responsabilité et de deux années de gêne contre les ordonnateurs et payeurs.

Aucun paiement de leurs traitemens et pensions ne pourra pareillement, et sous les peines ci-dessus portées, être fait aux fonctionnaires publics civils et militaires, et pensionnaires de l'État émigrés, sans préjudice de l'exécution du décret du 4 janvier 1790.

VII. Toutes les diligences nécessaires pour la perception et le séquestre décrétés par les deux articles précédens seront faites à la requête des procureurs-généraux-syndics des départements, sur la poursuite des procureurs-syndics de chaque district où seront lesdits revenus; et les deniers, en provenant, seront versés dans les caisses des receveurs de district, qui en demeureront comptables.

Les procureurs-généraux-syndics feront parvenir tous les mois au ministre de l'intérieur, qui en rendra compte aussi chaque mois à l'assemblée nationale, l'état des diligences qui auront été faites pour l'exécution de l'article ci-dessus.

VIII. Tous fonctionnaires publics absens du royaume sans cause légitime avant l'amnistie prononcée par la loi du 15 septembre 1791 seront déchus pour toujours de leurs places et de tout traitement, sans déroger au décret du 18 décembre 1790.

IX. Tous fonctionnaires publics absens du royaume sans cause légitime depuis l'amnistie sont aussi déchus de leurs places et traitemens, et en outre des droits de citoyen actif.

X. Aucun fonctionnaire public ne pourra sortir du royaume sans un congé du ministre dans le département duquel il sera, sous les peines portées dans l'article ci-dessus. Les ministres seront tenus de donner tous les mois à l'assemblée nationale la liste des congés qu'ils auront délivrés.

Et quant aux officiers-généraux, officiers, sous-officiers et soldats, soit de ligne, soit de garde nationale en garnison sur les frontières, ils ne pourront les dépasser même momentanément, sous quelque prétexte que ce puisse être, sans encourir la peine portée par le précédent article.

XI. Tout officier militaire, de quelque grade qu'il soit, qui abandonnera ses fonctions sans congé ou démission acceptée, sera réputé coupable de désertion, et puni comme le soldat déserteur.

XII. Conformément à la loi du 29 octobre 1790, il sera formé une cour martiale dans chaque division militaire pour juger les délits militaires commis depuis l'amnistie; les accusateurs publics poursuivront comme coupables de vol les personnes qui ont enlevé des effets ou des deniers appartenant aux régimens français. Le ministre sera tenu d'envoyer aux cours martiales la liste des officiers qui, depuis l'amnistie, ont quitté leurs drapeaux sans avoir obtenu une permission ou congé préalable.

XIII. Tout Français qui, hors du royaume, embauchera et enrôlera des individus pour qu'ils se rendent aux rassemblemens énoncés dans les art. Ier et II du présent décret, sera puni de mort, conformément à la loi du 6 octobre 1790. La même peine aura lieu contre toute personne qui commettra le même crime en France.

XIV. L'assemblée nationale charge son comité diplomatique de lui proposer les mesures que le roi sera prié de prendre au nom de la nation à l'égard des puissances étrangères limitrophes qui souffrent sur leur territoire des rassemblemens de Français fugitifs.

XV. L'assemblée nationale déroge expressément aux lois contraires au présent décret.

XVI. Le présent décret sera porté dans le jour à la sanction du roi.

(3)

Proclamation du roi

LE roi n'a point attendu jusqu'à ce jour pour manifester son improbation sur le mouvement qui entraine et qui retient hors du royaume un grand nombre de citoyens français.

Mais après avoir pris les mesures convenables pour maintenir la France dans un état de paix et de bienveillance réciproque avec les puissances étrangères, et pour mettre les frontières du royaume à l'abri de toute invasion, Sa Majesté avait cru que les moyens de la persuasion et de la douceur seraient les plus propres à ramener dans leur patrie des hommes que les divisions politiques et les querelles d'opinion en ont principalement écartés.

Quoique le plus grand nombre des Français émigrés n'eût point paru changer de resolution depuis les proclamations et les démarches du roi, elles n'avaient cependant pas été entièrement sans effet; non-seulement l'émigration s'était ralentie, mais déjà quelques-uns des Français expatriés étaient rentrés dans le royaume, et le roi se flattait de les voir chaque jour revenir en plus grand nombre.

Le roi, plaçant encore son espérance dans les mêmes mesures, vient de refuser sa sanction à un décret de l'assemblée nationale dont plusieurs articles rigoureux lui ont paru contrarier le but que la loi devait se proposer, et que réclamait l'intérêt du peuple, et ne pouvoir pas compatir avec les mœurs de la nation et les principes d'une constitution libre.

Mais Sa Majesté se doit à elle-même, et à ceux que cet acte de la prérogative royale pourrait tromper sur ses intentions, d'en renouveler l'expression positive, et de remplir autant qu'il est en elle l'objet important de la loi dont elle n'a pas cru devoir adopter les moyens.

Le roi déclare donc à tous ceux qu'un esprit d'opposition pourrait entraîner, rassembler ou retenir hors des limites du royaume, qu'il voit non-seulement avec douleur, mais avec un profond mécontentement, une conduite qui trouble la tranquillité publique, objet constant de ses efforts, et qui paraît avoir pour but d'attaquer les lois qu'il a consacrées par son acceptation solennelle.

Ceux-là seraient étrangement trompés qui supposeraient au roi une autre volonté que celle qu'il a publiquement manifestée, et qui feraient d'une telle erreur le principe de leur conduite et la base de leur espoir. De quelques motifs qu'ils aient pu la couvrir à leurs propres yeux, il n'en existe plus aujourd'hui: le roi leur donne, en exerçant sa prérogative sur des mesures de rigueur dirigées contre eux, une preuve de sa liberté, qu'il ne leur est permis ni de méconnaître ni de contredire; et douter de la sincérité de ses résolutions lorsqu'ils sont convaincus de sa liberté, ce serait lui faire injure.

Le roi n'a point dissimulé la douleur que lui ont fait éprouver les désordres qui ont eu lieu dans le royaume, et il a longtemps cherché à croire que l'effroi qu'ils inspiraient pouvait seul retenir hors de leurs foyers un si grand nombre de citoyens; mais on n'a plus le droit d'accuser les troubles de sa patrie lorsque par une absence concertée et des rassemblemens suspects, on travaille à entretenir dans son sein l'inquiétude et l'agitation; il n'est plus permit de gémir sur l'inexécution des lois et sur la faiblesse du gouvernement lorsqu'on donne soi-même l'exemple de la désobéissance, et qu'on ne veut pas reconnaître pour obligatoires les volontés réunies de la nation et de son roi.

Aucun gouvernement ne peut exister si chacun ne reconnaît l'obligation de soumettre sa volonté particulière à la volonté publique: cette condition est la base de tout ordre social et la garantie de tous les droits; et soit qu'on veuille consulter ses devoirs ou ses intérêts, peut-il en exister de plus réels pour des hommes qui ont une patrie, et qui laissent dans son sein leurs familles et leurs propriétés, que celui d'en respecter la paix, d'en partager les destinées, et de prêter son secours aux lois qui veillent à sa sûreté.

La constitution, qui a supprimé les distinctions et les titres, n'a point exclu ceux qui les possédaient des nouveaux moyens d'influence et des nouveaux honneurs qu'elle a créés, et si, loin d'inquiéter le peuple par leur absence et par leurs démarches, ils s'empressaient de concourir au bonheur commun, soit par la consommation de leurs revenus au sein de la patrie qui les produit, soit en consacrant à l'étude des intérêts publics l'heureuse indépendance des besoins que leur assure leur fortune, ne seraient ils pas appelés à tous les avantages que peuvent départir l'estime publique et la confiance de leurs concitoyens?

Qu'ils abandonnent donc des projets que réprouvent la raison, le devoir, le bien général, et leur avantage personnel! Français qui n'avez cessé de publier votre attachement pour votre roi, c'est lui qui vous rappelle dans votre patrie; il vous promet la tranquillité et la sûreté au nom de la loi, dont l'exécution suprême lui appartient; il vous les garantit au nom de la nation, avec laquelle il est inséparablement uni, et dont il a reçu des preuves touchantes de confiance et d'amour. Revenez; c'est le vœu de chacun de vos concitoyens; c'est la volonté de votre roi. Mais ce roi, qui vous parle en père, et qui regardera votre retour comme une preuve d'attachement et de fidélité, vous déclare qu'il est résolu de défendre par tous les moyens que les circonstances pourraient exiger, et la sûreté de l'empire qui lui est confiée, et les lois, au maintien desquelles il s'est attaché sans retour.

Il a notifié ses intentions aux princes ses frères; il en a donné connaissance aux puissances sur le territoire desquelles se sont formés des rassemblemens de Français émigrés: il espère que ses instances auront auprès de vous le succès qu'il a droit d'en attendre. Mais, s'il était possible qu'elles fussent vaines, sachez qu'il n'est aucune réquisition qu'il n'adresse aux puissances étrangères, qu'il n'est aucune loi juste, mais vigoureuse, qu'il ne soit résolu d'adopter plutôt que de vous voir sacrifier plus long-temps à une coupable obstination le bonheur de vos concitoyens, le vôtre, et la tranquillité de votre pays!

Fait à Paris, le 12 novembre 1791.

Signé Louis. *Et plus bas,* Delessart.

[*Acton*, 201 *f.*; *C.M.H.*, 219; *Jaurès*, *III*, 101 *f.*; *Lavisse*, *I*, 336; *Madelin*, 199 (223); *Mathiez*, *I*, 188 (140). *Text from Buchez and Roux*, *XII*, 228–9; *Procès-Verbal* (*Assemblée Législative*), *I*, 372.]

26

DÉCRET CONTRE LES PRÊTRES RÉFRACTAIRES

Assemblée Nationale: séance du 29 novembre, 1791

L'ASSEMBLÉE nationale, après avoir entendu le rapport des commissaires civils envoyés dans le département de la Vendée, les pétitions d'un grand nombre de citoyens, et le rapport du comité de législation civile et criminelle, sur les troubles excités dans plusieurs départemens du royaume par les ennemis du bien public, sous prétexte de religion;

Considérant que le contrat social doit lier comme il doit également protéger tous les membres de l'État;

Qu'il importe de définir sans équivoque les termes de cet engagement, afin qu'une confusion dans les mots n'en puisse opérer une dans les idées; que le serment purement civique est la caution que tout citoyen doit donner de sa fidélité à la loi et de son attachement à la société, et que la différence des opinions religieuses ne peut être un empêche-ment de prêter ce serment, puisque la constitution assure à tout citoyen la liberté entière de ses opinions en matière de religion, pourvu *que leur manifestation ne trouble pas l'ordre* ou ne porte pas *à des actes nuisibles à la sûreté publique;*

Que le ministre d'un culte, en refusant de reconnaître l'acte constitutionnel qui l'autorise à professer ses opinions religieuses sans lui imposer d'autre obligation que le respect pour *l'ordre établi par la loi* et pour *la sûreté publique*, annon-cerait par ce refus-là même que son intention n'est pas de les respecter;

Qu'en ne voulant pas reconnaître la loi, il abdiquera volontairement les avantages que cette loi seule peut lui garantir;

Que l'assemblée nationale, pressée de se livrer aux grands objets qui appellent son attention pour l'affermissement du crédit et le système des finances, s'est vue avec regret obligée de tourner ses premiers regards sur des désordres qui tendent à compromettre toutes les parties du service public, en empêchant l'assiette prompte et le recouvrement paisible des contributions;

Qu'en remontant à la source de ces désordres, elle a entendu la voix de tous les citoyens éclairés proclamer dans l'empire cette grande vérité, que la religion n'est pour les ennemis de la constitution qu'un prétexte dont ils abusent, et un instrument dont ils osent se servir pour troubler la terre au nom du ciel;

Que leurs délits mystérieux échappent aisément aux mesures ordinaires, qui n'ont point de prise sur leurs cérémonies clandestines, dans lesquelles leurs trames sont enveloppées, et par lesquelles ils exercent sur les consciences un empire invisible;

Qu'il est temps enfin de percer ces ténèbres, afin qu'on puisse discerner le citoyen paisible et de bonne foi du prêtre turbulent et machinateur, qui regrette les anciens abus, et ne peut pardonner à la révolution de les avoir détruits;

Que ces motifs exigent impérieusement que le corps-législatif prenne de grandes mesures politiques pour réprimer les factieux, qui couvrent leurs complots d'un voile sacré;

Que l'efficacité de ces nouvelles mesures dépend en grande partie du patriotisme, de la prudence et de la fermeté des corps municipaux et administratifs, et de l'énergie que leur impulsion peut communiquer à toutes les autres autorités constituées;

Que les administrations de département surtout peuvent, dans ces circonstances, rendre le plus grand service à la nation, et se couvrir de gloire en s'empressant de répondre à la confiance de l'assemblée nationale, qui se plaira toujours à distinguer leur zèle, mais qui en même temps réprimera sévèrement les fonctionnaires publics dont la tiédeur dans l'exécution de la loi ressemblerait à une connivence tacite avec les ennemis de la constitution;

Qu'enfin c'est surtout aux progrès de la saine raison et à l'opinion publique bien dirigée qu'il est réservé d'achever le triomphe de la loi, d'ouvrir les yeux des habitans des campagnes sur la perfidie intéressée de ceux qui veulent leur faire croire que les législateurs constituans ont touché à la religion de leurs pères, et de prévenir, pour l'honneur des Français dans ce siècle de lumières, le renouvellement des scènes horribles dont la superstition n'a malheureusement que trop souillé leur histoire dans les siècles où l'ignorance des peuples était un des ressorts du gouvernement;

L'assemblée nationale ayant décrété préalablement l'urgence, décrète définitivement ce qui suit:

Art. Ier. Dans la huitaine à compter de la publication du présent décret, tous les ecclésiastiques autres que ceux qui se sont conformés au décret du 27 november dernier, seront tenus de se présenter par-devant la municipalité du lieu de leur domicile, d'y prêter le serment civique dans les termes de l'article V du titre II de la constitution, et de signer le procès-verbal qui en sera dressé sans frais.

II. A l'expiration du délai ci-dessus, chaque municipalité fera parvenir au directoire du département, par la voie du district, un tableau des ecclésiastiques domiciliés dans son territoire, en distinguant ceux qui auront prêté le serment civique et ceux qui l'auront refusé: ces tableaux serviront à former les listes dont il sera parlé ci-après.

III. Ceux des ministres du culte catholique qui ont donné l'exemple de la soumission aux lois et de l'attachement à leur patrie, en prêtant le serment civique suivant la formule prescrite par le décret du 27 novembre 1790, et qui ne l'ont pas rétracté, sont dispensés de toute formalité nouvelle; ils sont invariablement maintenus dans tous les droits qui leur ont été attribués par les décrets précédens.

IV. Quant aux autres ecclésiastiques, aucun d'eux ne pourra désormais toucher, réclamer ni obtenir de pension ou de traitement sur le trésor public, qu'en représentant la preuve de la prestation du serment civique, conformément à l'article Ier ci-dessus. Les trésoriers, receveurs ou payeurs qui auront fait des paiemens contre la teneur du présent décret, seront condamnés à en restituer le montant, et privés de leur état.

V. Il sera composé tous les ans une masse des pensions dont les ecclésiastiques auront été privés par leur refus ou leur rétractation du serment. Cette masse sera répartie entre les quatre-vingt-trois départemens pour être employée par les conseils-généraux des communes, soit en travaux de charité pour les indigens valides, soit en secours pour les indigens invalides.

VI. Outre la déchéance de tous traitemens et pensions, les ecclésiastiques qui auront refusé de prêter le serment civique, ou qui le rétracteront après l'avoir prêté, seront, par ce refus ou par cette rétractation même, réputés suspects de révolte contre la loi et de mauvaises intentions contre la patrie, et comme tels plus particulièrement soumis et recommandés à la surveillance de toutes les autorités constituées.

VII. En conséquence, tout ecclésiastique ayant refusé

de prêter le serment civique (ou qui le rétractera après l'avoir prêté) qui se trouvera dans une commune où il surviendra des troubles dont les opinions religieuses seront la cause ou le prétexte, pourra, en vertu d'un arrêté du directoire du département, sur l'avis de celui du district, être éloigné provisoirement du lieu de son domicile ordinaire, sans préjudice de la dénonciation aux tribunaux, suivant la gravité des circonstances.

VIII. En cas de désobéissance à l'arrêté du directoire du département, les contrevenans seront poursuivis dans les tribunaux et punis de l'emprisonnement dans le chef-lieu du département. Le terme de cet emprisonnement ne pourra excéder une année.

IX. Tout ecclésiastique qui sera convaincu d'avoir provoqué la désobéissance à la loi et aux autorités constituées, sera puni de deux années de détention.

X. Si, à l'occasion des troubles religieux, il s'élève dans une commune des séditions qui nécessitent le déplacement de la force armée, les frais avancés par le trésor public pour cet objet seront supportés par les citoyens domiciliés dans la commune, sauf leur recours contre les chefs instigateurs et complices des émeutes.

XI. Si des corps ou des individus chargés de fonctions publiques négligent ou refusent d'employer les moyens que la loi leur confie pour prévenir ou pour réprimer une émeute, ils en seront personnellement responsables; ils seront poursuivis, jugés et punis conformément à la loi du 3 août 1791.

XII. Les églises et édifices employés au culte dont les frais sont payés par l'État, ne pourront servir à aucun autre culte.

Les églises et oratoires nationaux que les corps administratifs auront déclaré n'être pas nécessaires pour l'exercice du culte dont les frais sont payés par la nation, pourront être achetés ou affermés apr les citoyens attachés à un autre culte quelconque pour y exercer publiquement ce culte, sous la surveillance de la police et de l'administration. Mais cette faculté ne pourra s'étendre aux ecclésiastiques qui se sont refusés au serment civique exigé par l'article Ier du présent décret (ou qui l'auront rétracté) et qui, par ce refus ou cette rétractation, sont déclarés, suivant l'article VI, suspects de révolte contre la loi et le mauvaises intentions contre la patrie.

XIII. La vente ou la location des églises ou oratoires dont il est parlé dans l'article précédent, ne peuvent s'appliquer aux églises dont sont en possession, soit privée, soit simultanée avec les catholiques, les citoyens qui suivent les confessions d'Augsbourg et helvétique, lesquels sont conservés en leurs droits respectifs dans les départemens du Haut et du Bas-Rhin, du Doubs et de la Haute-Saône, conformément aux décrets des 17 août, 9 septembre et Ier décembre 1790.

XIV. Le directoire de chaque département fera dresser deux listes: la première comprenant les noms et demeures des ecclésiastiques sermentés, avec la note de ceux qui seront sans emploi et qui voudront se rendre utiles; la seconde, comprenant les noms et demeures de ceux qui auront refusé de prêter le serment civique, avec les plaintes et les procès-verbaux qui auront été dressés contre eux. Ces deux listes seront arrêtées incessamment, de manière à être présentées, s'il est possible, aux conseils-généraux de département avant la fin de leur session actuelle.

XV. A la suite de ces listes, les procureurs-généraux-syndics rendront compte aux conseils de département (ou aux directoires, si les conseils sont séparés) des diligences qui ont été faites dans leur ressort pour l'exécution des décrets de l'assemblée nationale constituante, des 12, 24 juillet, et 27 nov. 1790, concernant l'exercice du culte catholique salarié par la nation. Ce compte-rendu présentera le détail des obstacles qu'a pu éprouver l'exécution de ces lois, et la dénonciation de ceux qui, depuis l'amnistie, ont fait naître de nouveaux obstacles, ou les ont favorisés par prévarication ou par négligence.

XVI. Le conseil-général de chaque département (ou le directoire, si le conseil est séparé) prendra sur ce sujet un arrêté motivé, qui sera adressé sur-le-champ à l'assemblée nationale, avec les listes des ecclésiastiques sermentés et non-sermentés (ou qui se seront rétractés), et les observations du département sur la conduite individuelle de ces derniers, ou sur leur coalition séditieuse, soit entre eux, soit avec les Français transfuges et déserteurs.

XVII. A mesure que ces procès-verbaux, listes et arrêtés seront adressés à l'assemblée nationale, ils seront remis au comité de législation pour en faire un rapport général, et mettre le corps-législatif à portée de prendre un dernier parti afin d'extirper la rébellion, qui se déguise sous le prétexte d'une prétendue dissidence dans l'exercice du culte catholique. Dans un mois le comité présentera l'état des administrations qui auront satisfait aux articles précédens, et proposera les mesures à prendre contre celles qui seront en retard de s'y conformer.

XVIII. Comme il importe surtout d'éclairer le peuple sur les piéges qu'on ne cesse de lui tendre au sujet des opinions prétendues religieuses, l'assemblée nationale exhorte tous les bons esprits à renouveler leurs efforts et multiplier leurs instructions contre le fanatisme; elle déclare qu'elle regardera comme un bienfait public les bons ouvrages à la portée des citoyens des campagnes qui lui seront adressés sur cette matière importante, et d'après le rapport qui lui en sera fait, elle fera imprimer et distribuer ces ouvrages aux frais de l'État, et récompensera leurs auteurs.

[*Acton*, 205; *Jaurès, III*, 115; *Lavisse, I*, 335. *Text from Procès-Verbal (Assemblée législative), II*, 182.]

27

DÉPUTATION AU ROI, ET DISCOURS DU ROI

(1)

Assemblée Nationale: séance du 29 novembre, 1791

M. VAUBLANC. Messieurs, je me suis rendu chez le roi à la tête de la députation que vous m'avez déféré l'honneur de présider. Introduit sur-le-champ chez le roi, je lui ai lu le discours que vous avez approuvé ce matin, tel que le voici:

'Sire,

' A peine l'assemblée nationale a-t-elle porté ses regards sur la situation du royaume, qu'elle s'est aperçue que les troubles qui l'agitent encore, ont leur source dans les préparatifs criminels des français émigrés.

' Leur audace est soutenue par des princes allemands qui méconnaissent les traités signés entre eux et la France, et qui affectent d'oublier qu'ils doivent à cet empire le traité de Westphalie qui garantit leurs droits et leur sûreté.

' Ces préparatifs hostiles, ces menaces d'invasion commandent des armemens qui absorbent des sommes immenses que la nation aurait versées avec joie dans les mains de ses créanciers.

' C'est à vous, sire, de les faire cesser; c'est à vous de tenir aux puissances étrangères le langage qui convient au roi des Français. Dites-leur que partout où l'on souffre des préparatifs contre la France, la France ne peut voir que des ennemis; que nous garderons religieusement le serment de ne faire aucune conquête; que nous leur offrons le bon voisinage, l'amitié inviolable d'un peuple libre et puissant; que nous respecterons leurs lois, leurs usages, leurs constitutions; mais que nous voulons que la nôtre soit respectée. Dites-leur enfin que si des princes d'Allemagne continuent de favoriser des préparatifs dirigés contre les Français, nous porterons chez eux, non pas le fer et la flamme, mais la liberté. C'est à eux à calculer quelles peuvent être les suites du réveil des nations.

'Depuis deux ans que les Français patriotes sont persécutés près des frontières, et que les rebelles y trouvent des secours, quel ambassadeur a parlé, comme il le devait, en votre nom? . . . Aucun.

' Si les Français, chassés de leur patrie par la révocation de l'édit de Nantes, s'étaient rassemblés en armes sur les frontières, s'ils avaient été protégés par des princes d'Allemagne: Sire, nous vous le demandons, quelle eût été la conduite de Louis XIV? Eût-il souffert ces rassemblemens? eût-il souffert les secours donnés par des princes qui, sous le nom d'alliés, se conduisent en ennemis? Ce qu'il eût fait pour son autorité, que votre majesté le fasse pour le salut de l'empire, pour le maintien de la constitution.

'Sire, votre intérêt, votre dignité, la grandeur de la nation outragée, tout vous prescrit un langage différent de celui de la diplomatie. La nation attend de vous des déclarations énergiques auprès des cercles du Haut et du Bas-Rhin, des électeurs de Trèves, Mayence et autres princes d'Allemagne.

'Qu'elles soient telles que les hordes des émigrés soient à l'instant dissipées. Prescrivez un terme prochain, au delà duquel nulle réponse dilatoire ne sera reçue; que votre déclaration soit appuyée par les mouvemens des forces qui vous sont confiées; et que la nation sache quels sont ses amis et ses ennemis. Nous reconnaîtrons à cette éclatante démarche le défenseur de la constitution.

'Vous assurerez ainsi la tranquillité de l'empire, inséparable de la vôtre; et vous hâterez ces jours de la prospérité nationale, où la paix fera renaître l'ordre et le règne des lois, où votre bonheur se confondra dans celui de tous les Français.'

Le roi nous a répondu:

'Je prendrai en très-grande considération le message de l'assemblée nationale, Vous savez que je n'ai rien négligé pour assurer la tranquillité publique au-dedans, pour maintenir la constitution, et pour la faire respecter au-dehors.'

(2)
Séance du 14 decembre, 1791

ON annonce l'arrivée du roi.
Un grand silence règne dans la salle. — Tous les membres se lèvent et restent découverts.

Le roi entre accompagné de ses ministres. — Il se place à la gauche du président, et prononce le discours suivant:

'Messieurs, j'ai pris en grande considération votre message du 29 du mois dernier. Dans cette circonstance où il s'agit de l'honneur du peuple français et de la sûreté de l'empire, j'ai cru devoir vous porter moi-même ma réponse; la nation ne peut qu'applaudir à ces communications entre ses représentans élus et son représentant héréditaire.

'Vous m'avez invité à prendre des mesures décisives pour

faire cesser enfin ces rassemblemens extérieurs qui entretiennent au sein de la France une inquiétude, une fermentation funestes, nécessitent une augmentation de dépenses qui nous épuise, et compromettent plus dangereusement la liberté qu'une guerre ouverte et déclarée.

'Vous désirez que je fasse connaître aux princes voisins qui protégent ces rassemblemens contraires aux règles du bon viosinage et aux principes du droit des gens, que la nation française ne peut tolérer plus long-temps ce manque d'égards et ces sourdes hostilités.

' Enfin, vous m'avez fait entendre qu'un mouvement général entraînait la nation, et que le cri de tous les Français était : Plutôt la guerre qu'une patience ruineuse et avilissante.

' Messieurs, j'ai pensé long-temps que les circonstances exigeaient une grande circonspection dans les mesures ; qu'à peine sortis des agitations et des orages d'une révolution, et au milieu des premiers essais d'une constitution naissante, il ne fallait négliger aucuns des moyens qui pouvaient préserver la France des maux incalculables de la guerre. Ces moyens, je les ai tous employés. D'un côté, j'ai tout fait pour rappeler les Français émigrans dans le sein de leur patrie, et les porter à se soumettre aux nouvelles lois que la grande majorité de la nation avait adoptées : de l'autre, j'ai employé les insinuations amicales, j'ai fait faire des réquisitions formelles et précises pour détourner les princes voisins de leur prêter un appui propre à flatter leurs espérances, et à les enhardir dans leurs téméraires projets.

'L'empereur a rempli ce qu'on devait attendre d'un allié fidèle, en défendant et dispersant tout rassemblement dans ses états. Mes démarches n'ont pas eu le même succès auprès de quelques autres princes : des réponses peu mesurées ont été faites à mes réquisitions. Ces injustes refus provoquent des déterminations d'un autre genre. La nation a manifesté son vœu ; vous l'avez recueilli ; vous en avez pesé les conséquences ; vous me l'avez exprimé par votre message : Messieurs, vous ne m'avez pas prévenu : représentant du peuple, j'ai senti son injure, et je vais vous faire connaître la résolution que j'ai prise pour en poursuivre la réparation.

'Je fais déclarer à l'électeur de Trèves, que si avant le
15 de janvier, il ne fait pas cesser dans ses États tout
attroupement et toutes dispositions hostiles de la part des
Français qui s'y sont réfugiés, je ne verrai plus en lui qu'un
ennemi de la France. (Il s'élève des applaudissemens réitérés,
accompagnés des cris de *Vive le roi.*) Je ferai faire une semblable déclaration à tous ceux qui favoriseraient de même
des rassemblemens contraires à la tranquillité du royaume;
et en garantissant aux étrangers toute la protection qu'ils
doivent attendre de nos lois, j'aurai bien le droit de demander
que les outrages que des Français peuvent avoir reçus,
soient promptement et complétement réparés. (On
applaudit.)
'J'écris à l'empereur pour l'engager à continuer ses bons
offices, et, s'il le faut, à déployer son autorité, comme chef de
l'empire, pour éloigner les malheurs que ne manquerait pas
d'entraîner une plus longue obstination de quelques membres du corps germanique. Sans doute, on peut beaucoup
attendre de son intervention, appuyée du poids imposant de
son exemple; mais je prends en même temps les mesures
militaires les plus propres à faire respecter ces déclarations.
(On applaudit.) Et si elles ne sont point écoutées, alors, Messieurs, il ne me restera plus qu'à proposer la guerre; la
guerre, qu'un peuple qui a solennellement renoncé aux
conquêtes, ne fait jamais sans nécessité; mais qu'une nation
généreuse et libre sait entreprendre, lorsque sa propre
sûreté, lorsque l'honneur, le commandent. (Nouveaux applaudissemens.)
'Mais en nous abandonnant courageusement à cette résolution, hâtons-nous d'employer les moyens qui seuls peuvent
en assurer le succès. Portez votre attention, Messieurs, sur
l'état des finances; affermissez le crédit national; veillez sur
la fortune publique; que vos délibérations, toujours soumises aux principes constitutionnels, prennent une marche
grave, fière, imposante, le seule qui convienne aux législateurs d'un grand empire (une partie de l'assemblée et les
tribunes applaudissent): que les pouvoirs constitués se
respectent pour se rendre respectables; qu'ils se prêtent un
secours mutuel, au lieu de se donner des entraves, et

qu'enfin on reconnaisse qu'ils sont distincts et non ennemis. Il est temps de montrer aux nations étrangères que le peuple français, ses représentans et son roi, ne font qu'un. (Applaudissemens unanimes.) C'est à cette union, c'est encore, ne l'oublions jamais, au respect que nous porterons aux gouvernemens des autres États, que sont attachées la sûreté, la considération et la gloire de l'empire.

'Pour moi, Messieurs, c'est vainement qu'on chercherait à environner de dégoûts l'exercice de l'autorité qui m'est confiée. Je le déclare devant la France entière, rien ne pourra lasser ma persévérance, ni ralentir mes efforts. Il ne tiendra pas à moi que la loi ne devienne l'appui des citoyens et l'effroi des perturbateurs. (Vives acclamations.) Je conserverai fidèlement le dépôt de la constitution, et aucune considération ne pourra me déterminer à souffrir qu'il y soit porté atteinte; et si des hommes qui ne veulent que le désordre et le trouble, prennent occasion de cette fermeté pour calomnier mes intentions, je ne m'abaisserai pas à repousser par des paroles les injurieuses défiances qu'ils se plairaient à répandre. Ceux qui observent la marche du gouvernement avec un œil attentif, mais sans malveillance, doivent reconnaître que jamais je ne m'écarte de la ligne constitutionnelle, et que je sens profondément qu'il est beau d'être roi d'un peuple libre/(Les applaudissemens se prolongent pendant plusieurs minutes. — Plusieurs voix font entendre dans l'assemblée et dans les tribunes le cri de: *Vive le roi des Francais!*)

M. le président au roi. Sire, l'assemblée nationale délibérera sur les propositions que vous venez de lui faire; elle vous instruira par un message de ses résolutions.

Le roi se retire au milieu des applaudissemens de l'assemblée.

[*Lavisse, I*, 335. *Text from Procès-Verbal* (*Assemblée législative*), *II*, 192; *III*, 3.]

DÉCRET DE LA GUERRE

Séance du 20 avril, 1792

M. GENSONNÉ présente, au nom du comité diplomatique, la rédaction du décret rendu sur la proposition
du roi.—Cette rédaction est décrétée ainsi qu'elle
suit:

L'assemblée nationale, délibérant sur la proposition
formelle du roi, considérant que la cour de Vienne, au
mépris des traités, n'a cessé d'accorder une protection
ouverte aux Français rebelles, qu'elle a provoqué et formé
un concert avec plusieurs puissances de l'Europe contre
l'indépendance et la sûreté de la nation française;

Que François 1er, roi de Hongrie et de Bohême, a, par
ses notes des 18 mars et 7 avril dernier, refusé à renoncer à
ce concert;

Que malgré la proposition qui lui a été faite par la note
du 11 mars 1792, de réduire, de part et d'autre, à l'état de
paix, les troupes sur les frontières, il a continué et augmenté
des préparatifs hostiles;

Qu'il a formellement attenté à la souveraineté de la nation
française, en déclarant vouloir soutenir les prétentions des
princes allemands possessionnés en France, auxquels la
nation française n'a cessé d'offrir des indemnités;

Qu'il a cherché à diviser les citoyens français, et à les
armer les uns contre les autres, en offrant aux mécontens un
appui dans le concert des puissances;

Considérant enfin que ce refus de répondre aux dernières
dépêches du roi des Français ne lui laisse plus d'espoir
d'obtenir, par la voie d'une négociation amicale, le redressement de ces différens griefs, et équivaut à une déclaration de
guerre;

Décrète qu'il y a urgence.

L'assemblée nationale déclare que la nation française,
fidèle aux principes consacrés par la Constitution, *de
n'entreprendre aucune guerre dans la vue de faire des conquêtes,
et de n'employer jamais ses forces contre la liberté d'aucun*

peuple, ne prend les armes que pour le maintien de sa liberté et de son indépendance; que la guerre qu'elle est obligée de soutenir n'est point une guerre de nation à nation, mais la juste défense d'un peuple libre contre l'injuste agression d'un roi;

Que les Français ne confondront jamais leurs frères avec leurs véritables ennemis; qu'ils ne négligeront rien pour adoucir le fléau de la guerre, pour ménager et conserver les propriétés, et pour faire retomber, sur ceux-là seuls qui se ligueront contre sa liberté, tous les malheurs inséparables de la guerre;

Qu'elle adopte d'avance tous les étrangers qui, abjurant la cause de ses ennemis, viendront se ranger sous ses drapeaux et consacrer leurs efforts à la défense de sa liberté; qu'elle favorisera même, par tous les moyens qui sont en son pouvoir, leur établissement en France;

Délibérant sur la proposition formelle du roi, et après avoir décrété l'urgence, décrète la guerre contre le roi de Hongrie et de Bohême.

Un de messieurs les secrétaires fait l'appel de vingt-quatre commissaires chargés de porter sur-le-champ le décret à la sanction du roi.

[*Acton*, 209; *Aulard*, 179 (*I*, 353); *C.M.H.*, 225; *Lavisse*, *I*, 351; *Madelin*, 214 (242); *Mathiez*, *I*, 199 (147). *Text from Procès-Verbal* (*Assemblée législative*), *VII*, 335.]

29
DÉCRET SUR LES ÉTRANGERS
Séance du 18 *mai,* 1792

L'ASSEMBLÉE nationale, après avoir décrété l'urgence, et après avoir entendu le rapport de ses Comités des Douze, de Surveillance et de Législation décréte ce qui suit.

Art. Ier. Toute personne arrivée à Paris depuis le 1er janvier dernier, sans y avoir eu antérieurement son domicile, sera tenu, dans la huitaine qui suivra la publication du présent décret, de déclarer, devant le comité de la section qu'elle habite, son nom, son état, son domicile ordinaire et sa demeure à Paris, d'exhiber son passeport, si elle en a un.

II. La disposition de l'article précédent n'aura lieu à l'égard des voyageurs qu'autant qu'ils seraient à Paris un séjour de plus de trois jours, et à l'égard de tous ceux qui viennent à Paris pour son approvisionnement, qu'autant qu'ils devront y séjourner plus de huit jours.

III. Indépendamment de la déclaration ci-dessus ordonnée, tout propriétaire, locataire principal, concierge ou portier, sera tenu, dans le même délai, de déclarer également au comité dé sa section, tout étranger logé dans la maison dont il est propriétaire, locataire principal, concierge ou portier.

IV. Toutes personnes autres que celles ci-dessus exceptées, qui négligeront de faire cette déclaration dans ledit délai prescrit, seront condamnées, par voie de police correctionnelle, à une amende qui ne pourra excéder 300 liv. et à trois mois d'emprisonnement; celles qui auraient fait une déclaration fausse, seront condamnées à 1,000 liv. d'amende et à six mois d'emprisonnement.

V. Il est défendu, sous les mêmes peines, de donner des logemens à ceux qui devant avoir des passeports, n'en seraient pas porteurs sans en prévenir à l'instant le comité de la section.

VI. Chaque déclaration sera faite en double sur deux feuilles séparées non sujettes au timbre, et signées par celui qui le présentera; dans le cas où il ne saurait signer, le commissaire de la section en fera mention sur les deux actes, ainsi que de l'affirmation faite en sa présence par le déclarant de la vérité de sa déclaration. L'un des doubles restera au comité de la section, et l'autre, signé du commissaire de section, sera remis au déclarant.

VII. Il sera procédé sans délai par la municipalité de Paris aux vérifications, tant desdites déclarations que du recensement qui a dû être fait en 1791, en exécution de la loi du 19 juillet de la même année sur la police municipale.

VIII. Les dispositions du présent décret ne sont aucunement dérogatoires aux réglemens de police concernant les maîtres d'hôtel, aubergistes et logeurs, qui seront exécutés selon leur forme et teneur.'

[*Lavisse, I, 356. Text from Procès-Verbal (Assemblée législative), VIII, 372.*]

30
DÉCRET CONCERNANT LES PRÊTRES INSERMENTÉS
du 27 mai, 1792

L'ASSEMBLÉE nationale, après avoir entendu le rapport de son comité des douze, considérant que les troubles excités dans le royaume par les ecclésiastiques non-sermentés exigent qu'elle s'occupe sans délai des moyens de les réprimer, décrète qu'il y a urgence.

Décret définitif

L'Assemblée nationale, considérant que les efforts auxquels se livrent constamment les ecclésiastiques non-sermentés pour renverser la Constitution, ne permettent pas de supposer à ces ecclésiastiques la volonté de s'unir au pacte social, et que ce serait compromettre le salut public que de regarder plus longtemps comme membres de la société des hommes qui cherchent évidemment à la dissoudre; considérant que les lois penales sont sans force contre ces hommes qui, agissant sur les consciences pour les égarer, dérobent presque toujours leurs manœuvres criminelles aux regards de ceux qui pourraient les faire réprimer et punir; après avoir décrété l'urgence, décrète ce qui suit:

Art. Ier. La déportation des ecclésiastiques insermentés aura lieu comme mesure de sûreté publique et de police générale, dans les cas et suivant les formes énoncés ci-après:

II. Seront considérés comme ecclésiastiques insermentés tous ceux qui, assujétis au serment prescrit par la loi du 26 décembre 1790, ne l'auraient pas prêté; ceux aussi qui, n'étant pas soumis à cette loi, n'ont pas prêté le serment civique postérieurement au 3 septembre dernier, jour où la Constitution française fut déclarée achevée; ceux enfin qui auront rétracté l'un ou l'autre serment.

III. Lorsque vingt citoyens actifs d'un même canton se réuniront pour demander la déportation d'un ecclésiastique non-sermenté, le directoire de département sera tenu de prononcer la déportation, si l'avis du directoire du district est conforme à la pétition.

IV. Lorsque l'avis du directoire de district ne sera pas conforme à la pétition, le directoire de département sera tenu de faire vérifier par des commissaires si la présence de l'ecclésiastique ou des ecclésiastiques dénoncés nuit à la tranquillité publique; et, sur l'avis de ces commissaires, s'il est conforme à la pétition, le directoire du département sera également tenu de prononcer la déportation.

V. Dans le cas où un ecclésiastique non-sermenté aurait par des actes extérieurs excité des troubles, les faits pourront être dénoncés au directoire du département par un ou plusieurs citoyens actifs, et après la vérification des faits la déportation sera pareillement prononcée.

VI. La demande ou pétition dont il est parlé dans les précédens articles, devant être signée de ceux qui la formeront, sera remise par eux au directoire du district; ils en affirmeront la vérité devant le même directoire, qui leur fera délivrer par son secrétaire, sur papier libre et sans frais, un certificat du dépôt de cette pétition.

VII. Le directoire du district vérifiera, sur les tableaux qui doivent être déposés dans son secrétariat, ou par tout autre moyen, si les signataires de la pétition sont véritablement citoyens actifs; d'après cette vérification, il donnera son avis et le fera passer à l'administration du département dans les trois jours qui suivront celui de la date du dépôt.

VIII. Dans le cas où les citoyens actifs qui auront à former la pétition prescrite ne sauraient écrire, elle sera reçue en présence du procureur-syndic par le secrétaire du district, qui, après l'avoir rédigée, en donnera lecture aux pétitionnaires, et relatera leur déclaration de ne savoir signer.

IX. Lorsque les préalables prescrits par les articles précédens auront été remplis, tant de la part des pétitionnaires
que de la part du directoire de district, le directoire de
département sera tenu de statuer dans trois jours si l'avis du
directoire de district est conforme à la pétition.

X. Lorsque l'avis du directoire de district ne sera pas
conforme à la pétition, le directoire de département aura
quinze jours pour faire procéder aux vérifications prescrites
en pareil cas, et pour statuer définitivement.

XI. L'avis du directoire de district ou celui des com-
missaires-vérificateurs étant conforme à la pétition, il sera
enjoint par l'arrêté du directoire de département aux
ecclésiastiques sujets à la déportation de sortir et se retirer,
dans vingt-quatre heures, hors des limites du district de
leur résidence, dans trois jours hors des limites du département, et dans le mois hors du royaume. Ces différens délais
courront du jour où la sommation leur en sera faite à la
requête du procureur-général-syndic du département, suites
et diligences du procureur-syndic du district.

XII. Copie de l'arrêté du département sera notifiée à
chacun des ecclésiastiques sujets à la déportation, ou à leur
dernier domicile connu, avec sommation d'y obéir et de s'y
conformer; cette notification se fera sur papier libre, sans
autres frais que les vacations de l'huissier, modérés aux deux
tiers des vacations ordinaires, et sera soumise à l'enregistrement gratuit.

XIII. Sitôt après cette notification l'ecclésiastique sera
tenu de déclarer devant la municipalité du lieu de sa résidence, ou devant le directoire du district, le pays étranger
dans lequel il entend se retirer; et il lui sera délivré sur-le-
champ par la municipalité ou le directoire du district, un
passeport qui contiendra son signalement, sa déclaration, la
route qu'il doit tenir et le délai dans lequel il doit être sorti
du royaume.

XIV. Dans le cas où l'ecclésiastique n'obéirait pas à la
sommation à lui faite, le procureur-syndic du district sera
tenu de requérir la gendarmerie nationale pour le faire
transférer de brigades en brigades au-delà des frontières les
plus voisines du lieu de son départ, et les frais de cette

translation, dont il sera dressé procès-verbal, seront retenus sur sa pension ou ses revenus.

XV. Lorsque l'ecclésiastique contre lequel la déportation sera prononcée n'aura ni pension ni revenu, il recevra trois livres par journée de dix lieues jusqu'aux frontières, pour le faire subsister pendant la route; ces frais seront supportés par le trésor public, et avancés par la caisse du district dans lequel résidait cet ecclésiastique.

XVI. Ceux des ecclésiastiques, contre lesquels la déportation aura été prononcée, qui resteraient dans le royaume après avoir déclaré leur retraite, ou qui rentreraient après leur sortie, seront condamnés à la peine de détention pendant dix ans.

XVII. Les directoires de département seront tenus d'envoyer chaque mois au pouvoir exécutif, qui en rendra compte à l'Assemblée nationale, l'état nominatif des ecclésiastiques dont il aura prononcé la déportation.

XVIII. L'Assemblée nationale n'entend, par les précédentes dispositions, soustraire aux peines établies par le Code pénal les ecclésiastiques non sermentés qui les auraient encourues ou pourraient les encourir par la suite.

XIX. Le présent décret sera porté dans le jour à la sanction.

[*Acton*, 225; *C.M.H.*, 218; *Lavisse, I*, 356. *Text from Procès-Verbal (Assemblée législative), VIII,* 547.]

31

LETTRE ÉCRITE AU ROI PAR LE MINISTRE DE L'INTÉRIEUR

le 10 juin, l'an 4 de la liberté

SIRE,
　　L'état actuel de la France ne peut subsister longtemps; c'est un état de crise dont la violence atteint le plus haut degré; il faut qu'il se termine par un éclat qui doit intéresser votre majesté, autant qu'il importe à tout l'empire.

Honoré de votre confiance, et placé dans un poste où je vous dois la vérité, j'oserai vous la dire tout entière; c'est une obligation qui m'est imposée par vous-même.

Les Français se sont donné une Constitution; elle a fait des mécontens et des rebelles; la majorité de la nation la veut maintenir; elle a juré de la défendre au prix de son sang, et elle a vu avec joie la guerre qui lui offrait un grand moyen de l'assurer. Cependant la minorité, soutenue par des espérances, a réuni tous ses efforts pour emporter l'avantage. De là, cette lutte intestine contre les lois; cette anarchie dont gémissent les bons citoyens, et dont les malveillans ont bien soin de se prévaloir pour calomnier le nouveau régime. De là, cette division partout répandue, et partout excitée, car nulle part, il n'existe d'indifférens; on veut, ou le triomphe ou le changement de la Constitution; on agit pour la soutenir ou pour l'altérer. Je m'abstiendrai d'examiner ce qu'elle est en elle-même, pour considérer seulement ce que les circonstances exigent; et me rendant étranger à la chose, autant qu'il est possible, je chercherai ce que l'on peut attendre et ce qu'il convient de favoriser.

Votre majesté jouissait de grandes prérogatives qu'elle croyait appartenir à la royauté. Elevée dans l'idée de les conserver, elle n'a pu se les voir enlever avec plaisir; le désir de se les faire rendre était aussi naturel que le regret de les voir anéantir. Ces sentimens, qui tiennent à la nature du cœur humain, ont dû entrer dans le calcul des ennemis de la révolution. Ils ont donc compté sur une faveur secrète, jusqu'à ce que les circonstances permissent une protection déclarée. Ces dispositions ne pouvaient échapper à la nation elle-même, et elles ont dû la tenir en défiance. Votre majesté a donc été constamment dans l'alternative de céder à ses premiéres habitudes, à ses affections particulières, ou de faire des sacrifices dictés par la philosophie, exigés par la nécessité, par conséquent d'enhardir les rebelles en inquiétant la nation, ou d'apaiser celle-ci en vous unissant avec elle. Tout a son terme, et celui de l'incertitude est enfin arrivé.

Votre majesté peut-elle aujourd'hui s'allier ouvertement avec ceux qui prétendent réformer la Constitution, ou doit-elle généreusement se dévouer sans réserve à la faire triompher? Telle est la véritable question dont l'état actuel des choses rend la solution inévitable.

Quant à celle, très-métaphysique, de savoir si les Français sont mûrs pour la liberté, sa discussion ne fait rien ici, car il ne s'agit point de juger ce que nous serons devenus dans un siècle, mais de voir ce dont est capable la génération présente.

Au milieu des agitations dans lesquelles nous vivons depuis quatre ans, qu'est-il arrivé? des priviléges onéreux pour le peuple ont été abolis; les idées de justice et d'égalité se sont universellement répandues; elles ont pénétré partout: l'opinion des droits du peuple a justifié le sentiment de ces droits; la reconnaissance de ceux-ci, faite solennellement, est devenue une doctrine sacrée; la haine de la noblesse, inspirée depuis long-temps par la féodalité, s'est invétérée, exaspérée par l'opposition manifeste de la plupart des nobles à la Constitution qui la détruit.

Durant la première année de la révolution, le peuple voyait dans ces nobles des hommes odieux par les priviléges oppresseurs dont ils avaient joui, mais qu'il aurait cessé de haïr, après la destruction de ces priviléges, si la conduite de la noblesse, depuis cette époque, n'avait fortifié toutes les raisons possibles de la redouter et de la combattre comme une irréconciliable ennemie.

L'attachement pour la Constitution s'est accru dans la même proportion; non-seulement le peuple lui devait des bienfaits sensibles, mais il a jugé qu'elle lui en préparait de plus grands, puisque ceux qui étaient habitués à lui faire porter toutes les charges, cherchaient si puissamment à la détruire ou à la modifier.

La déclaration des droits est devenue un évangile politique, et la Constitution française une religion pour laquelle le peuple est prêt à périr. Aussi le zèle a-t-il été déjà quelquefois jusqu'à suppléer à la loi; et lorsque celle-ci n'était pas assez réprimante pour contenir les perturbateurs, les citoyens se sont permis de les punir eux-mêmes. C'est ainsi que des propriétés d'émigrés, ou de personnes reconnues pour être de leur parti, ont été exposées aux ravages qu'inspirait la vengeance; c'est pourquoi tant de départemens ont été forcés de sévir contre les prêtres que l'opinion avait proscrits et dont elle aurait fait des victimes.

Dans ce choc des intérêts, tous les sentimens ont pris l'accent de la passion. La patrie n'est point un mot que l'imagination se soit complue d'embellir; c'est un être auquel on a fait des sacrifices, à qui l'on s'attache chaque jour davantage par les sollicitudes qu'il cause; qu'on a créé par de grands efforts, qui s'élève au milieu des inquiétudes, et qu'on aime, autant par ce qu'il coûte que par ce qu'on en espère. Toutes les atteintes qu'on lui porte sont des moyens d'enflammer l'enthousiasme pour lui.

A quel point cet enthousiasme va-t-il monter, à l'instant où les forces ennemies réunies au-dehors, se concertent avec les intrigues intérieures, pour porter les coups les plus funestes?

La fermentation est extrême dans toutes les parties de l'empire; elle éclatera d'une manière terrible, à moins qu'une confiance raisonnée dans les intentions de votre majesté ne puisse enfin la calmer. Mais cette confiance ne s'établira pas sur des protestations; elle ne saurait plus avoir pour base que des faits.

Il est évident pour la nation française que sa Constitution peut marcher, que le gouvernement aura toute la force qui lui est nécessaire, du moment où votre majesté voulant absolument le triomphe de cette Constitution, soutiendra le corps législatif de toute la puissance de l'exécution, ôtera tout prétexte aux inquiétudes du peuple, et tout espoir aux mécontens.

Par exemple, deux décrets importans ont été rendus; tous deux intéressent essentiellement la tranquillité publique et le salut de l'État. Le retard de leur sanction inspire des défiances; s'il est prolongé, il causera des mécontens; et je dois le dire, dans l'effervescence actuelle des esprits, les mécontentemens peuvent mener à tout.

Il n'est plus temps de reculer, il n'y a même plus moyen de temporiser. La révolution est faite dans les esprits; elle s'achèvera au prix du sang et sera cimentée par le sang, si la sagesse ne prévient pas des malheurs qu'il est encore possible d'éviter.

Je sais qu'on peut imaginer tout opérer et tout contenir par des mesures extrêmes; mais quand on aurait déployé la force pour contraindre l'assemblée, quand on aurait répandu l'effroi dans Paris, la division et la stupeur dans ses environs, toute la France se lèverait avec indignation, et se déchirant elle-même dans les horreurs d'une guerre civile, développerait cette sombre énergie, mère des vertus et des crimes, toujours funeste à ceux qui l'ont provoquée.

Le salut de l'État et le bonheur de votre majesté sont intimement liés; aucune puissance n'est capable de les séparer; de cruelles angoisses et des malheurs certains environneront votre trône, s'il n'est appuyé par vous-même sur les bases de la Constitution, et affermi dans la paix que son maintien doit enfin nous procurer.

Ainsi, la disposition des esprits, le cours des choses, les raisons de la politique, l'intérêt de votre majesté, rendent indispensable l'obligation de s'unir au corps législatif, et de répondre au vœu de la nation; ils font une nécessité de ce que les principes présentent comme un devoir; mais la sensibilité naturelle à ce peuple affectueux est prête à y trouver un motif de reconnaissance. On vous a cruellement trompé, Sire, quand on vous a inspiré de l'éloignement ou de la méfiance de ce peuple facile à toucher; c'est en vous inquiétant perpétuellement qu'on vous a porté à une conduite propre à l'alarmer lui-même. Qu'il voie que vous êtes résolu à faire marcher cette Constitution à laquelle il a attaché sa félicité, et bientôt vous deviendrez le sujet de ses actions de graces.

La conduite des prêtres en beaucoup d'endroits, les prétextes que fournissait le fanatisme aux mécontens, ont fait porter une loi sage contre les perturbateurs; que votre majesté lui donne sa sanction: la tranquillité publique la réclame et le salut des prêtres la sollicite. Si cette loi n'est mise en vigueur, les départemens seront forcés de lui substituer, comme ils font de toutes parts, des mesures violentes; et le peuple irrité y suppléera par des excès.

Les tentatives de nos ennemis, les agitations qui se sont manifestées dans la capitale, l'extrême inquiétude qu'avait excitée la conduite de votre garde, et qu'entretiennent encore les témoignages de satisfactions qu'on lui a fait donner par votre majesté, par une proclamation vraiment impolitique dans la circonstance, la situation de Paris, sa proximité des frontières, ont fait sentir le besoin d'un camp dans son voisinage. Cette mesure dont la sagesse et l'urgence ont frappé tous les bons esprits n'attend encore que la sanction de votre majesté. Pourquoi faut-il que des retards lui donnent l'air du regret lorsque la célérité lui gagnerait tous les cœurs! Déjà les tentatives de l'état-major de la garde nationale parisienne contre cette mesure ont fait soupçonner qu'il agissait par une inspiration supérieure; déjà les déclamations de quelques démagogistes outrés réveillent les soupçons de leurs rapports avec les intéressés au renversement de la Constitution; déjà l'opinion compromet les intentions de votre majesté; encore quelque délai, et le peuple contristé verra dans son roi l'ami et le complice des conspirateurs.

Juste ciel! auriez-vous frappé d'aveuglement les puissance de la terre, et n'auront-elles jamais que des conseils qui les entraînent à leur ruine!

Je sais que le langage austère de la vérité est rarement accueilli près du trône; je sais aussi que c'est parce qu'il ne s'y fait presque jamais entendre, que les révolutions deviennent nécessaires; je sais surtout que je dois le tenir à votre majesté, non seulement comme citoyen soumis aux lois, mais comme ministre honoré de sa confiance ou revêtu de fonctions qui la supposent; et je ne connais rien qui puisse m'empêcher de remplir un devoir dont j'ai la conscience.

C'est dans le même esprit que je réitérerai mes représentations à votre majesté, sur l'obligation et l'utilité d'exécuter la *loi* qui prescrit d'avoir un secrétaire au conseil. La seule existence de la *loi* parle si puissamment, que l'exécution semblerait devoir suivre sans retardement; mais il importe d'employer tous les moyens de conserver aux délibérations la gravité, la sagesse et la maturité nécessaires; et pour des ministres responsables, il faut un moyen de constater leurs opinions; si celui-là eût existé, je ne m'adresserais pas par écrit en ce moment à votre majesté.

La vie n'est rien pour l'homme qui estime ses devoirs

audessus de tout, mais après le bonheur de les avoir remplis, le seul bien auquel il soit encore sensible, est celui de prouver qu'il l'a fait avec fidélité, et cela même est une obligation pour l'homme public.

Signé Roland.'

[*Acton*, 225; *Jaurès*, *IV*, 24; *Lavisse*, *I*, 357; *Madelin*, 220 (247); *Mathiez*, *I*, 205 (151). *Text from Buchez and Roux*, *XV*, 40–5.]

32
LETTRE DE LAFAYETTE

Au camp retranché de Maubeuge, ce 16 juin, 1792, l'an quatrième de la liberté

MESSIEURS,
Au moment trop différé peut-être où j'allais appeler votre attention sur de grands intérêts publics, et désigner parmi nos dangers la conduite d'un ministère que ma correspondance accusait depuis long-temps, j'apprends que, démasqué par ses divisions, il a succombé sous ses propres intrigues; car, sans doute, ce n'est pas en sacrifiant trois collègues asservis par leur insignifiance à son pouvoir, que le moins excusable, le plus noté de ces ministres aura cimenté, dans le conseil du roi, son équivoque et scandaleuse existence.

Ce n'est pas assez néanmoins que cette branche du gouvernement soit délivrée d'une funeste influence. La chose publique est en péril; le sort de la France repose principalement sur ses représentans; la nation attend d'eux son salut: mais, en se donnant une Constitution, elle leur a prescrit l'unique route par laquelle ils peuvent la sauver.

Persuadé, Messieurs, qu'ainsi que les droits de l'homme sont la loi de toute assemblée constituante, une Constitution devient la loi des législateurs qu'elle a établis, c'est à vous-mêmes que je dois dénoncer les efforts trop puissans que l'on fait pour vous écarter de cette règle que vous avez promis de suivre.

Rien ne m'empêchera d'exercer ce droit d'un homme libre, de remplir ce devoir d'un citoyen: ni les égaremens momentanés de l'opinion; car que sont les opinions qui s'écartent des principes? ni mon respect pour les représentans du peuple, car je respecte encore plus le peuple dont la Constitution est la volonté suprême; ni la bienveillance que vous m'avez constamment témoignée, car je veux la conserver comme je l'ai obtenue, par un inflexible amour de la liberté.

Vos circonstances sont difficiles; la France est menacée au-dehors et agitée au-dedans: tandis que des cours étrangères annoncent l'intolérable projet d'attenter à notre souveraineté nationale, et se déclarent ainsi les ennemies de la France, des ennemis intérieurs, ivres de fanatisme ou d'orgueil, entretiennent un chimérique espoir et nous fatiguent encore de leur insolente malveillance.

Vous devez, Messieurs, les réprimer; et vous n'en aurez la puissance qu'autant que vous serez constitutionnels et justes.

Vous le voulez sans doute: mais portez vos regards sur ce qui se passe dans votre sein et autour de vous.

Pouvez-vous vous dissimuler qu'une faction, et, pour éviter les dénominations vagues, que la faction jacobite a causé tous les désordres? C'est elle que j'en accuse hautement. Organisée comme un empire à part dans sa métropole et dans ses affiliations, aveuglément dirigée par quelques chefs ambitieux, cette secte forme une corporation distincte au milieu du peuple français, dont elle usurpe les pouvoirs en subjuguant ses représentans et ses mandataires.

C'est là que, dans des séances publiques, l'amour des lois se nomme aristocratie, et leur infraction patriotisme; là, les assassins de Desilles reçoivent des triomphes; les crimes de Jourdan trouvent des panégyristés, là le récit de l'assassinat qui a souillé la ville de Metz, vient encore d'exciter d'infernales acclamations.

Croira-t-on échapper à ces reproches en se targuant d'un manifeste autrichien, où ces sectaires sont nommés? Sont-ils devenus sacrés, parce que Léopold a prononcé leur nom? et parce que nous devons combattre les étrangers qui s'immiscent dans nos querelles, sommes-nous dispensés de délivrer notre patrie d'une tyrannie domestique?

Qu'importent à ce devoir, et les projets des étrangers, et leur connivence avec des contre-révolutionnaires, et leur influence sur des amis tièdes de la liberté? C'est moi qui vous dénonce cette secte, moi qui, sans parler de ma vie passée, puis répondre à ceux qui feindraient de me suspecter: 'Approchez dans ce moment de crise où le caractère de chacun va être connu, et voyons qui de nous, plus inflexible dans ses principes, plus opiniâtre dans sa résistance, bravera mieux ces obstacles et ces dangers que des traîtres dissimulent à leur patrie, et que les vrais citoyens savent calculer et affronter pour elle.'

Et comment tarderais-je plus long-temps à remplir ce devoir, lorsque chaque jour affaiblit les autorités constituées, substitue l'esprit d'un parti à la volonté du peuple; lorsque l'audace des agitateurs impose silence aux citoyens paisibles, écarte les hommes utiles, et lorsque de dévouement sectaire tient lieu des vertus privées et publiques, qui, dans un pays libre, doivent être l'austère et unique moyen de parvenir aux premières fonctions du gouvernement?

C'est après avoir opposé à tous les obstacles, à tous les piéges, le courageux et persévérant patriotisme d'une armée, sacrifiée peut-être à des combinaisons contre son chef, que je puis aujourd'hui opposer à cette faction la correspondance d'un ministère, digne produit de son club, cette correspondance dont tous les calculs sont faux, les promesses vaines, les renseignemens trompeurs ou frivoles, les conseils perfides ou contradictoires; où, après m'avoir pressé de m'avancer sans précautions, d'attaquer sans moyens, on commençait à me dire que la résistance allait devenir impossible, lorsque mon indignation a repoussé cette lâche assertion.

Quelle remarquable conformité de langage, Messieurs, entre les factieux que l'aristocratie avoue, et ceux qui usurpent le nom de patriotes! Tous veulent renverser nos lois, se réjouissent des désordres, s'élèvent contre les autorités que le peuple a conférées, détestent la garde nationale, prêchent à l'armée l'indiscipline, sèment tantôt la méfiance et tantôt le découragement.

Quant à moi, Messieurs, qui épousai la cause américaine au moment même où ses ambassadeurs me déclarèrent qu'elle était perdue; qui dès-lors me vouai à une persévérante défense de la liberté et de la souveraineté des peuples; qui, le 11 juillet 1789, en présentant à ma patrie une déclaration des droits, osai lui dire: *Pour qu'une nation soit libre, il suffit qu'elle veuille l'être;* je viens aujourd'hui, plein de confiance dans la justice de notre cause, de mépris pour les lâches qui la désertent, et d'indignation contre les traîtres qui voudraient la souiller; je viens déclarer que la nation française, sil ele n'est pas la plus vile de l'univers, peut et doit résister à la conjuration des rois qu'on a coalisés contre elle.

Ce n'est pas sans doute au milieu de ma brave armée, que les sentimens timides sont permis: patriotisme, énergie, discipline, patience, confiance mutuelle, toutes les vertus civiques et militaires, je les trouve ici. Ici les principes de liberté et d'égalité sont chéris, les lois respectées, la propriété sacrée; ici l'on ne connaît ni les calomnies ni les factions; et lorsque je songe que la France a plusieurs millions d'hommes qui peuvent devenir de pareils soldats, je me demande à quel degré d'avilissement serait donc réduit un peuple immense, plus fort encore par ses ressources naturelles que par les défenses de l'art, opposant à une confédération monstrueuse l'avantage des combinaisons uniques, pour que la lâche idée de sacrifier sa souveraineté, de transiger sur sa liberté, de mettre en négociation la déclaration des droits, ait pu paraître une des possibilités de l'avenir qui s'avance avec rapidité sur nous!

Mais pour que nous, soldats de la liberté, combattions avec efficacité ou mourions avec fruit pour elle, il faut que le nombre des défenseurs de la patrie soit promptement proportionné à celui de ses adversaires; que les approvisionnemens de tout genre se multiplient et facilitent nos mouvemens; que le bien-être des troupes, leurs fournitures, leur paiement, les soins relatifs à leur santé ne soient plus soumis à de fatales lenteurs, ou à de prétendues épargnes qui tournent en sens inverse de leur but.

Il faut surtout que les citoyens ralliés autour de la Constitution, soient assurés que les droits qu'elle garantit, seront respectés avec une fidélité religieuse, qui sera le désespoir de ses ennemis cachés ou publics.

Ne repoussez pas ce vœu: c'est celui des amis sincères de votre autorité légitime. Assurés qu'aucune conséquence injuste ne peut découler d'un principe pur, qu'aucune mesure tyrannique ne peut servir une cause qui doit sa force et sa gloire aux bases sacrées de la liberté et de l'égalité, faites que la justice criminelle reprenne sa marche constitution- nelle; que l'égalité civile, que la liberté religieuse jouissent de l'entière application des vrais principes; que le pouvoir royal soit intact, car il est garanti par la Constitution; qu'il soit indépendant, car cette indépendance est un des ressorts de notre liberté; que le roi soit révéré, car il est investi de la majesté nationale; qu'il puisse choisir un ministère qui ne porte les chaînes d'aucune faction; et que s'il existe des conspirateurs, ils ne périssent que sous le glaive de la loi.

Enfin, que le règne des clubs, anéanti par vous, fasse place au règne de la loi, leurs usurpations à l'exercice ferme et indépendant des autorités constituées, leurs maximes désorganisatrices aux vrais principes de la liberté, leur fureur délirante au courage calme et constant d'une nation qui connaît ses droits et les défend; enfin, leurs combinaisons sectaires aux véritables intérêts de la patrie qui, dans ce moment de danger, doit réunir tous ceux pour qui son asservissement et sa ruine ne sont pas les objets d'une atroce jouissance et d'une infâme spéculation.

Telles sont, Messieurs, les représentations et les péti- tions que soumet à l'assemblée nationale, comme il les a soumises au roi, un citoyen à qui l'on ne disputera pas de bonne foi l'amour de la liberté; que les diverses factions haïraient moins, s'il ne s'était élevé au-dessus d'elles par son désintéressement; auquel le silence eût mieux convenu, si, comme tant d'autres, il eût été indifférent à la gloire de l'assemblée nationale et à la confiance dont il importe qu'elle soit environnée; et qui lui-même enfin ne pouvait mieux lui témoigner la sienne qu'en lui montrant la vérité sans déguisement.

Messieurs, j'ai obéi à ma conscience, à mes sermens: je le devais à la patrie, à vous, au roi, et surtout à moi-même, à qui les chances de la guerre ne permettent pas d'ajourner les observations que je crois utiles, et qui aime à penser que l'assemblée nationale y trouvera un nouvel hommage de mon dévouement à son autorité constitutionnelle, de ma reconnaissance personnelle, et de mon respect pour elle.

Signé, LA FAYETTE.

[*Acton*, 226; *Aulard*, 187 (*I*, 365); *C.M.H.*, 231; *Jaurès*, *IV*, 62; *Lavisse*, *I*, 367; *Madelin*, 224 (252); *Mathiez*, *I*, 208 (153). *Text from Buchez and Roux, XV*, 69–74.]

33
DÉCRET DE L'ASSEMBLÉE QUI RÈGLE LES FORMES DANS LESQUELLES LE CORPS LÉGISLATIF POURRA DÉCLARER LA PATRIE EN DANGER

Séance du 5 juillet, 1792

L'ASSEMBLÉE nationale, considérant que les efforts multipliés des ennemis de l'ordre et la propagation de tous les genres de troubles dans les diverses parties de l'empire, au moment où la nation, pour le maintien de sa liberté, est engagée dans une guerre étrangère, peuvent mettre en péril la chose publique, et faire penser que le succès de notre régénération politique est incertain;

Considérant qu'il est de son devoir d'aller au-devant de cet événement possible, et de prévenir par des dispositions fermes, sages et régulières, une confusion aussi nuisible à la liberté et aux citoyens que le serait alors le danger lui-même;

Voulant qu'à cette époque la surveillance soit générale, l'exécution plus active, et surtout que le glaive de la loi soit sans cesse présent à ceux qui, par une coupable inertie, par des projets perfides ou par l'audace d'une conduite criminelle, tenteraient de déranger l'harmonie de l'État;

Convaincue qu'en se réservant le droit de déclarer le

danger elle en éloigne l'instant, et rappelle la tranquillité dans l'âme des bons citoyens;

Pénétrée de son serment de *vivre libre ou mourir*, et *de maintenir la Constitution*; forte du sentiment de ses devoirs et des vœux du peuple, pour lequel elle existe, décrète qu'il y a urgence.

L'assemblée nationale, après avoir entendu le rapport de sa commission des douze, et décrété l'urgence, décrète ce qui suit:

Art. 1er. Lorsque la sûreté intérieure ou la sûreté extérieure de l'État seront menacées, et que le corps législatif aura jugé indispensable de prendre des mesures extraordinaires, elle le déclarera pour un acte du corps législatif conçu en ces termes:

Citoyens, la patrie est en danger.

2. Aussitôt après la déclaration publiée, les conseils de département et de district se rassembleront, et seront, ainsi que les municipalités et les conseils-généraux des communes, en surveillance permanente; dès ce moment aucun fonctionnaire public ne pourra s'éloigner ou rester éloigné de son poste.

3. Tous les citoyens en état de porter les armes, et ayant déjà fait le service de gardes nationales, seront aussi en état d'activité permanente.

4. Tous les citoyens seront tenus de déclarer devant leurs municipalités respectives le nombre et la nature des armes et munitions dont ils seront pourvus: le refus de déclaration, ou la fausse déclaration, dénoncée et prouvée, seront punis par la voie de la police correctionnelle, savoir, dans le premier cas, d'un emprisonnement dont le terme ne pourra être moindre de deux mois, ni excéder une année; et dans le second cas, d'un emprisonnement dont le terme ne pourra être moindre d'une année ni excéder deux aus.

5. Le corps législatif fixera le nombre des gardes nationales que chaque département devra fournir.

6. Les directoires de département en feront la répartition par district, et les districts entre les cantons, à proportion du nombre des gardes nationales de chaque canton.

7. Trois jours après la publication de l'arrêté du direc-

toire les gardes nationales se rassembleront par canton ; et, sous la surveillance de la municipalité du chef-lieu, ils choisiront entre eux le nombre d'hommes que le canton devra fournir.

8. Les citoyens qui auront obtenu l'honneur de marcher les premiers au secours de la *patrie en danger*, se rendront, trois jours après, au chef-lieu de leur district ; ils s'y formeront en compagnie, en présence d'un commissaire de l'administration du district, conformément à la loi du 4 août 1791 : ils y recevront le logement sur le pied militaire, et se tiendront prêts à marcher à la première réquisition.

9. Les capitaines commanderont alternativement et par semaine les gardes nationales choisies et réunies au chef-lieu de district.

10. Lorsque les nouvelles compagnies des gardes nationales de chaque département seront en nombre suffisant pour former un bataillon, elles se réuniront dans les lieux qui leur seront désignés par le pouvoir exécutif, et les volontaires y nommeront leur état-major.

11. Leur solde sera fixée sur le même pied que celle des autres volontaires nationaux ; elle aura lieu de jour de la réunion au chef-lieu de canton.

12. Les armes nationales seront remises, dans les chefs-lieux de canton, aux gardes nationales choisies pour la composition des nouveaux bataillons de volontaires. L'assemblée nationale invite tous les citoyens à confier volontairement, et pour le temps du danger, les armes dont ils sont dépositaires à ceux qu'ils chargent de les défendre.

13. Aussitôt la publication du présent décret, les directoires de district se fourniront chacun de mille cartouches à balles, calibre de guerre, qu'ils conserveront en lieu sain et sûr, pour en faire la distribution aux volontaires lorsqu'ils le jugeront convenable. Le pouvoir exécutif sera tenu de donner des ordres pour faire parvenir aux départemens les objets nécessaires à la fabrication des cartouches.

14. La solde des volontaires leur sera payée sur les états qui seront délivrés par les directoires du district, ordonnancés par les directoires de département, et les quittances en seront reçues à la trésorerie nationale comme comptant.

15. Les volontaires pourront faire leur service sans être revêtus de l'uniforme national.

16. Tout homme résidant ou voyageant en France est tenu de porter la cocarde nationale.

Seront exceptés de la présente disposition les ambassadeurs et agens accrédités des puissances étrangères.

17. Toute personne revêtue d'un signe de rébellion sera poursuivie devant les tribunaux ordinaires, et en cas qu'elle soit convaincue de l'avoir pris à dessein elle sera punie de mort: il est ordonné à tout citoyen de l'arrêter ou de la dénoncer sur-le-champ, à peine d'être réputé complice.

Toute cocarde autre que celle aux trois couleurs nationales est un signe de rébellion.

18. La déclaration du danger de la patrie ne pourra être prononcée dans la même séance où elle aura été proposée, et avant tout le ministère sera entendu sur l'état du royaume.

19. Lorsque le danger de la patrie aura cessé, l'assemblée nationale le déclarera par un acte du corps législatif conçu en ces termes:

Citoyens, la patrie n'est plus en danger.

[*Acton*, 231; *Aulard*, 190 (*II*, 33); *Jaurès*, *IV*, 77; *Lavisse*, *I*, 369; *Madelin*, 230 (259); *Mathiez*, *I*, 210 (155). *Text from Procès-Verbal* (*Assemblée législative*), *X*, 68.]

34

DÉCLARATION DE S. A. S. LE DUC RÉGNANT DE BRUNSWICK-LUNEBOURG, COMMANDANT LES ARMÉES COMBINÉES DE LL. MM. L'EMPEREUR ET LE ROI DE PRUSSE, ADRESSÉE AUX HABITANS DE LA FRANCE

LEURS majestées l'empereur et le roi de Prusse m'ayant confié le commandement des armées combinées qu'ils ont fait rassembler sur les frontières de France, j'ai voulu annoncer aux habitans de ce royaume les motifs qui ont déterminé les mesures des deux souverains, et les intentions qui les guident.

Après avoir supprimé arbitrairement les droits et possessions des princes allemands en Alsace et en Lorraine, troublé et renversé dans l'intérieur le bon ordre et le gouvernement légitime, exercé contre la personne sacrée du roi et contre son auguste famille des attentats et des violences qui se sont encore perpétués et renouvelés de jour en jour, ceux qui ont usurpé les rênes de l'administration ont enfin comblé la mesure en faisant déclarer une guerre injuste à sa majesté l'empereur, et en attaquant ses provinces situées en Pays-Bas: quelques-unes des possessions de l'empire germanique ont été enveloppées dans cette oppression; et plusieurs autres n'ont échappé au même danger qu'en cédant aux menaces impérieuses du parti dominant et de ses émissaires.

Sa majesté le roi de Prusse, unie avec sa majesté impériale par les liens d'une alliance étroite et défensive, et membre prépondérant elle-même du corps germanique, n'a donc pu se dispenser de marcher au secours de son allié et de ses co-états; et c'est sous ce double rapport qu'elle prend la défense de ce monarque et de l'Allemagne.

A ces grands intérêts se joint encore un but également faire cesser l'anarchie dans l'intérieur de la France, d'arrêter les attaques portées au trône et à l'autel, de rétablir le pouvoir légal, de rendre au roi la sûreté et la liberté dont il est privé, et de le mettre en état d'exercer l'autorité légitime qui lui est due.

Convaincus que la partie saine de la nation française abhorre les excès d'une faction qui la subjugue, et que le plus grand nombre des habitans attend avec impatience le moment du secours pour se déclarer ouvertement contre les entreprises odieuses de leurs opresseurs, sa majesté l'empereur et sa majesté le roi de Prusse les appellent et les invitent à retourner sans délai aux voies de la raison et de la justice, de l'ordre et la paix. C'est dans ces vues que moi, soussigné, général commandant en chef les deux armées, déclare;

1° Qu'entraînées dans la guerre présente par des circonstances irrésistibles, les deux cours alliées ne se proposent d'autre but que le bonheur de la France, sans prétendre s'enrichir par des conquêtes.

2° Qu'elles n'entendent point s'immiscer dans le gouvernement intérieur de la France, mais qu'elles veulent uniquement délivrer le roi, la reine et la famille royale, de leur captivité, et procurer à sa majesté très-chrétienne la sûreté nécessaire pour qu'elle puisse faire sans danger, sans obstacle, les convocations qu'elle jugera à propos, et travailler à assurer le bonheur de ses sujets, suivant ses promesses et autant qu'il dépendra d'elle.

3° Que les armées combinées protégeront les villes, bourgs et villages, et les personnes et les biens de tous ceux qui se soumettront au roi, et qu'elles concourront au rétablissement instantané de l'ordre et de la police dans toute la France.

4° Que les gardes nationales sont sommées de veiller provisoirement à la tranquillité des villes et des campagnes, à la sûreté des personnes et des biens de tous les Français, jusqu'à l'arrivée des troupes de leurs majestés impériale et royale, ou jusqu'à ce qu'il en soit autrement ordonné, sous peine d'en être personnellement responsables; qu'au contraire ceux des gardes nationaux qui auront combattu contre les troupes des deux cours alliées, et qui seront pris les armes à la main, seront traités en ennemis, et punis comme rebelles à leur roi et comme perturbateurs du repos public.

5° Que les généraux, officiers, bas-officiers et soldats des troupes de ligne françaises sont également sommés de revenir à leur ancienne fidélité, et de se soumettre sur-le-champ au roi leur légitime souverain.

6° Que les membres des départemens, des districts et des municipalités seront également responsables, sur leur tête et sur leurs biens, de tous les délits, incendies, assassinats, pillages et voies de fait qu'ils laisseront commettre ou qu'il ne se seront pas notoirement efforcés d'empêcher dans leur territoire; qu'ils seront également tenus de continuer provisiorement leurs fonctions jusqu'à ce que sa majesté très-chrétienne, remise en pleine liberté, y ait pourvu ultérieurement, ou qu'il en ait été autrement ordonné en son nom dans l'intervalle.

7° Que les habitans des villes, bourgs et villages qui oseraient se défendre contre les troupes de leurs majestés impériale et royale, et tirer sur elles soit en rase campagne, soit par les fenêtres, portes et ouvertures de leurs maisons, seront punis sur-le-champ suivant la rigueur du droi t de la guerre, et leurs maisons démolies ou brûlées. Tous les habitans au contraire desdites villes, bourgs et villages qui s'empresseront de se soumettre à leur roi, en ouvrant leurs portes aux troupes de leurs majestés, seront à l'instant sous leur sauve garde immédiate; leurs personnes, leurs biens, leurs effets seront sous la protection des lois, et il sera pourvu à la sûreté générale de tous et chacun d'eux.

8° La ville de Paris et tous ses habitans sans distinction seront tenus de se soumettre sur-le-champ et sans délai au roi, de mettre ce prince en pleine et entière liberté, et de lui assurer, ainsi qu'à toutes les personnes royales, l'inviolabilité et le respect auxquels le droit de la nature et des gens oblige les sujets envers les souverains; leurs majestés impériale et royale rendant personnellement responsables de tous les événemens, sur leur tête, pour être jugés militairement, sans espoir de pardon, tous les membres de l'assemblée nationale, du département, du district, de la municipalité et de la garde nationale de Paris, les juges de paix et tous autres qu'il appartiendra; déclarant en outre leursdites majestés, sur leur foi et parole d'empereur et de roi, que si le château des Tuileries est forcé ou insulté, que s'il est fait la moindre violence, le moindre outrage à leurs majestés le roi, la reine et à la famille royale, s'il n'est pas pourvu immédiatement à leur sûreté, à leur conservation et à leur liberté, elles en tireront une vengeance exemplaire et à jamais mémorable, en livrant la ville de Paris à une exécution militaire et à une subversion totale, et les révoltés coupables d'attentats aux supplices qu'ils auront mérités. Leurs majestés impériale et royale promettent au contraire aux habitans de la ville de Paris d'employer leurs bons offices auprès de sa majesté très-chrétienne pour obtenir le pardon de leurs torts et de leurs erreurs, et de prendre les mesures les plus rigoureuses pour assurer leurs personnes et leurs biens s'ils obéissent promptement et exactement à l'injonction ci-dessus.

Enfin leurs majestés, ne pouvant reconnaître pour lois en France que celles qui émaneront du roi jouissant d'une liberté parfaite, protestent d'avance contre l'authenticité de toutes les déclarations qui pourraient être faites au nom de sa majesté très-chrétienne tant que sa personne sacrée, celle de la reine et de toute la famille royale ne seront pas réellement en sûreté; à l'effet de quoi leurs majestés impériale et royale invitent et sollicitent sa majesté très-chrétienne de désigner la ville de son royaume la plus voisine de ses frontières dans laquelle elle jugera à propos de se retirer avec la reine et sa famille, sous une bonne et sûre escorte qui lui sera envoyée pour cet effet, afin que sa majesté très-chrétienne puisse en toute sûreté appeler auprès d'elle les ministres et les conseillers qu'il lui plaira de désigner, faire telles convocations qui lui paraîtront convenables, pourvoir au rétablissement du bon ordre, et régler l'administration de son royaume.

Enfin je déclare et m'engage encore, en mon propre et privé nom, et en ma qualité susdite, de faire observer partout aux troupes confiées à mon commandement une bonne et exacte discipline, promettant de traiter avec douceur et modération les sujets bien intentionnés qui se montreront paisibles et soumis, et de n'employer la force qu'envers ceux qui se rendront coupables de résistance ou de mauvaise volonté.

C'est par ces raisons que je requiers et exhorte tous les habitans du royaume, de la manière la plus forte et la plus instante, de ne pas s'opposer à la marche et aux opérations des troupes que je commande, mais de leur accorder plutôt partout une libre entrée et toute bonne volonté, aide et assistance que les circonstances pourront exiger.

Donné au quartier-général de Coblentz, le 25 juillet 1792.

Signé Charles-Guillaume-Ferdinand, duc de
Brunswick-Lunebourg.

DÉCLARATION DE BRUNSWICK

Déclaration additionnelle de S. A. S. le duc régnant de Bruns-
wick-Lunebourg à celle que S. A. S. a adressée le 25 de ce mois
aux habitans de la France

La déclaration que j'ai adressée aux habitans de la France, datée du quartier-général de Coblentz, le 25 de ce mois, a dû faire connaître suffisamment les intentions fermement arrêtées de leurs majestés l'empereur et le roi de Prusse en me confiant le commandement de leurs armées combinées. La liberté et la sûreté de la personne sacrée du roi, de la reine et de toute la famille royale, étant un des principaux motifs qui ont déterminé l'accord de leurs majestés im- périale et royale, j'ai fait connaître par ma déclaration susdite à la ville de Paris et à ses habitans la résolution de leur faire subir la punition la plus terrible dans le cas où il serait porté la moindre atteinte à la sûreté de sa majesté très-chrétienne, dont la ville de Paris est rendue particu- lièrement responsable.

Sans déroger en aucun point à l'article 8 de la susdite déclaration du 25 de ce mois, je déclare en outre que si, contre toute attente, par la perfidie ou la lâcheté de quelques habitans de Paris, le roi, la reine et toute autre personne de la famille royale étaient enlevés de cette ville, tous les lieux et villes quelconques qui ne seront pas opposés à leur passage et n'auront pas arrêté leur marche subiront le même sort qui aura été infligé à la ville de Paris, et que la route qui aurait été suivie par les ravisseurs du roi et de la famille royale sera marquée par une continuité d'exemples des châtimens dus à tous les fauteurs ainsi qu'aux auteurs d'attentats irrémissibles.

Tous les habitans de la France en général doivent se tenir pour avertis du danger qui les menace, et auquel ils ne sauraient échapper s'ils ne s'opposent pas de toutes leurs forces et par tous les moyens au passage du roi et de la famille royale, en quelque lieu que les factieux tenteraient de les emmener. Leurs majestés impériale et royale ne recon- naîtront la liberté du choix de sa majesté très-chrétienne pour le lieu de sa retraite, dans le cas où elle aurait jugé à propos de se rendre à l'invitation qui lui a été faite par elles, qu'autant que cette retraite serait effectuée sous l'escorte qu'elles lui ont offerte : toutes déclarations quelconques, au nom de sa majesté très-chrétienne, contraires à l'objet exigé par leurs majestés impériale et royale, seront en conséquence regardées comme nulles et sans effet.

Donné au quartier-général de Coblentz, le 27 juillet 1792.

Signé Charles-Guillaume-Ferdinand, duc de Brunswick-Lunebourg.

[*Acton*, 213 *f.*; *C.M.H.*, 234; *Jaurès, IV*, 119; *Lavisse, I*, 376; *Madelin*, 235 (263); *Mathiez, I*, 211 (156). *Text from Buchez and Roux, XVI*, 276–82.]

35

LE DIX AOÛT

(1)

Séance permanente de la nuit du 9 au 10 août, 1792. Extrait du procès-verbal

L'ASSEMBLÉE nationale, considérant que les dangers de la patrie sont parvenus à leur comble;

Que c'est pour le corps législatif le plus saint des devoirs d'employer tous les moyens de la sauver;

Qu'il est impossible d'en trouver d'efficaces, tant qu'on ne s'occupera pas de tarir la source de ses maux;

Considérant que ses maux dérivent principalement des défiances qu'a inspirées la conduite du chef du pouvoir exécutif dans une guerre entreprise en son nom contre la Constitution et l'indépendance nationale;

Que ces défiances ont provoqué, des diverses parties de l'empire, un vœu tendant à la révocation de l'autorité déléguée à Louis XVI;

Considérant néanmoins que le corps législatif ne doit ni ne veut agrandir la sienne par aucune usurpation; que dans les circonstances extraordinaires où l'ont placé des événemens imprévus par toutes les lois, il ne peut concilier ce qu'il doit à sa fidélité inébranlable à la Constitution, avec sa ferme résolution de s'ensevelir sous les ruines du temple de la Liberté, plutôt que de la laisser périr, qu'en recourant à la souveraineté du peuple, et prenant en même temps les précautions indispensables pour que ce recours ne soit pas rendu illusoire par des trahisons, décrète ce qui suit :

Art. Iᵉʳ. Le peuple français est invité à former une convention nationale. La commission extraordinaire présentera demain un projet pour indiquer le mode et l'époque de cette convention.

II. Le chef du pouvoir exécutif est provisoirement suspendu de ses fonctions, jusqu'à ce que la convention nationale ait prononcé sur les mesures qu'elle croira devoir adopter pour assurer la souveraineté du peuple, et le règne de la liberté et de l'égalité.

III. La commission extraordinaire présentera dans le jour un mode d'organiser un nouveau ministère. Les ministres actuellement en activité continueront provisoirement l'exercice de leurs fonctions.

IV. La commission extraordinaire présentera également dans le jour un projet de décret sur la nomination du gouverneur du prince royal.

V. Le paiement de la liste civile demeurera suspendu jusqu'à la décision de la convention nationale. La commission extraordinaire présentera dans vingt-quatre heures un projet de décret sur le traitement à accorder au roi pendant la suspension.

VI. Les registres de la liste civile seront déposés sur le bureau de l'assemblée nationale, après avoir été cotés et paraphés par deux commissaires de l'assemblée, qui se transporteront à cet effet chez l'intendant de la liste civile.

VII. Le roi et sa famille demeureront dans l'enceinte du corps législatif jusqu'à ce que le calme soit rétabli dans Paris.

VIII. Le département donnera des ordres pour lui faire préparer dans le jour un logement au Luxembourg où ils seront mis sous la garde des citoyens et de la loi.

IX. Tout fonctionnaire public, tout soldat, sous-officier, officier, de tel grade qu'il soit, et général d'armée, qui, dans ces jours d'alarmes, abandonnera son poste, est déclaré infâme et traître à la patrie.

X. Le département et la municipalité de Paris feront proclamer sur-le-champ et solennellement le présent décret.

XI. Il sera envoyé par des courriers extraordinaires aux quatre-vingt-trois départemens, qui seront tenus de le faire parvenir dans les vingt-quatre heures aux municipalités de leur ressort pour y être proclamé avec la même solennité.

[*Acton, 234 f.; C.M.H., 235; Jaurès, IV, 150; Lavisse, I, 379; Madelin, 237 (265) f.; Mathiez, I, 215 (159). Text from Procès-Verbal (Assemblée législative), XII, 9.*]

(2)

Suite de la séance permanente: 11 *août,* 1792

L'ASSEMBLÉE nationale, considérant qu'elle n'a pas le droit de soumettre à des règles impératives l'exercice de la souveraineté, dans la formation d'une convention nationale, et que cependant il importe au salut public que les assemblées primaires et électorales se forment en même temps, agissent avec uniformité, et que la convention-nationale soit promptement formée,

Invite les citoyens, au nom de la liberté, de l'égalité et de la patrie, à se conformer aux règles suivantes:

Art. Ier. Les assemblées primaires nommeront le même nombre d'électeurs qu'elles ont nommés dans les dernières élections.

II. La distinction des Français en citoyens actifs et non-actifs sera supprimée, et pour y être admis, il suffira d'être Français, âgé de vingt-un ans, domicilié depuis un an, vivant de son revenu ou du produit de son travail, et n'étant pas en état de domesticité. Quant à ceux qui, réunissant les conventions d'activité, étaient appelés par la loi à prêter le serment civique, ils devront, pour être admis, justifier de la prestation de ce serment.

III. Les conditions d'éligibilité exigées pour les électeurs ou pour les représentans n'étant point applicables à une convention nationale, il suffira, pour être éligible comme député ou comme électeur, d'être âgé de vingt-cinq ans, et de réunir les conditions exigées par l'article précédent.

IV. Chaque département nommera le nombre de députés et de suppléans qu'il a nommés pour la législature actuelle.

V. Les élections se feront suivant le même mode que pour les assemblées législatives.

VI. Les assemblées primaires sont invitées à revêtir leurs représentans d'une confiance illimitée.

VII. Les assemblées primaires se réuniront le dimanche 26 août pour nommer les électeurs.

VIII. Les électeurs nommés par les assemblées primaires se rassembleront le dimanche 2 septembre, pour procéder à l'élection des députés à la convention nationale.

IX. Les assemblées électorales se tiendront dans les lieux indiqués par le tableau qui sera annexé au présent décret.

X. Attendu la nécessité d'accélérer les élections, les présidens, secrétaires et scrutateurs, tant dans les assemblées primaires que dans les assemblées électorales, seront choisis à la pluralité relative et par un seul scrutin.

XI. Le choix des assemblées primaires et des assemblées électorales pourra porter sur tout citoyen réunissant les conditions ci-dessus rappelées, quelles que soient les fonctions publiques qu'il exerce, ou qu'il ait ci-devant exercées.

XII. Les citoyens prêteront dans les assemblées primaires, et les électeurs dans les assemblées électorales, le serment de maintenir la liberté et l'égalité, ou de mourir en les défendant.

XIII. Les députés se rendront à Paris le 20 septembre, et ils se feront inscrire aux archives de l'assemblée nationale. Dès qu'ils seront au nombre de deux cents, l'assemblée nationale indiquera le jour de l'ouverture de leurs séances.

XIV. L'assemblée nationale, après avoir bien indiqué aux citoyens français les règles auxquelles elle a cru devoir les inviter à se conformer, considérant que les circonstances et la justice sollicitent également une indemnité en faveur des électeurs, décrète qu'il y a urgence.

L'assemblée nationale, après avoir décrété l'urgence, décrète que les électeurs qui seront obligés de s'éloigner de leur domicile recevront vingt sols par lieue et trois livres par jour de séjour.

[*Aulard*, 221 (*II*, 85); *C.M.H.*, 241; *Lavisse*, *I*, 390; *Mathiez*, *II*, 3 (164). *Text from Procès-Verbal* (*Assemblée législative*), *XII*, 102.]

36
DÉCRET SUR LA DÉPORTATION DES PRÊTRES NON ASSERMENTÉS

Suite de la séance permanente: 26 *août,* 1792

L'ASSEMBLÉE nationale, considérant que les troubles excités dans le royaume par les prêtres non-sermentés est une des premières causes du danger de la patrie; que dans un moment où tous les Français ont besoin de leur union et de toutes leurs forces pour repousser les ennemis du dehors, elle doit s'occuper de tous les moyens qui peuvent assurer la paix dans l'intérieur, décrète qu'il y a urgence:

L'assemblée nationale, après avoir décrété l'urgence, décrète ce qui suit:

Art. 1er. Tous les ecclésiastiques qui, étant assujettis au serment prescrit par la loi du 26 décembre 1790, et celle du 17 avril 1791, ne l'ont pas prêté, ou qui, après l'avoir prêté, l'ont rétracté et ont persisté dans leur rétractation, seront tenus de sortir, sous huit jours, des limites du district et du département de leur résidence, et dans quinzaine hors du royaume. Ces différens délais courront du jour de la publication du présent décret.

II. En conséquence, chacun d'eux se présentera devant le directoire du district ou la municipalité de sa résidence, pour y déclarer le pays étranger dans lequel il entend se retirer, et il lui sera délivré, sur-le-champ, un passeport qui contiendra sa déclaration, son signalement, la route qu'il doit tenir, et le délai dans lequel il doit sortir du royaume.

III. Passé le délai de quinze jours, ci-devant prescrit, les ecclésiastiques non-sermentés qui n'auraient pas obéi aux dispositions précédentes, seront déportés à la Guyane Française. Les directoires de districts les feront arrêter et conduire, de brigades en brigades, aux ports de mer les plus voisins, qui leur seront indiqués par le conseil exécutif provisoire; et celui-ci donnera en conséquence des ordres pour faire équiper et approvisionner les vaisseaux nécessaires aux transports desdits ecclésiastiques.

IV. Ceux ainsi transférés, et ceux qui sortiront volontairement, en exécution du présent décret, n'ayant ni pension, ni revenus, obtiendront chacun 3 livres par journée de dix lieues, jusqu'au lieu de leur embarquement, jusqu'aux frontières du royaume, pour subsister pendant leur route : ces frais seront supportés par le trésor public, et avancés par les caisses de districts.

V. Tout ecclésiastique qui serait resté dans le royaume après avoir fait sa déclaration de sortir et obtenu son passeport, et qui rentrerait après être sorti, sera condamné à la peine de détention pendant dix ans.

VI. Tous autres ecclésiastiques non-sermentés séculiers et réguliers, prêtres, simples clercs minorés, ou frères lais, sans exception, ni distinction, quoique n'étant point assujettis au serment par les lois des 26 décembre 1790, et 17 avril 1791, seront soumis à toutes les dispositions précédentes, lorsque, par quelques actes extérieurs, ils auront occasioné des troubles venus à la connaissance des corps administratifs, ou lorsque leur éloignement sera demandé par six citoyens domiciliés dans le même département.

VII. Les directoires de district seront tenus de notifier aux ecclésiastiques non sermentés, qui se trouveront dans l'un ou l'autre des deux cas prévus par le précédent article, copie collationnée du présent décret, avec sommation d'y obéir et de s'y conformer.

VIII. Sont exceptés des dispositions précédentes, les infirmes, dont les infirmités seront constatées par un officier de santé qui sera nommé par le même conseil général de la commune du lieu de leur résidence, et dont le certificat sera visé par le même conseil général; sont pareillement exceptés les sexagénaires dont l'âge sera aussi dûment constaté.

IX. Tous les ecclésiastiques du même département qui

se trouveront dans le cas des exceptions portées par le précédent article, seront réunis au chef-lieu du département dans une maison commune dont la municipalité aura l'inspection et la police.

X. L'assemblée nationale n'entend pas, par les dispositions précédentes, soustraire aux peines établies par le Code pénal, les ecclésiastiques non-sermentés qui les auraient encourues ou pourraient les encourir par la suite.

XI. Les directoires de district informeront régulièrement de leurs suites et diligences aux fins du présent décret, les directoires de départemens, qui veilleront à son entière exécution dans toute l'étendue de leur territoire, et seront eux-mêmes tenus d'en informer le conseil exécutif provisoire.

XII. Les directoires de district seront en outre tenus d'envoyer tous les quinze jours au ministre de l'intérieur, par l'intermédiaire des directoires de départemens, des états nominatifs des ecclésiastiques de leur arrondissement qui seront sortis du royaume ou auront été déportés; et le ministre de l'intérieur sera tenu de communiquer de suite à l'assemblée nationale lesdits états.

[*Lavisse, I, 398; Mathiez, II, 31 (185). Text from Procès-Verbal (Assemblée législative), XIII, 350.*]

37
DÉCRET ET PROCLAMATION
(1)
Proclamation de l'assemblée nationale

CITOYENS, vous marchez à l'ennemi, la victoire vous attend; mais prenez garde aux suggestions perfides: on égare votre zèle, on veut d'avance vous ravir le fruit de vos efforts, le prix de votre sang. On vous divise; on sème la haine; on veut allumer la guerre civile, exciter des désordres dans Paris; on se flatte qu'ils se répandront dans l'empire et dans vos armées; on se flatte qu'invincibles, si vous êtes unis, on pourra, par des dissensions intestines, vous livrer sans défense aux armées étrangères.

Citoyens, il n'y a plus de force là où il n'y a plus d'union : il n'y a plus de liberté ni de patrie, là où la force prend la place de la loi.

Citoyens, au nom de la patrie, de l'humanité, de la liberté, redoutez les hommes qui appellent la discorde et provoquent aux excès; entendez la voix des représentans de la nation, qui, les premiers, ont juré l'égalité. Combattez l'Autriche et la Prusse : sous peu de jours, la Convention va poser les bases de la félicité publique. Travaillez à les rendre inébranlables par des triomphes; instruisez, par votre exemple, à respecter la loi.

(2)

Séance du 3 septembre, 1792. Décret

L'ASSEMBLÉE nationale, considérant que l'un des plus grands dangers de la patrie est dans le désordre et dans la confusion; que, sûr de résister aux efforts de tous les ennemis qui se sont ligués contre lui, le peuple français ne peut se préparer des revers qu'en se livrant aux excès du désespoir et aux fureurs de la plus déplorable anarchie;

Que l'instant où la sûreté des personnes et des propriétés serait méconnue, serait aussi celui où des haines particulières substituées à l'action de la loi, où l'esprit des factions, remplaçant l'amour de la liberté, et la fureur des proscriptions, se couvrant du masque d'un faux zèle, allumeraient bientôt dans tout l'empire les flambeaux de la guerre civile, nous livreraient sans défense aux attaques des satellites des tyrans, et exposeraient la France entière aux dangers d'une conflagration universelle;

Considérant que les représentans du peuple français n'auront pas vainement juré de maintenir la liberté et l'égalité, ou de mourir à leur poste; qu'ils doivent compte à la nation de tous les efforts qu'ils auront faits pour la conservation de ce précieux dépôt; que la confiance générale dont ils sont investis est un sûr garant de l'empressement de tous les bons citoyens à se rallier à leur voix, et à se réunir à eux pour le salut de la patrie;

Considérant que l'exécration de la France entière et de la postérité poursuivra tous ceux qui oseraient résister à l'autorité que la nation entière leur a déléguée, et qui, jusqu'à l'époque très prochaine où la Convention nationale sera réunie, est la première que des hommes libres puissent reconnaître;

Considérant que les plus dangereux ennemis du peuple sont ceux qui cherchent à l'égarer, à le livrer à l'excès du désespoir, et à le distraire des mesures ordonnées pour sa défense et qui suffiront à sa sûreté;

Considérant, enfin, combien il est urgent de rappeler le peuple de la capitale à sa dignité, à son caractère et à ses devoirs;

Décrète qu'il y a urgence.

L'assemblée nationale, après avoir décrété l'urgence, décrète ce qui suit:

Art. Iᵉʳ. La municipalité, le conseil-général de la Commune et le commandant-général de la garde nationale de Paris, sont chargés d'employer tous les moyens que la confiance de leurs concitoyens a mis en leur pouvoir, et de donner, chacun en ce qui les concerne et sous leur responsabilité personnelle, tous les ordres nécessaires pour que la sûreté des personnes et des propriétés soit respectée.

II. Tous les bons citoyens sont invités à se rallier plus que jamais à l'assemblée nationale et aux autorités constituées, et à concourir, par tous les moyens qui sont en leur pouvoir, au rétablissement de l'ordre et de la tranquillité publiques.

III. Le pouvoir exécutif rendra compte, dans le jour, des mesures prises pour accélérer le départ des troupes qui doivent se rendre aux différens camps formés en avant de Paris, et pour fortifier les hauteurs qui couvrent cette ville.

IV. Le maire de Paris rendra compte à l'assemblée, tous les jours, à l'heure de midi, de la situation de la ville de Paris, et des mesures prises pour l'exécution du présent décret.

V. La municipalité, le conseil-général de la Commune, les présidens de chaque section, le commandant-général de la garde nationale, les commandans dans les sections, se rendront dans le jour à la barre de l'assemblée nationale, pour y prêter individuellement le serment de maintenir de tout leur pouvoir la liberté, l'égalité, le sûreté des personnes et des propriétés, et de mourir, s'il le faut, pour l'exécution de la loi.

VI. Les présidens de chaque section feront prêter le même serment aux citoyens de leur arrondissement.

VII. Dans toute la France, les autorités constituées prêteront le même serment, et le feront prêter par les citoyens.

VIII. Le présent décret sera proclamé solennellement, et porté dans chacune des quarante-huit sections de Paris, par un commissaire de l'assemblée nationale.

[*Lavisse, I,* 404. *Text from Procès-Verbal (Assemblée législative), XIV,* 246, 279.]

38

LETTRE DU COMITÉ DE SURVEILLANCE DE LA COMMUNE DE PARIS AUX MUNICI-PALITÉS DE PROVINCE

FRÈRES et amis,
Un affreux complot tramé par la cour pour égorger tous les patriotes de l'empire français; complot dans lequel un grand nombre de membres de l'assemblée nationale se trouvent compromis, ayant réduit, le 9 du mois dernier, la Commune de Paris à la cruelle nécessité de se ressaisir de la puissance du peuple, pour sauver la nation, elle n'a rien négligé pour bien mériter de la patrie; témoignage honorable que vient de lui donner l'assemblée nationale elle-même. L'eût-on pensé! des-lors de nouveaux complots, non moins atroces, se sont tramés dans le silence; ils éclat-

aient au moment où l'assemblée nationale, oubliant qu'elle venait de déclarer que la Commune de Paris avait sauvé la patrie, s'empressait de la destituer pour prix de son brûlant civisme. A cette nouvelle, les clameurs publiques, élevées de toutes parts, ont fait sentir à l'assemblée nationale la nécessité urgente de s'unir au peuple, et de rendre à la Commune, par le rapport du décret de destitution, les pouvoirs dont il l'avait investie.

Fière de jouir de toute la plénitude de la confiance nationale, qu'elle s'efforcera toujours de mériter de plus en plus, placée au foyer de toutes les conspirations, et déterminée de s'immoler pour le salut public, elle ne se glorifiera d'avoir pleinement rempli ses devoirs, que lorsqu'elle aura obtenu votre approbation, objet de tous ses vœux, et dont elle ne sera certaine qu'après que tous les départemens auront sanctionné ses mesures pour sauver la chose publique.

Professant les principes de la plus parfaite égalité, n'ambitionnant d'autres priviléges que celui de se présenter la première à la brèche, elle s'empressera de se remettre au niveau de la commune la moins nombreuse de l'état, dès l'instant que la patrie n'aura plus rien à redouter des nuées de satellites féroces qui s'avancent contre la capitale.

La Commune de Paris se hâte d'informer ses frères de tous les départemens qu'une partie des conspirateurs féroces détenus dans les prisons a été mise à mort par le peuple; actes de justice qui lui ont paru indispensables pour retenir, par la terreur, ces légions de traîtres cachés dans ses murs, au moment où il allait marcher à l'ennemi; et sans doute la nation entière, après la longue suite de trahisons qui l'ont conduite sur les bords de l'abîme, s'empressera d'adopter ce moyen si nécessaire de salut public, et tous les Français s'écrieront comme les Parisiens: Nous marchons à l'ennemi; mais nous ne laisserons pas derrière nous des brigands, pour égorger nos enfans et nos femmes.

Frères et amis, nous nous attendons qu'une partie d'entre vous va voler à notre secours, et nous aider à repousser les légions innombrables de satellites des despotes conjurés à la perte des Français. Nous allons ensemble sauver la patrie, et nous vous devrons la gloire de l'avoir retirée de l'abîme.

Les administrateurs du comité de *salut public* et les administrateurs adjoints réunis.

> *Signé*, Pierre Duplain, Panis, Sergent, Lenfant, Jourdeuil, Marat, l'ami du peuple, Deforgues, Leclerc, Dufort, Cally, constitués par la Commune et séans à la mairie.

> Paris, 3 septembre, 1792.

N.B. Nos frères sont invités à remettre cette lettre sous presse et à la faire passer à toutes les municipalités de leur arrondissement.

[*Acton*, 248; *C.M.H.*, 243; *Jaurès, IV*, 256; *Lavisse, I*, 404; *Mathiez, II*, 30 (184). *Text from Buchez and Roux, XVII*, 432–3.]

39
PROCÉS DU ROI

Séance du mardi, 11 *décembre*, 1792. *Interrogatoire de Louis Capet*

LE PRÉSIDENT. Louis, le peuple français vous accuse d'avoir commis une multitude de crimes, pour établir votre tyrannie en détruisant sa liberté. Vous avez, le 20 juin 1789, attenté à la souveraineté du peuple, en suspendant les assemblées de ses représentans, et en les repoussant par la violence du lieu de leurs séances. La preuve en est dans le procès-verbal dressé au Jeu de Paume de Versailles par les membres de l'assemblée constituante. Le 23 juin, vous avez voulu dicter des lois à la nation, vous avez entouré de troupes ses représentans, vous leur avez présenté deux déclarations royales éversives de toute liberté, et vous leur avez ordonné de se séparer. Vos déclarations et les procès-verbaux de l'assemblée constatent ces attentats. Qu'avez-vous à répondre?

Louis. Il n'existait pas de lois qui me l'empêchaient.

Le président. Vous avez fait marcher une armée contre les

citoyens de Paris. Vos satellites ont fait couler le sang de plusieurs d'entre eux, et vous n'avez éloigné cette armée que lorsque la prise de la Bastille et l'insurrection générale vous ont appris que le peuple était victorieux. Les discours que vous avez tenus les 9, 12 et 14 juillet aux diverses députations de l'assemblée constituante, font connaître quelles étaient vos intentions, et les massacres des Tuileries déposent contre vous. Qu'avez-vous à répondre?

Loius. J'étais le maître de faire marcher des troupes dans ce temps-là ; mais je n'ai jamais eu l'intention de répandre du sang.

Le président. Après ces événemens, et malgré les promesses que vous aviez faites, le 15 dans l'assemblée constituante, et le 17 dans l'Hôtel-de-Ville de Paris, vous avez persisté dans vos projets contre la liberté nationale; vous avez long-temps éludé de faire exécuter les décrets du 11 août concernant l'abolition de la servitude personnelle, du régime féodal et de la dîme. Vous avez long-temps refusé de reconnaître la déclaration des droits de l'homme; vous avez augmenté du double le nombre de vos gardes-du-corps et appelé le régiment de Flandre à Versailles; vous avez permis que dans des orgies faites sous vos yeux la cocarde nationale fût foulée aux pieds, la cocarde blanche arborée, et la nation blasphémée. Enfin, vous avez nécessité une nouvelle insurrection, occasionné la mort de plusieurs citoyens, et ce n'est qu'après la défaite de vos gardes que vous avez changé de langage, et renouvelé des promesses perfides. Les preuves de ces faits sont dans vos observations du 18 septembre sur les décrets du 11 août, dans les procès-verbaux de l'assemblée constituante, dans les événemens de Versailles des 5 et 6 octobre, et dans le discours que vous avez tenu le même jour à une députation de l'assemblée constituante, lorsque vous lui dîtes que *vous vouliez vous éclairer de ses conseils, et ne jamais vous séparer d'elle.* Qu'avez-vous à répondre?

Louis. J'ai fait les observations que j'ai crues justes sur les deux premiers objets. Quant à la cocarde, cela est faux, cela ne s'est pas passé devant moi.

Le président. Vous aviez prêté, à la fédération du 14 juillet, un serment que vous n'avez pas tenu. Bientôt vous avez essayé de corrompre l'esprit public, à l'aide de Talon, qui agissait dans Paris, et de Mirabeau, qui devait imprimer un mouvement contre-révolutionnaire aux provinces. Qu'avez-vous à répondre?

Louis. Je ne me rappelle pas ce qui s'est passé dans ce temps-là; mais le tout est antérieur à l'acceptation que j'ai faite de la Constitution.

Le président. Vous avez répandu des millions pour effectuer cette corruption, et vous avez voulu faire de la popularité même un moyen d'asservir le peuple. Ces faits résultent d'un mémoire de Talon, que vous avez apostillé de votre main, et d'une lettre que Laporte vous écrivait le 19 avril, dans laquelle, vous rapportant une conversation qu'il avait eue avec Rivarol, il vous disait que les millions que l'on vous avait engagé à répandre n'avaient rien produit. Dès long-temps vous aviez médité un projet de fuite. Il vous fut remis, le 23 février, un mémoire qui vous en indiquait les moyens, et vous l'apostillâtes. Qu'avez-vous à répondre?

Louis. Je n'avais pas de plus grand plaisir que de donner à ceux qui avaient besoin, cela ne tient à aucun projet.

Le président. Le 28, une multitude de nobles et de militaires se répandirent dans vos appartemens, au château des Tuileries, pour favoriser cette fuite; vous voulûtes, le 18 avril, quitter Paris pour vous rendre à Saint-Cloud. Qu'avez-vous à répondre?

Louis. Cette accusation est absurde.

Le président. Mais la résistance des citoyens vous fit sentir que la défiance était grande; vous cherchâtes à la dissiper en communiquant à l'assemblée constituante une lettre que vous adressiez aux agens de la nation auprès des puissances étrangères, pour leur annoncer que vous aviez accepté librement les articles constitutionnels qui vous avaient été présentés, et cependant le 21 vous preniez la fuite avec un faux passe-port; vous laissiez une déclaration contre les mêmes articles constitutionnels; vous ordonniez aux ministres de ne signer aucun des actes émanés de l'assemblée nationale, et vous défendiez à celui de la justice de remettre les sceaux de l'état. L'argent du peuple était prodigué pour assurer les succès de cette trahison, et la force publique devait la protéger sous les ordres de Bouillé, qui naguère avait été chargé de diriger le massacre de Nancy, et à qui vous aviez écrit à ce sujet, *de soigner sa popularité, parce qu'elle vous serait utile*. Ces faits sont prouvés par le mémoire du 23 février, apostillé de votre main; par votre déclaration du 20 juin, tout entière de votre écriture; par votre lettre du 4 septembre 1790, à Bouillé; et par une note de celui-ci, dans laquelle il vous rend compte de l'emploi des 993,000 livres données par vous, et employées en partie à la corruption des troupes qui devaient vous escorter. Qu'avez-vous à répondre?

Louis. Je n'ai aucune connaissance du mémoire du 23 février. Quant à ce qui est relatif à mon voyage de Varennes, je m'en réfère à ce que j'ai dit aux commisssaires de l'assemblée constituante dans ce temps-là.

Le président. Après votre arrestation à Varennes, l'exercice du pouvoir exécutif fut un moment suspendu dans vos mains, et vous conspirâtes encore. Le 17 juillet, le sang des citoyens fut versé au Champ-de-Mars. Une lettre de votre main, écrite en 1790 à La Fayette, prouve qu'il existait une coalition criminelle entre vous et La Fayette, à laquelle Mirabeau avait accédé. La division commença sous ces auspices cruels; tous les genres de corruption furent employés. Vous avez payé des libelles, des pamphlets, des journaux destinés à pervertir l'opinion publique, à discréditer les assignats et à soutenir la cause des émigrés. Les registres de Septeuil indiquent quelles sommes énormes ont été employées à ces manœuvres li. erticides. Qu'avez-vous à répondre?

Louis. Ce qui s'est passé le 17 juillet ne peut aucunement me regarder; pour le reste, je n'en ai aucune connaissance.

Le président. Vous avez paru accepter la Constitution le 14 septembre; vos discours annonçaient la volonté de la maintenir, et vous travailliez à la renverser avant même qu'elle fût achevée.

Une Convention avait été faite à Pilnitz, le 24 juillet, entre Léopold d'Autriche et Frédéric-Guillaume de Brandebourg, qui s'étaient engagés à relever en France le trône de la monarchie absolue, et vous vous êtes tu sur cette con-

vention jusqu'au moment où elle a été connue de l'Europe
entière. Qu'avez-vous à répondre?

Louis. Je l'ai fait connaître sitôt qu'elle est venue à ma
connaissance; au reste, tout ce qui a trait à cet objet, par la
Constitution regarde le ministre.

Le président. Arles avait levé l'étendard de la révolte; vous
l'aviez favorisée par l'envoi de trois commissaires civils qui
se sont occupés, non à réprimer les contre-révolutionnaires, mais à justifier leurs attentats. Qu'avez-vous à
répondre?

Louis. Les instructions qu'avaient les commissaires doivent prouver ce dont ils étaient chargés, et je n'en connaissais
aucun quand les ministres me les ont proposés.

Le président. Avignon et le comtat Venaissin avaient été
reunis à la France; vous n'avez fait exécuter le décret
qu'après un mois; et pendant ce temps la guerre civile a
désolé ce pays. Les commissaires que vous y avez successivement envoyés ont achevé de le dévaster. Qu'avez-vous à
répondre?

Louis. Je ne me souviens pas quel délai a été mis dans
l'exécution; au reste, ce fait ne peut me regarder personnellement; ce sont ceux qui ont été envoyés, et ceux qui les ont
envoyés, que cela regarde.

Le président. Nîmes, Montauban, Mende, Jalès, avaient
éprouvé de grandes agitations dès les premiers jours de la
liberté; vous n'avez rien fait pour étouffer ce germe de
contre-révolution, jusqu'au moment où la conspiration de
Saillant a éclaté. Qu'avez-vous à répondre?

Louis. J'ai donné pour cela tous les ordres que les ministres m'ont proposés.

Le président. Vous avez envoyé vingt-deux bataillons
contre les Marseillais, qui marchaient pour réduire les
contre-révolutionnaires arlésiens. Qu'avez-vous à répondre?

Louis. Il faudrait que j'eusse les pièces pour répondre
juste à cela.

Le président. Vous avez donné le commandement du
midi à Wigenstein, qui vous écrivait, le 21 avril 1792, après
qu'il eut été rappelé: 'Quelques instans de plus, et je rap-
pellerai pour toujours, autour du trône de votre majesté, des

milliers de Français redevenus dignes des vœux qu'elle forme pour leur bonheur.' Qu'avez-vous à répondre?

Louis. Cette lettre est postérieure à son rappel. Il n'a pas été employé depuis. Je ne me souviens pas de la lettre.

Le président. Vous avez payé vos ci-devant gardes-du-corps à Coblentz; les registres de Septeuil en font foi, et plusieurs ordres signés de vous constatent que vous avez fait passer des sommes considérables à Bouillé, Rochefort, Lavauguyon, Choiseul-Beaupré, Hamilton, la femme Polignac. Qu'avez-vous à répondre?

Louis. D'abord que je sus que mes gardes-du-corps se formaient de l'autre côté du Rhin, j'ai défendu qu'ils touchassent aucun paiement; pour le reste, je ne m'en souviens nullement.

Le président. Vos frères, ennemis de l'état, ont rallié les émigrés sous leurs drapeaux; ils ont levé des régimens, fait des emprunts, et contracté des alliances en votre nom; vous ne les avez désavoués qu'au moment où vous avez été bien certain que vous ne pouviez plus nuire à leurs projets. Votre intelligence avec eux est prouvée par un billet écrit de la main de Louis-Stanislas-Xavier, souscrit par vos deux frères, et ainsi conçu:

'Je vous ai écrit, mais c'était par la poste, et je n'ai pu rien vous dire. Nous sommes ici deux qui n'en font qu'un: mêmes sentimens, mêmes principes, même ardeur pour vous servir. Nous gardons le silence; mais c'est que, le rompant trop tôt, nous vous compromettrions; mais nous parlerons dès que nous serons sûrs de l'appui général; et ce moment est proche. Si l'on nous parle de la part de ces gens-là, nous n'écouterons rien; si c'est de la vôtre, nous écouterons, mais nous irons droit notre chemin; ainsi si l'on veut que vous nous fassiez dire quelque chose, ne vous gênez pas. Soyez tranquille sur votre sûreté; nous n'existons que pour vous servir, nous y travaillons avec ardeur, et tout va bien; nos ennemis même ont trop d'intérêt à votre conservation pour commettre un crime inutile, et qui achèverait de les perdre. Adieu. L. S. Xavier, et Charles-Philippe.'

Qu'avez-vous à répondre?

Louis. J'ai désavoué toutes les démarches de mes frères,

suivant que la Constitution me le prescrivait, aussitôt que
j'en ai eu connaissance. Je n'ai aucune connaissance de ce
billet.

Le président. L'armée de ligne, qui devait être portée au
pied de guerre, n'était forte que de cent mille hommes à
la fin de décembre; vous aviez ainsi négligé de pourvoir à la
sûreté extérieure de l'état. Narbonne, votre agent, avait
demandé une levée de cinquante mille hommes; mais il
arrêta le recrutement à vingt-cinq mille, en assurant que tout
était prêt. Rien ne l'était pourtant. Après lui, Servan proposa
de former, auprès de Paris, un camp de vingt mille hommes;
l'assemblée législative le décréta, vous refusâtes votre sanction. Qu'avez-vous à répondre?

Louis. J'avais donné au ministre tous les ordres qui
pouvaient accélérer l'augmentation de l'armée; au mois de
décembre dernier les états en ont été mis sous les yeux de
l'assemblée. S'ils se sont trompés, ce n'est pas ma faute.

Le président. Un élan de patriotisme fait partir de tous
côtés des citoyens pour Paris. Vous fîtes une proclamation
qui tendait à les arrêter dans leur marche; cependant nos
armées étaient dépourvues de soldats. Dumourier, successeur de Servan, avait déclaré que la nation n'avait ni armes,
ni munitions, ni subsistances, et que les places étaient hors
de défense. Vous avez attendu d'être pressé par une réquisition faite au ministre Lajard, à qui l'assemblée législative
demandait d'indiquer quels étaient ses moyens de pourvoir
à la sûreté extérieure de l'état, pour proposer par un message
la levée de quarante-deux bataillons.

Vous avez donné mission aux commandans des troupes de
désorganiser l'armée, de pousser des régimens à la désertion,
et de leur faire passer le Rhin pour les mettre à la disposition
de vos frères et de Léopold d'Autriche, avec lequel vous
étiez d'intelligence; le fait est prouvé par la lettre de
Toulongeon, commandant dans la Franche-Comté. Qu'avez-
vous à répondre?

Louis. Je n'en ai aucune connaissance: il n'y a pas le mot
de vrai dans cette accusation.

Le président. Vous avez chargé vos agens diplomatiques
de favoriser la coalition des puissances étrangères et de vos

frères contre la France, et particulièrement de cimenter la
paix entre la Turquie et l'Autriche, pour dispenser celle-ci
de garnir ses frontières du côté de la Turquie, et lui procurer
par là un plus grand nombre de troupes contre la France.
Une lettre de Choiseul-Gouffier, ambassadeur à Constanti-
nople, établit le fait. Qu'avez-vous à répondre?

Louis. M. Choiseul n'a pas dit la vérité: cela n'a jamais
existé.

Le président. Les Prussiens s'avançaient vers nos frontières; on interpella, le 8 juillet, votre ministre de rendre
compte de l'état de nos relations politiques avec la Prusse;
vous répondîtes, le 10, que cinquante mille Prussiens marchaient contre nous, et que vous donniez avis au corps
législatif des actes formels de ces hostilités imminentes, aux
termes de la Constitution. Qu'avez-vous à répondre?

Louis. Ce n'est qu'à cette époque-là que j'en ai eu connaissance: toute la correspondance passait par les ministres.

Le président. Vous avez confié le département de la guerre
à Dabancourt, neveu de Calonne; et tel a été le succès de
votre conspiration, que les places de Longwy et de Verdun
ont été livrées aussitôt que les ennemis ont paru. Qu'avez-
vous à répondre?

Louis. J'ignorais que M. Dabancourt fût neveu de M.
Calonne; ce n'est pas moi qui ai dégarni les places; je ne me
serais pas permis une pareille chose; je n'en ai aucune connaissance, si elles l'ont été.

Le président. Vous avez détruit notre marine; une foule
d'officiers de ce corps étaient émigrés; à peine en restait-il
pour faire le service des ports; cependant Bertrand accordait
tous les jours des passe-ports, et lorsque le corps législatif
vous exposa, le 8 mars, sa conduite coupable, vous répondîtes que vous étiez satisfait de ses services. Qu'avez-vous à
répondre?

Louis. J'ai fait ce que j'ai pu pour retenir les officiers.
Quant à M. Bertrand, comme l'assemblée nationale ne
portait contre lui aucun grief qui pût le faire mettre en état
d'accusation, je n'ai pas cru devoir le changer.

Le président. Vous avez favorisé dans les colonies le
maintien du gouvernement absolu; vos agens y ont partout

fomenté le trouble et la contre-révolution qui s'y est opérée
à la même époque où elle devait s'effectuer en France; ce
qui indique assez que votre main conduisait cette trame.
Qu'avez-vous à répondre?

Louis. S'il y a de mes agens dans les colonies, ils n'ont pas
dit vrai; je n'ai eu aucun rapport à ce que vous venez de me dire.

Le président. L'intérieur de l'état était agité par les
fanatiques; vous vous en êtes déclaré le protecteur, en
manifestant l'intention évidente de recouvrer par eux votre
ancienne puissance. Qu'avez-vous à répondre?

Louis. Je ne peux pas répondre à cela; je n'ai aucune
connaissance de ce projet.

Le président. Le corps législatif avait rendu, le 29 janvier,
un décret contre les prêtres factieux, vous en avez suspendu
l'exécution. Qu'avez-vous à répondre?

Louis. La Constitution me laissait la sanction libre des
décrets.

Le président. Les troubles s'étaient accrus; le ministre
déclara qu'il ne connaissait dans les lois existantes aucun
moyen d'atteindre les coupables. Le corps législatif rendit un
nouveau décret, vous en suspendîtes encore l'exécution.
Qu'avez-vous à répondre?

Même réponse que la précédente.

Le président. L'incivisme de la garde que la Constitution
vous avait donnée en avait nécessité le licenciement. Le
lendemain vous lui avez écrit une lettre de satisfaction; vous
avez continué de la solder. Ce fait est prouvé par les comptes
du trésorier de la liste civile. Qu'avez-vous à répondre?

Louis. Je n'ai continué que jusqu'à ce qu'elle pût être
recréée, comme le décret le portait.

Le président. Vous avez retenu auprès de vous les gardes
suisses: la Constitution vous le défendait, et l'assemblée
législative en avait expressément ordonné le départ. Qu'avez-
vous à répondre?

Louis. J'ai exécuté tous les décrets qui ont été rendus à
cet égard.

Le président. Vous avez eu dans Paris des compagnies
particulières chargées d'y opérer des mouvemens utiles à vos
projets de contre-révolution. Dangremont et Gilles étaient

deux de vos agens; ils étaient salariés par la liste civile. Les quittances de Gilles, chargé de l'organisation d'une compagnie de soixante hommes, vous seront présentées. Qu'avez vous à répondre?

Louis. Je n'ai aucune connaissance des projets qu'on leur prête; jamais idée de contre-révolution n'est entrée dans ma tête.

Le président. Vous avez voulu, par des sommes considérables, suborner plusieurs membres des assemblées constituante et législative. Des lettres de Saint-Léon et d'autres attestent la réalité de ces faits. Qu'avez-vous à répondre?

Louis. Il y a plusieurs personnes qui se sont présentées avec des projets pareils; mais je les ai éloignées.

Le président. Quels sont ceux qui vous ont présenté ces projets?

Louis. Ils étaient si vagues que je ne me les rappelle pas dans ce moment.

Le président. Quels sont ceux à qui vous avez promis ou donné de l'argent?

Louis. A aucun.

Le président. Vous avez laissé avilir la nation française en Allemagne, en Italie, en Espagne, puisque vous n'avez rien fait pour exiger la réparation des mauvais traitemens que les Français ont éprouvés dans ces pays. Qu'avez-vous à répondre?

Louis. La correspondance diplomatique doit prouver le contraire; au reste, cela regardait le ministre.

Le président. Vous avez fait, le 10 août, la revue des Suisses, à cinq heures du matin, et les Suisses ont tiré les premiers sur les citoyens. Qu'avez-vous à répondre?

Louis. J'ai été voir toutes les troupes qui étaient rassemblées chez moi ce jour-là; les autorités constituées étaient chez moi, le département, le maire et la municipalité; j'avais fait prier même une députation de l'assemblée nationale d'y venir, et je me suis ensuite rendu dans son sein avec ma famille.

Le président. Pourquoi aviez-vous rassemblé des troupes dans le Château?

Louis. Toutes les autorités constituées l'ont vu: le

Château était menacé; et comme j'étais une autorité constituée, je devais me défendre.

Le président. Pourquoi avez-vous mandé au Château le
maire de Paris, dans la nuit du 9 au 10 août?

Louis. Sur les bruits qui se répandaient.

Le président. Vous avez fait couler le sang des Français.
Qu'avez-vous à répondre?

Louis. Non, monsieur, ce n'est pas moi.

Le président. Vous avez autorisé Septeuil à faire un commerce considérable de grains, sucre et café à Hambourg.
Ce fait est prouvé par une lettre de Septeuil. Qu'avez-vous à
répondre?

Louis. Je n'ai aucune connaissance de ce que vous dites.

Le président. Pourquoi avez-vous mis le *veto* sur le décret
qui ordonnait la formation d'un camp de vingt mille hommes?

Louis. La Constitution me donnait la libre sanction des
décrets, et, dès ce temps-là même, j'ai demandé la réunion
d'un camp à Soissons.

Le président, à l'assemblée. Les questions sont épuisées.—
à Louis Capet. Louis, avez-vous quelque chose à ajouter?

Louis. Je demande communication des accusations que je
viens d'entendre et des pièces qui y sont jointes, et la faculté
de choisir un conseil pour me défendre.

[*Acton,* 252; *C.M.H.,* 256; *Jaurès, VI,* 274; *Lavisse, II,*
18; *Madelin.* 282 (319); *Mathiez, II,* 131 (260). *Text from
Procès-Verbal (Convention nationale), IV,* 178, *as edited by
Buchez and Roux, XXI,* 287–98.]

40

LA FRANCE ET L'EUROPE

(1)

Décret du 19 novembre, 1792

LA Convention nationale déclare, au nom de la Nation
française, qu'elle accordera fraternité et secours à tous
les peuples qui voudront recouvrer leur liberté, et
charge le pouvoir exécutif de donner aux généraux les ordres

nécessaires pour porter secours à ces peuples, et défendre les citoyens qui auraient été vexés, ou qui pouvraient l'être pour la cause de la liberté.

La Convention nationale décrète que le pouvoir exécutif donnera ordre aux généraux de la Republique française de faire imprimer et proclamer le décret précédent, en diverses langues, dans toutes les contrées qu'ils parcourront avec les armées de la République.

(2)

Séance du 15 décembre, 1792. Suite d'un rapport de Cambon sur la conduite à tenir par les généraux francais dans les pays occupés par les armées de la République

Les articles du projet de décret de Cambon sont successivement mis aux voix, et décrétés ainsi qu'il suit:

Art. Ier. Dans les pays qui sont ou qui seront occupés par les armées de la république française, les généraux proclameront sur-le-champ, au nom de la nation française, l'abolition des impôts ou des contributions existans, la dîme, les droits féodaux fixes ou casuels, la servitude réelle ou personnelle, les droits de chasse exclusifs, la noblesse, et généralement tous les priviléges. Ils déclareront au peuple qu'ils lui apportent paix, secours, fraternité, liberté et égalité.

II. Ils proclameront la souveraineté du peuple et la suppression de toutes les autorités existantes; ils convoqueront de suite le peuple en assemblées primaires ou communales pour créer et organiser une administration provisoire; ils feront publier, afficher et exécuter dans la langue ou idiome du pays, dans chaque commune, la proclamation annexée au présent décret.

III. Tous les agens et officiers de l'ancien gouvernement, ainsi que les individus ci-devant réputés nobles, ou membres de quelques corporations ci-devant privilégiées, seront, mais pour la première élection seulement, inadmissibles aux places d'administration ou de pouvoirs judiciaires provisoires.

IV. Les généraux mettront de suite sous la sauvegarde et protection de la république française tous les biens meubles et immeubles appartenant au fisc, au prince, à ses fauteurs et adhérens et satellites volontaires, aux établissemens publics, aux corps et communautés laïcs et religieux; ils en feront sans délai dresser un état détaillé, qu'ils enverront au conseil exécutif, et ils prendront toutes les mesures qui sont en leur pouvoir afin que ces propriétés soient respectées.

V. L'administration provisoire nommée par le peuple sera chargée de la surveillance et régie des objets mis sous la sauvegarde et protection de la république française; elle fera exécuter la loi en vigueur relative au jugement des procès civils et criminels, à la police et à la sûreté publique; elle sera chargée de régler et faire payer les dépenses locales et celles qui seront nécessaires pour la défense commune; elle pourra établir des contributions, pourvu toutefois qu'elles ne soient pas supportées par la partie indigente et laborieuse du peuple.

VI. Dès que l'administration provisoire sera organisée, la Convention nationale nommera des commissaires pris dans son sein, pour aller fraterniser avec elle.

VII. Le conseil exécutif nommera aussi des commissaires nationaux qui se rendront de suite sur les lieux, pour se concerter avec l'administration provisoire nommée par le peuple, sur les mesures à prendre pour la défense commune et sur les moyens à employer pour se procurer les habillemens, subsistances nécessaires aux armées de la République, et pour acquitter les dépenses qu'elles ont faites et feront pendant leur séjour sur leur territoire.

VIII. Les commissaires nationaux nommés par le pouvoir exécutif provisoire lui rendront compte tous les quinze jours de leurs opérations; ils y joindront leurs observations, le conseil exécutif les approuvera ou les rejettera, et en rendra de suite compte à la Convention.

IX. L'administration provisoire nommée par le peuple et les fonctions des commissaires nationaux cesseront aussitôt que les habitans, après avoir déclaré la souveraineté du peuple, la liberté et l'indépendance, auront organisé une forme de gouvernement libre et populaire.

Cambon fait lecture d'une proclamation à faire par les généraux français aux peuples conquis à la liberté.

La Convention l'adopte; la voici:

Le peuple francais au peuple . . .

Frères et amis, nous avons conquis la liberté, et nous la maintiendrons: notre union et notre force en sont les garans. Nous vous offrons de vous faire jouir de ce bien inestimable, qui vous a toujours appartenu, et que vos oppresseurs n'ont pu vous ravir sans crime. Nous sommes venus pour chasser vos tyrans; ils ont fui; montrez-vous hommes libres, et nous vous garantirons de leur vengeance, de leurs projets et de leur retour.

Dès ce moment, la république française proclame la suppression de tous vos magistrats civils et militaires, de toutes les autorités qui vous ont gouvernés; elle proclame en ce pays l'abolition de tous les impôts que vous supportez, sous quelque forme qu'ils existent; des droits féodaux, de la gabelle, des péages, des octrois, des droits d'entrée et de sortie, de la dîme, des droits de chasse et de pêche exclusifs, des corvées, de la noblesse, et généralement de toute espèce de contributions et de servitude dont vous avez été chargés par vos oppresseurs.

Elle abolit aussi parmi vous toute corporation nobiliaire, sacerdotale et autres, toutes prérogatives, tous priviléges contraires à l'égalité. Vous êtes, dès ce moment, frères et amis, tous citoyens, tous égaux en droits, et tous appelés également à défendre, à gouverner et à servir votre patrie.

Formez-vous sur-le-champ en assemblées de communes; hâtez-vous d'établir vos administrations provisoires; les agens de la république française se concerteront avec elles pour assurer votre bonheur et la fraternité qui doit exister désormais entre nous.

[*Jaurès*, IV, 414; V, 134. *Text from Buchez and Roux*, XXI, 351–53.]

41

EXÉCUTION DU ROI

Adresse au peuple francais, telle qu'elle a été adoptée par la
Convention, dans sa séance du 23 janvier, 1793, sur la rédac-
tion proposée par Barrère

CITOYENS, le tyran n'est plus. Depuis long-temps les cris des victimes, dont la guerre et les divisions in-testines ont couvert la France et l'Europe, protestaient hautement contre son existence; il a subi sa peine, et le peuple n'a fait entendre que des acclamations pour la république et pour la liberté.

Nous avons eu à combattre des préjugés invétérés, et la superstition des siècles pour la royauté. Des incertitudes involontaires, des inquiétudes inévitables accompagnent toujours les grands changemens et les révolutions aussi profondes que la nôtre. Cette crise politique nous a tout à coup environnés de contradictions et d'orages.

Cependant les diverses opinions ont eu des motifs hono-rables; des sentimens d'humanité, des idées plus ou moins vastes en politique, des craintes plus ou moins raisonnées sur l'étendue des pouvoirs des représentans, ont pu diviser quelques instans les esprits; mais la cause a cessé, les motifs ont disparu; le respect pour la liberté des opinions doit faire oublier ces scènes orageuses; il ne reste plus que le bien qu'elles ont produit par la mort du tyran et de la tyrannie; et ce jugement appartient tout entier à chacun de nous, comme il appartient à toute la nation. La Convention nationale et le peuple français ne doivent plus avoir qu'un même esprit, qu'un même sentiment, celui de la liberté et de la fraternité civique.

C'est maintenant surtout, que nous avons besoin de la paix dans l'intérieur de la République, et de la surveillance la plus active sur les ennemis domestiques de la liberté. Jamais les circonstances ne furent plus impérieuses, pour exiger de tous les citoyens le sacrifice de leur passions et de leurs opinions particulières, sur l'acte de justice nationale qui vient d'être exécuté. Le peuple français ne peut avoir aujourd'hui d'autre passion que celle de la liberté.

Prévenons, par notre union, l'opprobre que donneraient à la république naissante les divisionsi ntestines. Prévenons, par notre patriotisme, ces secousses terribles, ces mouvemens anarchiques et désordonnés, qui couvriraient bientôt la France de troubles et de malheurs, si nos ennemis du dehors, qui les fomentent, pouvaient en profiter.

Il n'est plus temps de disputer; il faut agir. Il faut des mesures promptes, efficaces. Les despotes de l'Europe ne peuvent être forts que de nos divisions; ils ont appris en Argonne et à Jemmapes, qu'un soldat de la liberté vaut mieux que cent esclaves.

Qu'il disparaisse enfin, ce nuage de royalisme trop longtemps étendu sur nos têtes! il serait aujourd'hui plus funeste à l'emploi des grandes ressources nationales, que le fléau même d'une guerre universelle. Que la paix et l'obéissance aux lois règnent dans nos cités et dans nos campagnes; cette attitude ferme et calme des hommes libres, fera pâlir les tyrans, centuplera les forces de la nation, et ranimera notre confiance dans les périlleuses fonctions que vous nous avez confiées. Que les agitateurs du peuple voient l'ordre public se maintenir avec plus de sévérité, et les lois plus chéries, lorsqu'elles sont plus attaquées. La ville de Paris offre dans ce moment un bel exemple aux autres parties de la République; elle est tranquille. Cependant, le crime n'a pu être entièrement paralysé dans cette immense cité. Un attentat vient d'être commis sur la souveraineté nationale. Un de vos représentans *a été assassiné pour avoir voté la mort du tyran*, et ses collègues sont encore menacés par les vils suppôts du despotisme. Les insensés! dans leurs sermens impies, ils prennent le calme du peuple pour sommeil de la liberté!

Citoyens, ce n'est pas un homme seul qui a été frappé, c'est vous, ce n'est pas *Michel Lepelletier* qui a été lâchement assassiné, c'est encore vous, ce n'est pas un député sur la vie duquel les coups ont porté, c'est sur la vie de la nation, c'est sur la liberté publique, c'est sur la souveraineté du peuple.

Peuple français, sensible et généreux, malgré les calomnies de ses ennemis! c'est dans le recueillement de la douleur et de l'indignation, que tes représentans te transmettent les accens plaintifs qui viennent de retentir dans le temple de la liberté! Nous te redirons ses dernières paroles; elles furent comme sa vie, consacrés à la liberté. *Je suis satisfait*, disait-il en expirant, *de verser mon sang pour la patrie. J'espère qu'il servira à consolider la liberté et l'égalité, et à faire reconnaître ses ennemis.*

Oui, ta mort même sera utile à la République; ta mort est une victoire sur la tyrannie. *Le crime de Sextus donna à Rome la liberté politique*; celui de *Papirius* lui donna la liberté civile. Ce fut le destin de cette ville, que des crimes nouveaux y confirmèrent la liberté que des crimes anciens lui avaient procurée. L'attentat *d'Appius* sur *Virginie* remit le peuple dans cette horreur contre les tyrans que lui avaient donnée les malheurs de *Lucrèce*.

Les Français se souviendront toujours que le défenseur de la liberté a expiré sous le fer assassin d'un royaliste, la veille du jour où le tyran devait expier ses forfaits sous le glaive des lois; et la royauté sera de plus fort abolie. Les hommes libres répéteront à leurs derniers neveux, qu'au moment où des esclaves et des superstitieux donnaient des regrets à un tyran, ils se réjouissaient intérieurement de l'assassinat d'un représentant du peuple; et l'aristocratie sera de plus fort abhorrée.

Tels sont les sentimens qui animent vos représentans; ils triompheront de tous les obstacles et de tous les crimes, comme ils ont triomphé de tant de préjugés. Ils s'occupent de la sûreté de la République; ils connaissent les causes de dénûment des armées, et les moyens prompts d'y remédier. La stabilité de la fortune publique est un objet constant de leurs travaux. La fidélité des engagemens repose sur la loyauté française; ils affermiront cette base du crédit national; ils ont, dès le 21 septembre, mesuré avec calme, l'étendue des devoirs et l'importance des fonctions que vous leur avez imposés, et il ne les trahiront jamais. La liberté publique sera maintenue au péril de leur vie, et les lâches conspirateurs apprendront à connaître le courage des délégués du peuple; déjà nous avons pris des mesures pour la prompte punition de ce crime de lèse-nation; l'inexorable loi frappera bientôt le parricide, et donnera un nouvel exemple aux esclaves des rois.

On nous menace d'une guerre générale; on cherche à semer la terreur dans la République. Citoyens, vous l'avez déjà dit: Pour reporter la servitude monarchique sur le territoire français, il faut y détruire la nation entière; il faut renoncer à sa conquête, ou s'attendre à régner sur des ruines et des déserts.

Nous n'avons pas d'alliés dans les cours de l'Europe; mais c'est aux nations libres à se sauver elles-mêmes. Une guerre faite avec lenteur et parcimonie serait incertaine et ruineuse. La liberté ne fait que des guerres courtes et terribles, et la liberté ne compte que des victoires. Soyez debout devant l'Europe étonnée. Vous avez, pour soutenir vos armées et vos flottes, un gage encore immense sur le territoire national; vos ennemis n'ont que des emprunts et des richesses précaires; les ressources d'une grande nation libre sont inépuisables. Les moyens des gouvernemens absolus sont bientôt épuisés. Que la nation se lève encore une fois tout entière, et ces colosses usés du despotisme s'écrouleront bientôt sur eux-mêmes.

C'est vous tous, citoyens, qui avez contracté pour vous, pour votre postérité, l'obligation de maintenir et de défendre les droits de l'homme. C'est pour vous, c'est pour notre sainte liberté que vos représentans ont abdiqué la paix, et bravent tous les jours la mort. La passion des Français pour l'indépendance et les lois n'a-t-elle pas jusqu'à présent rendu tous succès faciles? N'a-t-elle pas subitement peuplé la terre de ces phalanges nationales, de ces légions patriotiques, qui ont tout couvert de triomphes, depuis les Alpes jusqu'aux bords du Rhin, et que la victoire attend encore aux Pyrénées et sur les mers?

Déjà, au bruit des hostilités méditées obscurément par les gouvernemens espagnol et anglais, une généreuse émulation se manifeste de toutes parts; les ports, les villes maritimes vont briguer l'honneur de bien mériter de la patrie, en lui offrant l'usage de leurs vaisseaux, et tous leurs marins vont s'empresser de défendre le pavillon de la liberté. C'est des bords de la Méditerranée et de l'Océan que partiront les plus grands exemples; le commerce français, qui sent les avantages d'une guerre très-active, vous attend avec des richesses qu'il a recueillies dans des temps prospères; et ses vaisseaux, occupés naguère des paisibles spéculations de l'industrie, vont être armés pour les terribles opérations de la guerre.

Quel est donc le citoyen qui ne voudrait pas coopérer, avec nous, à la défense de la république? C'est ici la cause de tous les Français, c'est la cause du genre humain.

En assistant aux funérailles de Michel Lepelletier, nous avons juré, sur le tombeau de ce martyr de l'opinion républicaine, de sauver la patrie; et la patrie sera sauvée. C'est là que nous venons de déposer, par une réunion juste et nécessaire, toutes les rivalités et toutes les défiances reciproques; c'est là que nous venons de promettre solennellement à la République de lui donner dans peu de jours une constitution élevée sur les droits imprescriptibles des hommes, une constitution aussi libre que le peuple, aussi égale que la justice, aussi sage que la raison, et qui portera avec elle tous les moyens de réparer ses imperfections par les mains de l'expérience.

Non, il n'est plus possible d'assigner des bornes à la prospérité et aux grandes destinées de la France, alors que l'anarchie sera partout comprimée, que les ennemis de l'ordre seront partout combattus, que le respect des lois sera maintenu par les autorités constituées, que le patriotisme des armées sera égalé par celui des escadres, que les représentans du peuple ne verront plus dans la réunion de leurs volontés que la fidélité à leurs mandats.

Non, la République ne manquera pas de défenseurs, si à Rome un ami de César parvint à exciter le peuple en agitant devant lui la robe ensanglantée d'un tyran, que ne doit pas attendre la Convention nationale pour la défense de la patrie, en découvrant devant le peuple français la blessure et mortelle et sanglante d'un de ses représentants?

Citoyens, quand vous irez remplir les flottes et les armées de la République, quand vous volerez au combat contre les esclaves des rois, rappelez-vous la fermeté héroïque de Michel Lepelletier, à son dernier moment; songez qu'il n'est pas un de vos représentans qui ne soit déterminé à suivre son exemple.

> *Signé* Vergniaud, *président*; Dufriche-Valazé, Salle, Lesage, J. A. Gorsas, Henry Bancal, *secrétaires.*

[*Text from Procès-Verbal (Convention nationale), V,* 474.]

42
TRIBUNAL RÉVOLUTIONNAIRE
(1)
Séance du 10 *mars,* 1793

LA Convention nationale, après avoir entendu le rapport de son comité de législation, décrète ce qui suit :

TITRE PREMIER.—*De la composition et de l'organisation d'un tribunal criminel extraordinaire*

ART. 1. Il sera établi à Paris un tribunal criminel extraordinaire, qui connaîtra de toute entreprise contre-révolutionnaire, de tout attentat contre la liberté, l'égalité, l'unité et l'indivisibilité de la République, la sûreté intérieure et extérieure de l'état, et de tous les complots tendant à rétablir la royauté ou à établir toute autre autorité attentatoire à la liberté, à l'égalité et à la souveraineté du peuple, soit que les accusés soient fonctionnaires civils ou militaires, ou simples citoyens.

2. Le tribunal sera composé d'un juré, et de cinq juges qui dirigeront l'instruction et appliqueront la loi après la déclaration des jurés sur le fait.

3. Les juges ne pourront rendre aucun jugement, s'ils ne sont au moins au nombre de trois.

4. Celui des juges qui aura été le premier élu présidera, et en cas d'absence, il sera remplacé par le plus ancien d'âge.

5. Les juges seront nommés par la Convention nationale à la pluralité relative des suffrages, qui ne pourra néanmoins être inférieure au quart des voix.

6. Il y aura auprès du tribunal un accusateur public et deux adjoints, ou substituts, qui seront nommés par la Convention nationale, comme les juges, et suivant le même mode.

7. Il sera nommé, dans la séance de demain, par la Convention nationale, douze citoyens du département de Paris et des quatre départemens qui l'environnent, qui rempliront les opérations de juré, et quatre suppléans du même département, qui remplaceront les jurés en cas d'absence, de récusation ou de maladie. Les jurés rempliront leurs fonctions jusqu'au 1er mai prochain, et il sera pourvu par la Convention nationale à leur remplacement et à la formation d'un juré pris entre les citoyens de tous les départemens.

8. Les fonctions de la police de sûreté générale, attribuées aux municipalités et aux corps administratifs par le décret du 11 août dernier, s'étendront à tous les crimes et délits mentionnés dans l'article 1er de la présente loi.

9. Tous les procès-verbaux de dénonciation, d'information, d'arrestation, seront adressés en expédition par les corps administratifs à la Convention nationale, qui les renverra à une commission de ses membres chargée d'en faire l'examen, et de lui en faire le rapport.

10. Il sera formé une commission de six membres de la Convention nationale, qui sera chargée de l'examen de toutes les pièces, d'en faire le rapport, de rédiger et de présenter les actes d'accusation, de surveiller l'instruction qui se fera dans le tribunal extraordinaire, d'entretenir une correspondance suivie avec l'accusateur public et les juges sur toutes les affaires qui seront envoyées au tribunal, et d'en rendre compte à la Convention nationale.

11. Les accusés qui voudront récuser un ou plusieurs jurés seront tenus de proposer les causes de récusation par un seul et même acte, et le tribunal en jugera la validité dans les vingt-quatre heures.

12. Les jurés voteront et formeront leur déclaration publiquement, à haute voix, à la pluralité absolue des suffrages.

13. Les jugemens seront exécutés sans recours au tribunal de cassation.

14. Les accusés en fuite qui ne se représenteront pas dans

les trois mois du jugement seront traités comme émigrés et sujets aux mêmes peines, soit par rapport à leur personne, soit par rapport à leurs biens.

15. Les juges du tribunal éliront à la pluralité absolue des suffrages un greffier et deux huissiers. Le greffier aura deux commis qui seront reçus par les juges.

TITRE II.—*Des peines*

ART. 1. Les juges du tribunal extraordinaire prononceront les peines portées par le Code pénal et les lois postérieures contre les accusés convaincus; et lorsque les délits qui demeureront constans seront dans la classe de ceux qui doivent être punis des peines de la police correctionnelle, le tribunal prononcera ces peines sans renvoyer les accusés aux tribunaux de police.

2. Les biens de ceux qui seront condamnés à la peine de mort seront acquis à la République, et il sera pourvu à la subsistance des veuves et des enfans, s'ils n'ont pas de biens d'ailleurs.

3. Ceux qui, étant convaincus de crimes ou de délits qui n'auraient pas été prévus par le Code pénal et les lois postérieures, ou dont la punition ne serait pas déterminée par les lois, et dont l'incivisme et la résidence sur le territoire de la République auraient été un sujet de trouble public et d'agitation, seront condamnés à la peine de déportation.

4. Le conseil exécutif est chargé de pourvoir à l'emplacement du tribunal.

5. Le traitement des juges, greffier, commis et huissiers sera le même que celui qui a été décrété pour les juges, greffier, commis et huissiers du tribunal criminel du département de Paris.

(2)

Séance du 5 avril, 1793

LA Convention nationale rapporte l'article de son décret qui ordonnait que le tribunal extraordinaire ne pourrait juger les crimes de conspiration et délits nationaux que sur le décret d'accusation porté par la Convention.

2. L'accusateur public près dudit tribunal est autorisé à faire arrêter, poursuivre et juger tous prévenus desdits crimes sur la dénonciation des autorités constituées ou des citoyens.

3. Ne pourra cependant ledit accusateur décerner aucun mandat d'arrêt ni d'amener contre les membres de la Convention nationale sans un décret d'accusation; ni contre les ministres et généraux des armées de la République sans en avoir obtenu l'autorisation de la Convention.

4. Quant aux autres exceptions, la Convention renvoie à son comité de législation pour lui en faire son rapport dans le plus court délai.

[*Jaurès*, VII, 140; *Lavisse*, II, 60 *f.*; *Madelin*, 327 (329, 367); *Mathiez*, III, 78 *f.* (394 *f.*). *Text from Procès-Verbal* (*Convention nationale*), VII, 240; IX, 88.]

43

DÉCRET RELATIF À LA RÉBELLION

Séance du 19 *mars*, 1793

LA Convention nationale, après avoir entendu le rapport de son comité de législation, décrète ce qui suit:

ART. 1. Ceux qui sont ou seront prévenus d'avoir pris part aux révoltes ou émeutes contre-révolutionnaires qui ont éclaté ou qui éclateraient à l'époque du recrutement dans les différens départemens de la République, et ceux qui auraient pris ou prendraient la cocarde blanche, ou tout autre signe de rébellion, sont hors de la loi; en conséquence, ils ne peuvent profiter des dispositions des lois concernant la procédure criminelle et l'institution des jurés.

2. S'ils sont pris ou arrêtés les armes à la main, ils seront, dans les vingt-quatre heures, livrés à l'exécuteur des jugemens criminels, et mis à mort après que le fait aura été reconnu et déclaré constant par une commission militaire formée par les officiers de chaque division employée contre

les révoltés; chaque commission sera composée de cinq personnes prises dans les différens grades de la division soldée on non soldée.

3. Le fait demeurera constant, soit par un procès-verbal revêtu de deux signatures, soit par un procès-verbal revêtu d'une seule signature, confirmé par la déposition d'un témoin, soit par la déposition orale et uniforme de deux témoins.

4. Ceux qui, ayant porté les armes ou ayant pris part à la révolte et aux attroupemens, auront été arrêtés sans armes, ou après avoir posé les armes, seront envoyés à la maison de justice du tribunal criminel du département, et, après avoir subi interrogatoire dont il sera retenu note, ils seront, dans les vingt-quatre heures, livrés à l'exécuteur des jugemens criminels, et mis à mort après que les juges du tribunal auront déclaré que les détenus sont convaincus d'avoir porté les armes parmi les révoltés, ou d'avoir pris part à la révolte, le tout sauf la distinction expliquée dans l'article 6.

5. Les moyens de conviction contre les coupables seront les mêmes pour les tribunaux criminels que pour les commissions militaires.

6. Les prêtres, les ci-devant nobles, les ci-devant seigneurs, les agens et domestiques de toutes ces personnes, les étrangers, ceux qui ont eu des emplois ou exercé des fonctions publiques dans l'ancien gouvernement ou depuis la révolution, ceux qui auront provoqué ou maintenu quelques-uns des révoltés, les chefs, les instigateurs, ceux qui auront des grades dans ces attroupemens, et ceux qui seraient convaincus de meurtre, d'incendie ou de pillage, subiront la peine de mort. Quant aux autres détenus, ils demeureront en état d'arrestation, et il ne sera statué à leur égard qu'après un décret de la Convention nationale sur le compte qui lui en sera rendu.

7. La peine de mort prononcée dans les cas déterminés par la présente loi emportera la confiscation des biens, et il sera pourvu sur les biens confisqués à la subsistance des pères et mères, femmes et enfans qui n'auraient pas d'ailleurs des biens suffisans pour leur nourriture et entretien; on prélèvera en outre sur le produit desdits biens le montant

des indemnités dues à ceux qui auront souffert de l'effet des révoltés.

8. Les biens de ceux dont il est parlé dans la première partie de l'article 6, et qui seront pris en portant les armes contre la patrie, seront déclarés acquis et confisqués au profit de la République, et la confiscation sera prononcée par les juges du tribunal criminel sur le procès-verbal de reconnaissance du tribunal.

9. Les commandans de la force publique feront incessamment publier une proclamation à tous les rebelles de se séparer, et de mettre bas les armes.

Ceux qui auront obéi et seront rentrés dans le devoir, aux termes de la proclamation et dans les vingt-quatre heures, ne pourront être inquiétés ni recherchés.

Ceux qui livreront les chefs ou auteurs et instigateurs des révoltés dans quelque temps que ce soit, avant néanmoins l'entière dispersion des revoltés, ne pourront être poursuivis, ni les jugemens rendus contre eux être mis à exécution.

Les personnes désignées dans la première partie de l'article 6 ne pourront profiter des dispositions du présent article, et elles subiront la peine portée par la présente loi.

10. La loi portant établissement du tribunal criminel extraordinaire sera exécutée, sauf les distractions d'attribution déterminées par la présente loi. La presente loi sera portée par des couriers extraordinaires dans tous les départemens de la République.

[*Lavisse, II, 64. Text from Procès-Verbal (Convention nationale), VIII, 88.*]

44
COMITÉ DE SALUT PUBLIC
Séance du 6 avril, 1793

LA convention nationale décrète:
ART. I. Il sera formé, par appel nominal, un comité de salut public, composé de neuf membres de la Convention nationale.

2. Ce comité délibérera en secret; il sera chargé de surveiller et d'accélérer l'action de l'administration confiée au conseil exécutif provisoire, dont il pourra même suspendre les arrêtés lorsqu'il les croira contraires à l'intérêt national, à la charge d'en informer sans délai la Convention.

3. Il est autorisé à prendre, dans les circonstances urgentes, des mesures de défense générale extérieure et intérieure; et ses arrêtés, signés de la majorité de ses membres délibérans, qui ne pourront être au-dessous des deux tiers, seront exécutés sans délai par le conseil exécutif provisoire. Il ne pourra en aucun cas décerner des mandats d'amener ou d'arrêt, si ce n'est contre ses agens d'exécution, à la charge d'en rendre compte sans délai à la Convention.

4. La trésorerie nationale tiendra à la disposition du Comité de Salut Public, jusqu'à concurrence de 100,000 livres, pour depenses secrètes, qui seront délivrées par le Comité, et payées sur les ordonnances, qui seront signées comme les arrêtés.

5. Il fera chaque semaine un rapport général et par écrit de ses opérations et de la situation de la République.

6. Il sera tenu registre de toutes ses délibérations.

7. Le comité n'est établi que pour un mois.

8. La trésorerie nationale demeurera indépendante du comité d'exécution, et soumise à la surveillance immédiate de la Convention, suivant le mode fixé par les décrets.

[*Acton*, 273; *Aulard*, 331 *f.* (*II*, 237 *f.*); *C.M.H.*, 269, 344; *Lavisse*, *II*, 69; *Madelin*, 315 (330, 355); *Mathiez*, *III*, 1 *f.* (331 *f.*). *Text from Procès-Verbal* (*Convention nationale*), *IX*, 113.]

45
REPRÉSENTANS PRÉS LES ARMÉES
Séance du 9 avril, 1793

LA Convention nationale, après avoir entendu son comité de salut public, décrète:

ART. 1. Il y aura constamment trois représentans du peuple députés près de chacune des armées de la République; tous les mois l'un des trois sera renouvelé.

2. Ils exerceront la surveillance la plus active sur les opérations des agens du conseil exécutif, sur la conduite des généraux, officiers et soldats de l'armée; ils se feront journellement rendre compte de l'état des magasins de toutes les espèces de fournitures, vivres et munitions; ils porteront l'examen le plus sévère sur les opérations et la conduite de tous les fournisseurs et entrepreneurs des armées de la République.

3. Ils prendront toutes les mesures qu'ils jugeront convenables pour accélérer la réorganisation des armées, l'incorporation des volontaires et recrues dans les cadres existans; ils agiront, pour cet effet, de concert avec les généraux et commandans de divisions et autres agens du conseil exécutif.

4. Les représentans députés près les armées, sont investis de pouvoirs illimités pour l'exercice des fonctions qui leur sont déléguées par le présent décret; ils pourront employer tel nombre d'agens qu'ils croiront convenable; les dépenses extraordinaires qu'ils auront autorisées seront acquittées par le trésor public, sur des états visés par eux; leurs arrêtés seront exécutés provisoirement, à la charge de les adresser dans les vingt-quatre heures à la Convention nationale, et, pour ce qui devra être secret, au comité du salut public.

5. Il est enjoint à tous les agens civils et militaires d'obéir aux réquisitions des commissaires de la Convention nationale, sauf à eux à faire auprès de la Convention toutes les réclamations qu'ils croiront fondées.

6. Les représentans du peuple, députés près les armées, prendront sans délai toutes les mesures nécessaires pour découvrir, faire arrêter et traduire au tribunal révolutionnaire tout militaire, tout agent civil et autres citoyens, qui ont aidé, conseillé ou favorisé d'une manière quelconque la trahison de Dumourier ou tout autre complot contre la sûreté de la nation, ou qui ont machiné la désorganisation des armées et tenté la ruine de la République.

[*Aulard*, 344 (*II*, 253); *Lavisse*, *II*, 144. *Text from Procès-Verbal* (*Convention nationale*), *IX*, 178.]

EXPULSION DES 22 GIRONDINS

Séance du 15 avril, 1793. Adresse de la Commune de Paris à la Convention

LÉGISLATEURS, les rois n'aiment pas la vérité, leur règne passera; le peuple la veut partout et toujours: ses droits ne passeront point.

Nous venons demander vengeance des outrages sanglans faits depuis si long-temps à ses droits sacrés.

Les Parisiens ont commencé les premiers la révolution, en renversant la Bastille, parce qu'elle dominait de plus près sur leurs têtes; c'est ainsi qu'ils viennent aujourd'hui attaquer la nouvelle tyrannie, parce qu'ils en sont les premiers témoins. Ils doivent jeter les premiers dans le sein de la France le cri de l'indignation.

Ils ne viennent point faire acte exclusif de souveraineté, comme on les en accuse tous les jours; ils viennent émettre un vœu auquel la majorité de leurs frères des départemens donnera force de loi: leur position seule leur donne l'initiative de la vengeance.

Nous reconnaissons ici solennellement que la majorité de la Convention est pure, car elle a frappé le tyran. Ce n'est point la dissolution effrayante de la Convention, ce n'est point la suspension de la machine politique que nous demandons; loin de nous cette idée vraiment anarchique, imaginée par les traîtres qui, pour se consoler du rappel qui les chassera de cette enceinte, voudraient au moins jouir de la confusion et du trouble de la France; nous venons, armés de la portion d'opinion publique de la majorité des sections, provoquer le cri de vengeance que va répéter la France entière.

Nous allons lui indiquer les attentats et les noms de ces erfides mandataires.

Les crimes de ces hommes sont connus de tout le monde; mais nous allons les spécifier; nous allons, en présence de la nation, fonder l'acte d'accusation, qui retentira dans tous les départemens.

Ces hommes, dans les temps où ils feignaient de combattre la tyrannie, ne combattaient que pour eux; ils nommaient, par l'organe de Capet, leur chef et leur complice, des ministres souples et dociles à leurs volontés mercantiles.

Ils trafiquaient avec le tyran par Boze et Thierri; ils voulaient lui vendre, à prix d'argent et de places lucratives, la liberté et les droits les plus chers du peuple.

Brissot, quelques jours avant le 10 août, voulait prouver que la déchéance serait un sacrilége, et Vergniaud osait annoncer au corps législatif que, malgré le vœu connu du peuple, il ne proposerait jamais aucune mesure qui pût amener cette déchéance.

Guadet protégeait les trahisons de Narbonne; la mémorable journée du 10 août a arraché de leurs mains les pouvoirs qu'ils s'étaient appropriés. Ils ont voulu perpétuer leur dictature ministérielle; tous ceux qui ont obéi servilement et trahi la cause du peuple, ils les ont encensés; ils ont voulu anéantir les hommes courageux qui ne savaient pas plier devant leurs basses intrigues et leur insolente avidité. Ils ont présenté à l'Europe comme une idole ce Roland, cet empoisonneur de l'opinion publique; ils ont tout fait pour précipiter ceux dont le courage et la vertu gênaient leur ambition.

On sait qu'ils ont voulu couvrir d'intentions du bien public leurs complots les plus sinistres; mais, en dépit de leurs intrigues, les événemens ont réalisé l'opinion publique sur la vérité de leurs motifs; ils se sont tous attachés à calomnier le peuple de Paris dans les départemens; ils ont montré Paris comme usurpateur, pour qu'on oubliât leurs usurpations particulières; ils ont voulu la guerre civile pour fédéraliser la République; ils ont, à l'aide de Roland, présenté les Parisiens à l'Europe comme des hommes de sang.

Après avoir, par ce moyen perfide, aliéné le parti libre et populaire de l'Angleterre, ils ont sollicité la guerre offensive; ils ont, sous le faux amour des lois, prêché le meurtre et l'assassinat. Au moment même où Pelletier venait d'expirer, où Léonard Bourdon était percé de coups, Salles écrivait dans le département de la Meurthe d'arrêter ses collègues les députés commissaires, comme des désorganisateurs et

des factieux. Gorsas, ce calomniateur éhonté, qui ne rou-
gissait pas, il y a quatre jours, d'excuser publiquement
Dumourier, au mépris d'un décret qui défend de prendre le
parti de ce scélérat, sous peine de mort, ce Gorsas, trouvé
clandestinement à la tour du Temple quinze jours avant la
mort du tyran, était le thermomètre du traître Dumourier et
de son perfide état-major, qui, ses feuilles à la main, faisaient
circuler le poison dans l'armée, au lieu de laisser apercevoir
aux soldats le véridique bulletin de la Convention.

Que faisaient les Ramond, les Dumas? ils encensèrent La
Fayette. Qu'ont fait tous les hommes que nous avons
désignés? ils ont encensé Dumourier. Cette preuve n'est pas
la seule de leur complicité avec ce soldat rebelle; leur conduite, leur correspondance, dépose contre eux sans réplique.

Quand Dumourier est venu faire à Paris son voyage
mystérieux, quels sont les hommes qu'il a fréquentés? quels
sont les hommes qui, pour arracher le tyran au supplice, ont
fait perdre à la Convention trois mois d'un temps précieux
et nécessaire à la confection des lois qui manquent à la
révolution et la laissent en arrière? quels sont les hommes
qui, sous le prétexte perfide de punir les provocateurs au
meurtre, voulaient anéantir la liberté de la presse? quels sont
les hommes à qui leur conscience coupable faisait appré-
hender le tribunal révolutionnaire, en même temps que
Dumourier répétait leurs blasphèmes?

Quand Brissot et ses adhérens, sous le vain nom de
l'amour des lois, criaient à l'anarchie, Dumourier répétait le
même cri; quand ils voulaient déshonorer Paris, Dumourier
en faisait autant; quand leurs efforts impuissans voulaient
fermer les sociétés populaires, ces foyers de l'esprit public,
Dumourier chassait des clubs les hommes libres, com-
primait de tous ses moyens l'essor de l'opinion et de la
vérité; quand, d'après les indications perfides et si souvent
répétées du ministre Roland, ils demandaient une force
départementale et prétorienne pour les garder, Dumourier
voulait aussi venir sur Paris protéger ce qu'ils appelaient et
appellent encore entre eux la *partie saine de la Convention*, et
que nous nommons ses plus grands ennemis.

Leurs vœux et les actions de ce traître se sont toujours

rencontrés. Cette identité frappante n'est-elle point complicité? Ah! ne viens pas dire, Pétion, que le peuple change! Ce sont les fonctionnaires qui changent; le peuple est toujours le même; son opinion a toujours suivi la conduite de ses mandataires; il a poursuivi les traîtres sur le trône, pourquoi les laisserait-il impunis dans la Convention? Le temple de la liberté serait-il donc comme *ces asiles d'Italie*, où les scélérats trouvaient l'impunité en y mettant le pied? Non, sans doute, les droits du peuple sont imprescriptibles; les outrages que vous leur avez portés n'ont servi qu'à les graver plus profondément dans son cœur. La République aurait-elle donc pu renoncer au droit de purifier sa representation? Non, sans doute, la révocabilité est son essence, elle est la sauvegarde du peuple; il n'a point anéanti la tyrannie héréditaire pour laisser aux traîtres le pouvoir de perpétuer impunément les trahisons; déjà le décret de cette révocabilité, droit éternel de tout commettant, se prononce dans tous les départemens de la République; déjà l'opinion unanime s'élance pour vous déclarer la volonté d'un peuple outragé, entendez-la.

Nous demandons que cette adresse, qui est l'exposition formelle des sentimens unanimes, réfléchis et constans de la majorité des sections de Paris, soit communiquée à tous les départemens par des courriers extraordinaires, et qu'il y soit annexé la liste ci-jointe de la plupart des mandataires coupables du crime de félonie envers le peuple souverain, afin qu'aussitôt que la majorité des départemens aura manifesté son adhésion, ils se retirent de cette enceinte.

L'assemblée générale des sections de Paris, après avoir mûrement discuté la conduite publique des députés de la Convention, a arrêté que ceux énoncés en la liste ci-dessus avaient, selon son opinion la plus réfléchie, ouvertement violé la loi de leurs commettans.

Brissot, Guadet, Vergniaud, Gensonné, Grangeneuve, Buzot, Barbaroux, Salles, Biroteau, Pontécoulant, Pétion, Lanjuinais, Valazé, Hardy, Lehardy, Jean-Baptiste Louvet, Gorsas, Fauchet, Lanthenas, Lasource, Valady, Chambon.

Signé, Phulpin, *président des commissaires de la majorité des sections*; Boncourt, *secrétaire*.

Collationné conforme à l'original, déposé au secrétariat de la commune de Paris, ce 15 avril 1793, l'an 2ᵉ de la république française. *Signé,* Coulombeau, *secrétaire-greffier.*

[*Lavisse, II,* 89. *Text from Procès-Verbal (Convention nationale), IX,* 273.]

47

SUBSISTANCES

Séance du 3 mai, 1793

LA Convention nationale, après avoir entendu le rapport de ses comités d'agriculture et de commerce réunis, décrète ce qui suit:

ART. 1ᵉʳ. Immédiatement après la publication du présent décret, tout marchand, cultivateur ou propriétaire quel-conque de grains et farines, sera tenu de faire à la muni-cipalité du lieu de son domicile la déclaration de la quantité et de la nature de grains ou farines qu'il possède, et, par approximation, de ce qui lui reste de grains à battre: les directoires de district nommeront des commissaires pour surveiller l'exécution de cette mesure dans les diverses municipalités.

2. Dans les huit jours qui suivront cette déclaration, des officiérs municipaux, ou des citoyens par eux délégués à cet effet, vérifieront les déclarations faites, et en dresseront le résultat.

3. Les municipalités enverront sans délai au directoire de leur district un tableau des grains et farines déclarés et vérifiés; les directoires de districts en feront passer sans retard le résultat au directoire de leur département, qui en dressera un tableau général, et le transmettra au ministre de l'intérieur et à la Convention nationale.

4. Les officiers municipaux sont autorisés, d'après une délibération du conseil général de la Commune, à faire des visites domiciliaires chez les citoyens possesseurs de grains ou farines qui n'auraient pas fait la déclaration prescrite par

l'article 1, ou qui seraient soupçonnés d'en avoir fait une frauduleuse.

5. Ceux qui n'auront pas fait la déclaration prescrite par l'article 1, ou qui l'auraient faite frauduleuse, seront punis par la confiscation des grains ou farines non déclarés, au profit des pauvres de la commune.

6. Il ne pourra être vendu des grains ou farines que dans les marchés publics ou ports où l'on a coutume d'en vendre, à peine d'une amende qui ne pourra être moindre de 300 liv., et plus forte de 1,000 livres, tant contre le vendeur que contre l'acheteur solidairement.

7. Pourront néanmoins les citoyens s'approvisionner chez les cultivateurs, marchands ou propriétaires de grains de leurs cantons, en rapportant un certificat de la municipalité du lieu de leur domicile, constatant qu'ils ne font point de commerce de grains, et que la quantité qu'ils se proposent d'acheter, et qui sera déterminée par le certificat, leur est nécessaire pour leur consommation d'un mois seulement, sans qu'ils puissent excéder cette quantité. Les municipalités seront tenues d'avoir des registres de ces certificats, sous le numéro corespondant à celui porté sur chacun d'eux.

8. Les directoires de département sont autorisés, d'après l'avis des directoires de district, à établir des marchés dans tous les lieux où ils seront jugés nécessaires, sans qu'ils puissent supprimer aucun de ceux actuellement existans.

9. Les corps administratifs et municipaux sont également autorisés, chacun dans son arrondissement, à requérir tout marchand, cultivateur ou propriétaire de grains ou farines, d'en apporter aux marchés la quantité nécessaire pour les tenir suffisamment approvisionnés.

10. Ils pourront aussi requérir des ouvriers pour faire battre les grains en gerbes, en cas de refus de la part des fermiers ou propriétaires.

11. Les directoires de département feront parvenir leurs réquisitions aux directoires de district, et ceux-ci aux municipalités, qui seront tenues d'y déférer sans délai.

12. Nul ne pourra se refuser d'exécuter les réquisitions qui lui seront adressées, à moins qu'il ne justifie qu'il ne possède pas des grains ou farines au-delà de sa consomma-

tion, jusqu'à la récolte prochaine, et ce à peine de confiscation des grains ou farines excédant ses besoins ou ceux de ses colons, métayers, journaliers et moissonneurs.

13. Le conseil exécutif provisoire est autorisé, sous la surveillance du comité de salut public, à prendre toutes les mesures qui seront jugées nécessaires pour assurer l'approvisionnement de la République.

14. Le ministre de l'intérieur est également autorisé à adresser aux départemens dans lesquels il existera un excédant de subsistances les réquisitions nécessaires pour approvisionner ceux qui se trouveraient n'en avoir pas une quantité suffisante.

15. Tout citoyen qui voudra faire le commerce de grains ou farines, sera tenu d'en faire la déclaration à la municipalité du lieu de son domicile: il lui en sera délivré extrait en forme qu'il sera tenu d'exhiber dans tous les lieux où il ira faire ses achais, et il sera constaté en marge, par les officiers préposés dans ces lieux à la police des marchés, la quantité de grains ou farines qu'il y aura achetée.

16. Tous marchands en gros ou tenant magasin de grains ou farines seront tenus d'avoir des registres en règle où ils inscriront leurs achats et leurs ventes, avec indication des personnes auxquelles ils auront acheté ou vendu.

17. Ils seront tenus en outre de prendre des acquits-à-caution dans le lieu de leurs achats, lesquels seront signés du maire et du procureur de la commune du lieu, ou, en leur absence, par deux officiers municipaux; de les faire décharger avec les mêmes formalités dans le lieu de la vente, et de les représenter ensuite à la municipalité du lieu de l'achat, le tout à peine de confiscation de leurs marchandises, et d'une amende qui ne pourra être moindre de 300 livres, ni excéder 1,000 livres.

18. Ces acquits-à-caution seront délivrés gratuitement sur papier non timbré, et portés sur des registres tenus par les municipalités.

19. Tout agent du gouvernement pour les approvisionnemens de l'armée et de la marine, tout commissionnaire de grains, soit des corps administratifs, soit des municipalités, seront assujettis aux mêmes formalités, et, en outre,

à faire porter sur leurs acquits-à-caution le prix de leurs achats.

20. Il est expressément défendu aux dénommés dans l'article précédent de faire aucun commerce de grains ou farines pour leur propre compte, à peine de confiscation et d'une amende qui ne pourra être moindre de la valeur des grains ou farines confisqués, ni excéder 10,000 livres.

21. Il est également défendu à tous fonctionnaires publics de s'intéresser directement ni indirectement dans les marchés du gouvernement, à peine de mort.

22. Les blatiers ou marchands de grains en détail seront dispensés de la tenue des registres ordonnée par l'article 16, et seront seulement astreints à prendre des acquits à caution, conformément à l'article XVII de la présente loi.

23. Les lois relatives à la libre circulation des grains et farines continueront à être observées, et il ne pourra y être porté aucun trouble ni empêchement, en s'assujettissant toutefois aux formalités prescrites par la présente loi.

24. Les municipalités veilleront avec soin à entretenir le bon ordre et la tranquillité dans les marchés publics.

25. Pour parvenir à fixer le *maximum* du prix des grains dans chaque département, les directoires de district seront tenus d'adresser à celui de leur département le tableau des mercuriales des marchés de leur arrondissement, depuis le 1er janvier dernier jusqu'au 1er mai, présent mois.

Le prix moyen résultant de ces tableaux auquel chaque espèce de grains aura été vendue entre les deux époques ci-dessus déterminées sera le *maximum* au-dessus duquel le prix de ces grains ne pourra s'élever.

Les directoires de département le déclareront dans un arrêté qui sera, ainsi que les tableaux qui y auront servi de base, imprimé et envoyé à toutes les municipalités de leur ressort, publié et affiché, et adressé au ministre de l'intérieur.

26. Le *maximum* ainsi fixé décroîtra dans les proportions suivantes: au 1er juin il sera réduit d'un dixième, plus d'un vingtième sur le prix restant au 1er juillet; d'un trentième au 1er août, et enfin d'un quarantième au 1er septembre.

27. Tout citoyen qui sera convaincu d'avoir vendu ou acheté des grains ou farines au-delà du *maximum* fixé sera

puni par la confiscation desdits grains ou farines, s'il en est encore en possession ; et par une amende qui ne pourra être moindre de 300 livres, ni excéder 1,000 livres solidairement entre le vendeur et l'acheteur.

28. Ceux qui seront convaincus d'avoir méchamment et à dessein gâté, perdu ou enfoui des grains ou farines, seront punis de mort.

29. Il sera accordé sur les biens de ceux qui seront convaincus de ce crime une récompense de 1,000 livres à celu qui les aura dénoncés.

30. Les municipalités commis des douanes, et autres préposés, veilleront avec exactitude, et sous leur responsabilité, à l'exécution des lois contre l'exportation des grains ou farines à l'étranger.

31. Le présent décret sera envoyé par des courriers extraordinaires dans tous les départemens.

[*C.M.H.*, 271; *Lavisse II*, 91. *Text from Procès-Verbal* (*Convention nationale*), *XI*, 41.]

48

CONSTITUTION DE 1793

Mise en discussion le 11 *juin; achevée le* 24 *du même mois*

Déclaration des Droits de l'Homme et du Citoyen

LE peuple Français, convaincu que l'oubli, le mépris des droits naturels de l'homme, sont les seules causes des malheurs du monde, a résolu d'exposer dans une déclaration solennelle ces droits sacrés et inaliénables, afin que tous les citoyens, pouvant comparer sans cesse les actes du gouvernement avec le but de toute institution sociale, ne se laissent jamais opprimer et avilir par la tyrannie; afin que le peuple ait toujours devant les yeux les bases de sa liberté et de son bonheur; le magistrat, la règle de ses devoirs; le législateur, l'objet de sa mission.

En conséquence, il proclame, en présence de l'Etre

Suprême, la déclaration suivante des droits de l'homme et du citoyen.

Art. 1er. Le but de la societé est le bonheur commun.

Le gouvernement est institué pour garantir à l'homme la jouissance de ses droits naturels et imprescriptibles.

2. Ces droits sont l'égalité, la liberté, la sûreté, la propriété.

3. Tous les hommes sont égaux par la nature et devant la loi.

4. La loi est l'expression libre et solennelle de la volonté générale; elle est la mème pour tous, soit qu'elle protége, soit qu'elle punisse: elle ne peut ordonner que ce qui est juste et utile à la société: elle ne peut défendre que ce qui lui est nuisible.

5. Tous les citoyens sont également admissibles aux emplois publics. Les peuples libres ne connaissent d'autres motifs de préférence dans leurs élections, que les vertus et les talens.

6. La liberté est le pouvoir qui appartient à l'homme de faire tout ce qui ne nuit pas aux droits d'autrui: elle a pour principe la nature; pour règle la justice; pour sauvegarde, la loi: sa limite morale est dans cette maxime:

Ne fais pas à un autre ce que tu ne veux pas qu'il te soit fait.

7. Le droit de manifester sa pensée et ses opinions, soit par la voie de la presse, soit de toute autre manière, le droit de s'assembler paisiblement, le libre exercice des cultes ne peuvent être interdits.

La nécessité d'énoncer ces droits suppose ou la présence ou le souvenir récent du despotisme.

8. La sûreté consiste dans la protection accordée par la société à chacun de ses membres pour la conservation de sa personne, de ses droits et de ses propriétés.

9. La loi doit protéger la liberté publique et individuelle contre l'oppression de ceux qui gouvernent.

10. Nul ne doit être accusé, arrêté ni détenu que dans les cas déterminés par la loi et selon les formes qu'elle a prescrites; tout citoyen appelé ou saisi par l'autorité de la loi doit obéir à l'instant; il se rend coupable par la résistance.

11. Tout acte exercé contre un homme hors des cas et

sans les formes que la loi détermine est arbitraire et tyrannique; celui contre lequel on voudrait l'exécuter par la violence a le droit de le repousser par la force.

12. Ceux qui solliciteraient, expédieraient, signeraient, exécuteraient ou feraient exécuter des actes arbitraires sont coupables et doivent être punis.

13. Tout homme étant présumé innocent jusqu'à ce qu'il ait été déclaré coupable, s'il est jugé indispensable de l'arrêter, toute rigueur qui ne serait pas nécessaire pour s'assurer de sa personne doit être sévèrement réprimée par la loi.

14. Nul ne doit être jugé et puni qu'après avoir être entendu ou légalement appelé et qu'en vertu d'une loi promulguée antérieurement au délit; la loi qui punirait des délits commis avant qu'elle existât serait une tyrannie; l'effet rétroactif donné à la loi serait un crime.

15. La loi ne doit décerner que des peines strictement et évidemment nécessaires; les peines doivent être proportionnées au délit et utiles à la société.

16. Le droit de propriété est celui qui appartient à tout citoyen de jouir et de disposer à son gré de ses biens, de ses revenus, du fruit de son travail et de son industrie.

17. Nul genre de travail, de culture, de commerce, ne peut être interdit à l'industrie des citoyens.

18. Tout homme peut engager ses services, son temps, mais il ne peut se vendre ni être vendu. Sa personne n'est pas une propriété aliénable. La loi ne reconnaît point de domesticité; il ne peut exister qu'un engagement de soins et de reconnaissance entre l'homme qui travaille et celui qui l'emploie.

19. Nul ne peut être privé de la moindre portion de sa propriété sans son consentement, si ce n'est lorsque la nécessité publique légalement constatée l'exige, et sous la condition d'une juste et préalable indemnité.

20. Nulle contribution ne peut être établie que pour l'utilité générale. Tous les citoyens ont droit de concourir à l'établissement des contributions, d'en surveiller l'emploi et de s'en faire rendre compte.

21. Les secours publics sont une dette sacrée. La société

doit la subsistance aux citoyens malheureux, soit en leur procurant du travail, soit en assurant les moyens d'exister à ceux qui sont hors d'état de travailler.

22. L'instruction est le besoin de tous. La société doit favoriser de tout son pouvoir les progrès de la raison publique, et mettre l'instruction à la portée de tous les citoyens.

23. La garantie sociale consiste dans l'action de tous pour assurer à chacun la jouissance et la conservation de ses droits; cette garantie repose sur la souveraineté nationale.

24. Elle ne peut exister si les limites des fonctions publiques ne sont pas clairement déterminées par la loi, et si la responsabilité de tous les fonctionnaires n'est pas assurée.

25. La souveraineté réside dans le peuple. Elle est une et indivisible, imprescriptible et inaliénable.

26. Aucune portion du peuple ne peut exercer la puissance du peuple entier; mais chaque section du souverain assemblée doit jouir du droit d'exprimer sa volonté avec une entière liberté.

27. Que tout individu qui usurperait la souveraineté soit à l'instant mis à mort par les hommes libres.

28. Un peuple a toujours le droit de revoir, de réformer et de changer sa constitution. Une génération ne peut assujettir à ses lois les générations futures.

29. Chaque citoyen a un droit égal de concourir à la formation de la loi et à la nomination de ses mandataires ou de ses agens.

30. Les fonctions publiques sont essentiellement temporaires; elles ne peuvent être considérées comme des distinctions ni comme des récompenses, mais comme des devoirs.

31. Les délits des mandataires du peuple et de ses agens ne doivent jamais être impunis. Nul n'a le droit de se prétendre plus inviolable que les autres citoyens.

32. Le droit de présenter des pétitions aux dépositaires de l'autorité publique ne peut en aucun cas être interdit, suspendu ni limité.

33. La résistance à l'oppression est la conséquence des autres droits de l'homme.

34. Il y a oppression contre le corps social, lorsqu'un seul de ses membres est opprimé. Il y a oppression contre chaque membre, lorsque le corps social est opprimé.

35. Quand le gouvernement viole les droits du peuple, l'insurrection est pour le peuple et pour chaque portion du peuple le plus sacré des droits et le plus indispensable des devoirs.

ACTE CONSTITUTIONNEL

De la République

Art. 1er. La République française est une et indivisible.

De la distribution du peuple

2. Le peuple français est distribué, pour l'exercice de sa souveraineté, en assemblées primaires de cantons.

3. Il est distribué, pour l'administration et pour la justice, en départemens, districts, municipalités.

De l'état des citoyens

4. Tout homme né et domicilié en France, âgé de vingt-un ans accomplis;

Tout étranger âgé de vingt-un ans accomplis, qui, domicilié en France depuis une année,

Y vit de son travail;

Ou acquiert une propriété;

Ou épouse une Française;

Ou adopte un enfant;

Ou nourrit un vieillard;

Tout étranger, enfin, qui sera jugé par le corps législatif avoir bien mérité de l'humanité,

Est admis à l'exercice des droits de citoyen français.

5. L'exercice des droits de citoyens se perd,

Par la naturalisation en pays étranger,

Par l'acceptation de fonctions ou faveurs émanées d'un gouvernement non populaire;

Par la condamnation à des peines infamantes ou afflictives, jusqu'à réhabilitation.

6. L'exercice des droits de citoyen est suspendu,

Par l'état d'accusation :

Par un jugement de contumace, tant que le jugement n'est pas anéanti.

De la souveraineté du peuple

7. Le peuple souverain est l'universalité des citoyens français.

8. Il nomme immédiatement ses députés.

9. Il délègue à des électeurs le choix des administrateurs, des arbitres publics, des juges criminels et de cassation.

10. Il délibère sur les lois.

Des assemblées primaires

11. Les assemblées primaires se composent des citoyens domiciliés depuis six mois dans chaque canton.

12. Elles sont composées de 200 citoyens au moins, de 600 au plus, appelés à voter.

13. Elles sont constituées par la nomination d'un président, de secrétaires, de scrutateurs.

14. Leur police leur appartient.

15. Nul n'y peut paraître en armes.

16. Les élections se font au scrutin ou à haute voix, au choix de chaque votant.

17. Une assemblée primaire ne peut, en aucun cas, prescrire un mode uniforme de voter.

18. Les scrutateurs constatent le vote des citoyens qui, ne sachant point écrire, préfèrent de voter au scrutin.

19. Les suffrages sur les lois sont donnés par *oui* et par *non*.

20. Le vœu de l'assemblée primaire est proclamé ainsi : *Les citoyens réunis en assemblée primaire de . . . au nombre de . . . votans, votent pour ou votent contre, à la majorité de. . . .*

De la représentation nationale

21. La population est la seule base de la représentation nationale.

22. Il y a un député en raison de 40 mille individus.

23. Chaque réunion d'assemblées primaires, résultant d'une population de 39,000 à 41,000 ames, nomme immédiatement un député.

24. La nomination se fait à la majorité absolue des suffrages.

25. Chaque assemblée fait le dépouillement des suffrages, et envoie un commissaire pour le recensement général, au lieu désigné comme le plus central.

26. Si le premier recensement ne donne point de majorité absolue, il est procédé à un second appel, et on vote entre les deux citoyens qui ont réuni le plus de voix.

27. En cas d'égalité de voix, le plus âgé a la préférence, soit pour être ballotté, soit pour être élu. En cas d'égalité d'âge, le sort décide.

28. Tout Français exerçant les droits de citoyen est éligible dans l'étendue de la République.

29. Chaque député appartient à la nation entière.

30. En cas de non acceptation, démission, déchéance, ou mort d'un député il est pourvu à son remplacement par les assemblées primaires qui l'ont nommé.

31. Un député qui a donné sa démission ne peut quitter son poste qu'après l'admission de son successeur.

32. Le peuple français s'assemble tous les ans, le 1er mai, pour les élections.

33. Il y procède, quel que soit le nombre des citoyens ayant droit d'y voter.

34. Les assemblées primaires se forment extraordinairement, sur la demande du cinquième des citoyens qui ont droit d'y voter.

35. La convocation se fait, en ce cas, par la municipalité du lieu ordinaire du rassemblement.

36. Ces assemblées extraordinaires ne délibèrent qu'autant que la moitié plus un des citoyens qui ont droit d'y voter sont présens.

Des assemblées électorales

37. Les citoyens réunis en assemblées primaires nomment un électeur à raison de 200 citoyens, présens ou non; deux depuis 201 jusqu'à 400; trois depuis 401 jusqu'à 600.

38. La tenue des assemblées électorales et le mode des élections sont les mêmes que dans les assemblées primaires.

Du corps législatif

39. Le corps législatif est un, indivisible et permanent.

40. Sa session est d'un an.

41. Il se réunit le 1er juillet.

42. L'Assemblée nationale ne peut se constituer si elle n'est composée au moins de la moitié des députés, plus un.

43. Les députés ne peuvent être recherchés, accusés ni jugés en aucun temps, pour les opinions qu'ils ont énoncées dans le sein du corps législatif.

44. Ils peuvent, pour fait criminel, être saisis en flagrant délit; mais le mandat d'arrêt ni le mandat d'amener ne peuvent être décernés contre eux qu'avec l'autorisation du corps législatif.

Tenue des séances du corps législatif

45. Les séances de l'assemblée nationale sont publiques.

46. Les procès-verbaux de ses séances sont imprimés.

47. Elle ne peut délibérer si elle n'est composée de 200 membres, au moins.

48. Elle ne peut refuser la parole à ses membres, dans l'ordre où ils l'ont réclamée.

49. Elle délibère à la majorité des présens.

50. Cinquante membres ont le droit d'exiger l'appel nominal.

51. Elle a le droit de censure sur la conduite de ses membres dans son sein.

52. La police lui appartient dans le lieu de ses séances, et dans l'enceinte extérieure qu'elle a déterminée.

Des fonctions du corps législatif

53. Le corps législatif propose des lois, et rend des décrets.

54. Sont compris sous le nom général de *lois*, les actes du corps législatif concernant:

La législation civile et criminelle.

L'administration générale des revenus et des dépenses ordinaires de la République;

Les domaines nationaux;

Le titre, le poids, l'empreinte et la dénomination des monnaies;

Le nature, le montant et la perception des contributions;

La déclaration de guerre;

Toute nouvelle distribution générale du territoire français;

L'instruction publique;

Les honneurs publics à la mémoire des grands hommes.

55. Sont désignés sous le nom particulier de *décrets*, les actes du corps législatif concernant:

L'établissement annuel des forces de terre et de mer;

La permission ou la défense du passage des troupes étrangères sur le territoire français.

L'introduction des forces navales étrangères dans les ports de la République;

Les mesures de sûreté et de tranquillité générale;

La distribution annuelle et momentanée des secours et travaux publics;

Les ordres pour la fabrication des monnaies de toute espèce;

Les dépenses imprévues et extraordinaires;

Les mesures locales et particulières à une administration, à une commune, à un genre de travaux publics;

La défense du territoire;

La ratification des traités;

La nomination et la destitution des commandans en chef des armées;

La poursuite de la responsabilité des membres du conseil, des fonctionnaires publics;

L'accusation des prévenus de complots contre la sûreté générale de la République;

Tout changement dans la distribution partielle du territoire français;

Les récompenses nationales.

De la formation de la loi

56. Les projets de loi sont précédés d'un rapport.

57. La discussion ne peut s'ouvrir, et la loi ne peut être provisoirement arrêtée que quinze jours après le rapport.

58. Le projet est imprimé et envoyé à toutes les communes de la République, sous ce titre: *Loi proposée.*

59. Quarante jours après l'envoi de la loi proposée, si dans la moitié des départemens, plus un, le dixième des assemblées primaires de chacun d'eux, régulièrement formées, n'a pas réclamé, le projet est accepté et devient *loi.*

60. S'il y a réclamation, le corps législatif convoque les assemblées primaires.

De l'intitulé des lois et des décrets

61. Les lois, les décrets, les jugemens et tous les actes publics sont intitulés: *Au nom du peuple français, l'an . . . de la République française.*

Du conseil exécutif

62. Il y a un conseil exécutif composé de vingt-quatre membres.

63. L'assemblée électorale de chaque département nomme un candidat. Le corps législatif choisit sur la liste générale les membres du conseil.

64. Il est renouvelé par moitié à chaque législature, dans les derniers mois de la session.

65. Le conseil est chargé de la direction et de la surveillance de l'administration générale. Il ne peut agir qu'en exécution des lois et des décrets du corps législatif.

66. Il nomme, hors de son sein, les agens en chef de l'administration générale de la République.

67. Le corps législatif détermine le nombre et les fonctions de ces agens.

68. Ces agens ne forment point un conseil. Ils sont séparés, sans rapports immédiats entre eux; ils n'exercent aucune autorité personnelle.

69. Le conseil nomme, hors de son sein, les agens extérieurs de la République.

70. Il négocie les traités.

71. Les membres du conseil, en cas de prévarication, sont accusés par le corps législatif.

72. Le conseil est responsable de l'inexécution des lois et des décrets, et des abus qu'il ne dénonce pas.

73. Il révoque et remplace les agens à sa nomination.

74. Il est tenu de les dénoncer, s'il y a lieu, devant les autorités judiciaires.

Des relations du conseil exécutif avec le corps législatif

75. Le conseil exécutif réside auprès du corps législatif. Il a l'entrée et une place séparée dans le lieu de ses séances.

76. Il est entendu toutes les fois qu'il a un compte à rendre.

77. Le corps législatif l'appelle dans son sein, en tout ou en partie, lorsqu'il le juge convenable.

Des corps administratifs et municipaux

78. Il y a dans chaque commune de la République une administration municipale;

Dans chaque district une administration intermédiaire.

Dans chaque département, une administration centrale.

79. Les officiers municipaux sont élus par les assemblées de Commune.

80. Les administrateurs sont nommés par les assemblées électorales de département et de district.

81. Les municipalités et les administrations sont renouvelées tous les ans par moitié.

82. Les administrateurs et officiers municipaux n'ont aucun caractère de représentation.

Ils ne peuvent, en aucun cas, modifier les actes du corps législatif, ni en suspendre l'exécution.

83. Le corps législatif détermine les fonctions des officiers municipaux et des administrateurs, les règles de leur subordination, et les peines qu'ils pourront encourir.

84. Les séances des municipalités et des administrations sont publiques.

De la justice civile

85. Le code des lois civiles et criminelles est uniforme pour toute la République.

86. Il ne peut être porté aucune atteinte au droit qu'ont les citoyens de faire prononcer sur leurs différents par des arbitres de leur choix.

87. La décision de ces arbitres est définitive, si les citoyens ne se sont pas réservé le droit de réclamer.

88. Il y a des juges de paix élus par les citoyens des arrondissemens déterminés par la loi.

89. Ils concilient et jugent sans frais.

90. Leur nombre et leur compétence sont réglés par le corps législatif.

91. Il y a des arbitres publics élus par les assemblées électorales.

92. Leur nombre et leurs arrondissemens sont fixés par le corps législatif.

93. Ils connaissent des contestations qui n'ont pas été terminées définitivement par les arbitres privés ou par les juges de paix.

94. Ils délibèrent en public.

Ils opinent à haute voix.

Ils statuent en dernier ressort, sur défenses verbales, ou sur simple mémoire, sans procédures et sans frais.

Ils motivent leurs décisions.

95. Les juges de paix et les arbitres publics sont élus tous les ans.

De la justice criminelle

96. En matière criminelle, nul citoyen ne peut être jugé que sur une accusation reçue par les jurés ou décrétée par le corps législatif.

Les accusés ont des conseils choisis par eux, ou nommés d'office.

L'instruction est publique.

Le fait et l'intention sont déclarés par un juré de jugement.

La peine est appliquée par un tribunal criminel.

97. Les juges criminels sont élus tous les ans par les assemblées électorales.

Du tribunal de cassation

98. Il y a pour toute la République un tribunal de cassation.

99. Ce tribunal ne connaît point du fond des affaires.

Il prononce sur la violation des formes, et sur les contraventions expresses à la loi.

100. Les membres de ce tribunal sont nommés tous les ans par les assemblées électorales.

Des contributions publiques

101. Nul citoyen n'est dispensé de l'honorable obligation de contribuer aux charges publiques.

De la trésorerie nationale

102. La trésorerie nationale est le point central des recettes et dépenses de la République.

103. Elle est administrée par des agens comptables nommés par le conseil exécutif.

104. Ces agens sont surveillés par des commissaires nommés par le corps législatif, pris hors de son sein, et responsables des abus qu'ils ne dénoncent pas.

De la comptabilité

105. Les comptes des agens de la trésorerie nationale et des administrateurs des deniers publics sont rendus annuellement à des commissaires responsables nommés par le conseil exécutif.

106. Ces vérificateurs sont surveillés par des commissaires à la nomination du corps législatif, pris hors de son sein et responsables des abus et des erreurs qu'ils ne dénoncent pas.

Le corps législatif arrête les comptes.

Des forces de la République

107. La force générale de la République est composée du peuple entier.

108. La République entretient à sa solde, même en temps depaix, une force armée de terre et de mer.

109. Tous les Français sont soldats; ils sont tous exercés au maniement des armes.

110. Il n'y a point de généralissime.

111. La différence des grades, leurs marques distinctives

et la subordination ne subsistent que relativement au service et pendant sa durée.

112. La force publique employée pour maintenir l'ordre et la paix dans l'intérieur n'agit que sur la réquisition par écrit des autorités constituées.

113. La force publique employée contre les ennemis du dehors agit sous les ordres du conseil exécutif.

114. Nul corps armé ne peut délibérer.

Des Conventions nationales

115. Si dans la moitié des départemens plus un, le dixième des assemblées primaires de chacun d'eux, régulièrement formées, demandent la révision de l'acte constitutionnel, ou le changement de quelques-uns de ses articles, le corps législatif est tenu de convoquer toutes les assemblées primaires de la République, pour savoir s'il y a lieu à une Convention nationale.

116. La Convention nationale est formée de la même manière que les législatures, et en réunit les pouvoirs.

117. Elle ne s'occupe, relativement à la Constitution, que des objets qui ont motivé sa convocation.

Des rapports de la république française avec les nations étrangères

118. Le peuple français est l'ami et l'allié naturel des peuples libres.

119. Il ne s'immisce point dans le gouvernement des autres nations. Il ne souffre pas que les autres nations s'immiscent dans le sien.

120. Il donne asile aux étrangers bannis de eur patrie pour la cause de la liberté.

Il le refuse aux tyrans.

121. Il ne fait point la paix avec un ennemi qui occupe son territoire.

De la garantie des droits

122. La Constitution garantit à tous les Français l'égalité, la liberté, la sûreté, la propriété, la dette publique, le libre exercice des cultes, une instruction commune, des secours

publics, la liberté indéfinie de la presse, le droit de pétition, le droit de se réunir en sociétés populaires, la jouissance de tous les droits de l'homme.

123. La république française honore la loyauté, le courage, la vieillesse, la piété filiale, le malheur. Elle remet le dépôt de la Constitution sous la garde de toutes les vertus.

124. La déclaration des droits et l'acte constitutionnel sont gravés sur des tables, au sein du corps législatif, et dans les places publiques.

> *Signé* Collot d'Herbois, *président;* Durand-Maillane, Ducos, Méaulle, Ch. Delacroix, Gossuin, P. A. Laloy, *secrétaires.*

[*Acton*, 269 *f.; Aulard*, 279 *f.* (*II*, 159 *f.*)*; C.M.H.*, 342; *Lavisse*, *II*, 114 *f.; Madelin*, 309 (349)*; Mathiez*, *III*, 10 (338). *Text from Buchez and Roux*, *XXXI*, 400–14.]

49

ACCAPAREMENT

Séance du 26 juillet, 1793

LA Convention nationale, considérant tous les maux que les accapareurs font à la société par des spéculations meurtrières sur les plus pressans besoins de la vie et sur la misère publique, décrète ce qui suit:

ART. Ier. L'accaparement est un crime capital.

II. Sont déclarés coupables d'accaparement ceux qui dérobent à la circulation des marchandises ou denrées de première nécessité, qu'ils altèrent et tiennent enfermées dans un lieu quelconque, sans les mettre en vente journellement et publiquement.

III. Sont également déclarés accapareurs ceux qui font périr ou laissent périr volontairement les denrées et marchandises de première nécessité.

IV. Les marchandises de première nécessité sont, le pain, la viande, le vin, les grains, farines, légumes, fruits, le beurre, le vinaigre, le cidre, l'eau-de-vie, le charbon, le suif, le bois, l'huile, la soude, le savon, le sel, les viandes et poissons secs, fumés, salés ou marinés, le miel, le sucre, le papier, le chanvre, les laines ouvrées et non ouvrées, les cuirs, le fer et l'acier, le cuivre, les draps, la toile, et généralement toutes les étoffes, ainsi que les matières premières qui servent à leur fabrication, les soieries exceptées.

V. Pendant les huit jours qui suivront la proclamation de la présente loi, ceux qui tiennent en dépôt, en quelque lieu que ce soit de la République, quelques-unes des marchandises ou denrées désignées dans l'article précédent, seront tenus d'en faire la déclaration à la municipalité ou section dans laquelle sera situé le dépôt desdites denrées ou marchandises; la municipalité ou section en fera vérifier l'existence, ainsi que la nature et la quantité des objets qui y sont contenus, par un commissaire qu'elle nommera à cet effet; la municipalité ou section étant autorisée à lui attribuer une indemnité relative aux opérations dont il sera chargé, laquelle indemnité sera fixée par une délibération prise dans une assemblée générale de la municipalité ou section.

VI. La vérification étant finie, le propriétaire des denrées ou marchandises déclarera au commissaire, sur l'interpellation qui lui en sera faite et consignée par écrit, s'il veut mettre lesdites denrées ou marchandises en vente, à petits lots et à tout venant, trois jours au plus tard après sa déclaration; s'il y consent, la vente sera effectuée de cette manière sans interruption et sans délai, sous l'inspection d'un commissaire nommé par la municipalité ou section.

VII. Si le propriétaire ne veut pas ou ne peut pas effectuer ladite vente, il sera tenu de remettre à la municipalité ou section copie des factures ou marchés relatifs aux marchandises vérifiées existantes dans le dépôt; la municipalité ou section lui en passera reconnaissance, et chargera de suite un commissaire d'en opérer la vente, suivant le mode ci-dessus indiqué, en fixant les prix de manière que le propriétaire obtienne, s'il est possible, un bénéfice commercial d'après les factures communiquées; cependant si le haut prix des factures rendait ce bénéfice impossible, la vente n'en aurait pas moins lieu sans interruption au prix courant desdites marchandises; elle aurait lieu de la même manière, si le propriétaire ne pouvait livrer aucune facture. Les sommes résultantes du produit de cette vente lui seront remises dès qu'elle sera terminée, les frais qu'elle aura occasionnés étant préalablement retenus sur ledit produit.

VIII. Huit jours après la publication et proclamation de la présente loi, ceux qui n'auront pas fait les déclarations qu'elle prescrit, seront réputés accapareurs, et comme tels, punis de mort; leurs biens seront confisqués, et les denrées ou marchandises qui en feront partie, seront mises en vente, ainsi qu'il est indiqué dans les articles précédens.

IX. Seront punis de mort également ceux qui seront convaincus d'avoir fait de fausses déclarations ou de s'être prêtés à des suppositions de noms, de personnes ou de propriétés, relativement aux entrepôts et marchandises. Les fonctionnaires publics, ainsi que les commissaires nommés pour suivre les ventes, qui seraient convaincus d'avoir abusé de leurs fonctions pour favoriser les accapareurs, seront aussi punis de mort.

X. Les négocians qui tiennent des marchandises en gros, sous corde, en balle ou en tonneau, et les marchands débiteurs en détail connus pour avoir des magasins, boutiques ou entrepôts ouverts journellement aux acheteurs, seront tenus, huit jours après la publication de la présente loi, de mettre à l'extérieur de chacun de ces magasins, entrepôts ou boutiques, une inscription qui annonce la nature et la quantité de marchandises et denrées de première nécessité qui pourraient y être déposées, ainsi que le nom du propriétaire; faute de quoi ils seront réputés accapareurs. Les fabricans seront obligés, sous la même peine, de déclarer la nature et la quantité des matières premières qu'ils ont dans leurs ateliers, et d'en justifier l'emploi.

XI. Les fournisseurs des armées, autres que les négocians et marchands cités dans l'article précédent, produiront à leurs municipalités ou sections des extraits des marchés qu'ils ont passés avec la République; ils indiqueront les achats qu'ils ont faits en conséquence, ainsi que les magasins ou entrepôts qu'ils auraient établis.

S'il était prouvé que lesdits entrepôts ou magasins ne sont pas nécessités par la teneur des marchés, et que les denrées

ou marchandises de première nécessité qui y sont déposées
ne sont pas destinées aux armées, ceux qui auraient établi ces
magasins ou dépôts seraient traités comme accapareurs.

XII. Tout citoyen qui dénoncera des accaparemens ou
des contraventions quelconques à la présente loi, aura le
tiers du produit des marchandises et denrées sujettes à la
confiscation; un autre tiers sera distribué aux citoyens indigens de la municipalité dans l'enceinte de laquelle se
trouveront les objets dénoncés, le dernier tiers appartiendra
à la république.

Celui qui dénoncera des marchandises ou denrées dé-
truites volontairement, recevra une gratification propor-
tionnée à la gravité de la dénonciation.

Le produit de toutes les autres marchandises et denrées
confisquées en vertu de la présente loi, sera partagé par
moitié entre les citoyens indigens de la municipalité qui aura
procédé auxdites confiscations, et la République.

XIII. Les jugemens rendus par les tribunaux criminels en
vertu de la présente loi, ne seront pas sujets à l'appel. Un
décret particulier de la convention nationale ou du corps
législatif annoncera l'époque où cette loi cessera d'être en
vigueur.

XIV. Dès que la présente loi sera parvenue aux autorités
constituées, elles en ordonneront la lecture dans leurs
séances publiques, et la feront afficher et proclamer au son
de la caisse, afin que personne ne puisse en prétexter
l'ignorance.

[*Lavisse, II*, 121; *Mathiez III*, 20 (346). *Text from
Procès-Verbal* (*Convention nationale*), *XVII*, 274.]

50
LEVÉE EN MASSE
Séance du 23 août, 1793

LA Convention nationale, après avoir entendu le rapport
de son comité de salut public, décrète:
Art. Ier. Dès ce moment, jusqu'à celui où les ennemis auront été chassés du territoire de la République, tous

les Français sont en réquisition permanente pour le service des armées.

Les jeunes gens iront au combat; les hommes mariés forgeront des armes et transporteront des subsistances; les femmes feront des tentes, des habits et serviront dans les hôpitaux; les enfans mettront les vieux linges en charpie, les vieillards se feront porter sur les places publiques pour exciter le courage des guerriers, la haine des rois et l'unité de la République.

II. Les maisons nationales seront converties en casernes, les places publiques en ateliers d'armes, le sol des caves sera lessivé pour en extraire le salpêtre.

III. Les armes de calibre seront exclusivement confiées à ceux qui marcheront à l'ennemi; le service de l'intérieur se fera avec les fusils de chasse et l'arme blanche.

IV. Les chevaux de selle seront requis pour compléter les corps de cavalerie; les chevaux de trait, autres que ceux employés à l'agriculture, conduiront l'artillerie et les vivres.

V. Le comité de salut public est chargé de prendre toutes les mesures pour établir, sans délai, une fabrication extra-ordinaire d'armes de tout genre, qui reponde à l'état et à l'énergie du peuple français; il est autorisé en conséquence à former tous les établissemens, manufactures, ateliers et fabriques qui seront jugés nécessaires à l'exécution des travaux, ainsi qu'à requérir pour cet objet, dans toute la République, les artistes et les ouvriers qui peuvent concourir à leurs succès; il sera mis à cet effet une somme de 30 millions à la disposition du ministre de la guerre, à prendre sur les 498,200,000 liv. d'assignats, qui sont en réserve dans la caisse à trois clefs. L'établissement central de cette fabrication extraordinaire sera fait à Paris.

VI. Les représentans du peuple envoyés pour l'exécution de la présente loi, auront la même faculté dans leurs arrondissemens respectifs, en se concertant avec le comité de salut public; ils sont investis des pouvoirs illimités attribués aux représentans du peuple près les armées.

VII. Nul ne pourra se faire remplacer dans le service pour lequel il sera requis; les fonctionnaires publics resteront à leur poste.

VIII. La levée sera générale; les citoyens non mariés ou veufs sans enfans, de dix-huit à vingt-cinq ans, marcheront les premiers; ils se rendront sans délai au chef-lieu de leur district, où ils s'exerceront tous les jours au maniement des armes, en attendant l'ordre du départ.

IX. Les représentans du peuple régleront les appels et les marches de manières à ne faire arriver les citoyens armés au point de rassemblement qu'à mesure que les subsistances, les munitions et tout ce qui compose l'armée matérielle, se trouvera exister en proportion suffisante.

X. Les points de rassemblement seront déterminés par les circonstances, et désignés par les représentans du peuple envoyés pour l'exécution de la présente loi, sur l'avis des généraux, de concert avec le comité de salut public et le conseil exécutif provisoire.

XI. Le bataillon qui sera organisé dans chaque district sera réuni sous une bannière portant cette inscription *Le peuple français debout contre les tyrans.*

XII. Les bataillons seront organisés d'après les lois établies, et leur solde sera la même que celle des bataillons qui sont aux frontières.

XIII. Pour rassembler les subsistances en quantité suffisante, les fermiers et régisseurs des biens nationaux verseront dans les chefs-lieux de leur district respectif en nature de grain, les produits de ces biens.

XIV. Les propriétaires, fermiers et possesseurs de grains, seront requis de payer en nature les contributions arriérées, même les deux tiers de celles de 1793, sur les rôles qui ont servi à effectuer le dernier recouvrement.

XV. La Convention nationale nomme les citoyens . . . pour adjoints aux représentans du peuple qui sont près les armées et dans les départemens, afin d'exécuter de concert le présent décret.

Le comité de salut public fera la répartition de leurs arrondissemens respectifs.

XVI. Les envoyés des assemblées primaires sont invités à se rendre incessamment dans leurs cantons respectifs, pour remplir la mission civique qui leur a été donnée par le décret du 14 août, et recevoir les commissions qui leur seront données par les représentans du peuple.

XVII. Le ministre de la guerre est chargé de prendre toutes les mesures nécessaires pour la prompte exécution du présent décret: il sera mis à sa disposition par la trésorerie nationale une somme de 50 millions, à prendre sur les 498 millions 200,000 liv. d'assignats qui sont dans la caisse à trois clefs.

XVIII. Le présent décret sera porté dans les départemens par des courriers extraordinaires.

[*C.M.H.*, 348; *Lavisse, II,* 141, 155; *Mathiez, III,* 37 (364). *Text from Procès-Verbal (Convention nationale), XIX,* 188.]

51
LOI SUR LES GENS SUSPECTS
Séance du 17 *septembre,* 1793

ART. Ier. Immédiatement après la publication du présent décret, tous les gens suspects qui se trouvent dans le territoire de la République, et qui sont encore en liberté, seront mis en état d'arrestation.

2. Sont réputés gens suspects: 1° ceux qui, soit par leur conduite, soit par leurs relations, soit par leurs propos ou par leurs écrits, se sont montrés partisans de la tyrannie, du fédéralisme, et ennemis de la liberté; 2° ceux qui ne pourront pas justifier, de la manière prescrite par la loi du 21 mars dernier, de leurs moyens d'exister et de l'acquit de leurs devoirs civiques; 3° ceux à qui il a été refusé des certificats de civisme; 4° les fonctionnaires publics suspendus ou destitués de leurs fonctions par la Convention nationale ou par ses commissaires, et non réintégrés, notamment ceux qui ont été ou doivent être destitués en vertu de la loi du 12 août dernier; 5° ceux des ci-devant nobles, ensemble les maris, femmes, pères, mères, fils ou filles, frères ou sœurs, et agens d'émigrés, qui n'ont pas constamment manifesté leur

LOI DES SUSPECTS

attachement à la révolution; 6° ceux qui ont émigré dans
l'intervalle du premier juillet 1789 à la publication de la loi
du 8 avril 1792, quoiqu'ils soient rentrés en France dans le
délai fixé par cette loi ou précédemment.

3. Les comités de surveillance établis d'après la loi du 21
mars dernier, ou ceux qui leur ont été substitués soit par les
arrêtés des représentans du peuple envoyés près les armées
et dans les départemens, soit en vertu des décrets particuliers
de la Convention nationale, sont chargés de dresser, chacun
dans son arrondissement, la liste des gens suspects, de
décerner contre eux les mandats d'arrêt, et de faire apposer
les scellés sur leurs papiers. Les commandans de la force
publique à qui seront remis ces mandats seront tenus de les
mettre à exécution sur-le-champ, sous peine de destitution.

4. Les membres du comité ne pourront ordonner l'arrestation d'aucun individu sans être au nombre de sept, et qu'à
la majorité absolue des voix.

5. Les individus arrêtés comme suspects seront d'abord
conduits dans les maisons d'arrêt du lieu de leur détention;
à défaut de maison d'arrêt ils seront gardés à vue dans leurs
demeures respectives.

6. Dans la huitaine suivante ils seront transférés dans les
bâtimens nationaux que les administrations de département
seront tenues, aussitôt après la réception du présent décret,
de désigner et faire préparer à cet effet.

7. Les détenus pourront faire transporter dans ces
bâtimens les meubles qui leur seront d'une absolue nécessité. Ils y resteront gardés jusqu'à la paix.

8. Les frais de garde seront à la charge des détenus, et
seront répartis entre eux également. Cette garde sera confiée
de préférence aux pères de famille et aux parens des citoyens
qui sont ou marcheront aux frontières. Le salaire en est
fixé, par chaque homme de garde, à la valeur d'une journée
et demie de travail.

9. Les comités de surveillance enverront sans délai au
comité de sûreté générale de la Convention nationale, l'état
des personnes qu'ils auront fait arrêter, avec les motifs de
leur arrestation, et les papiers qu'ils auront saisis sur elles.

10. Les tribunaux civils et criminels pourront, s'il y a

lieu, faire retenir en état d'arrestation, comme gens suspects, et envoyer dans les maisons de détention ci-dessus énoncées, les prévenus de délits à l'égard desquels il serait déclaré n'y avoir pas lieu à accusation, ou qui seraient acquittés des accusations portées contre eux.

[*Aulard*, 351, 365 (*II*, 268, 289); *C.M.H.*, 350; *Lavisse*, *II*, 160; *Mathiez*, *III*, 51 (370). *Text from Procès-Verbal* (*Convention nationale*), *XXI*, 33.]

52
DÉCRET SUR LE GOUVERNEMENT
Suite d'un rapport fait, au nom du Comité de salut public, par le citoyen Saint-Just, le 10 octobre, 1793

L A Convention nationale, après avoir entendu le rapport de son comité de salut public, décrète ce qui suit:

Du gouvernement

Art. 1er. Le gouvernement provisoire de la France sera révolutionnaire jusqu'à la paix.

2. Le conseil exécutif provisoire, les ministres, les généraux, les corps constitués, sont placés sous la surveillance du comité de salut public, qui en rendra compte tous les huit jours à la Convention.

3. Toute mesure de sûreté doit être prise par le conseil exécutif provisoire, sous l'autorisation du comité, qui en rendra compte à la Convention.

4. Les lois révolutionnaires doivent être exécutées rapidement. Le gouvernement correspondra immédiatement avec les districts, dans les mesures de salut public.

5. Les généraux en chef seront nommés par la Convention nationale, sur la présentation du comité de salut public.

6. L'inertie du gouvernement étant la cause des revers, les délais pour l'exécution des lois et des mesures de salut public seront fixés; la violation des délais sera punie comme un attentat à la liberté.

Subsistances

7. Le tableau des productions en grains de chaque district, fait par le comité de salut public, sera imprimé et distribué à tous les membres de la Convention, pour être mis en action sans délai.

8. Le nécessaire de chaque département sera évalué par approximation et garantie; le superflu sera soumis aux réquisitions.

9. Le tableau des productions de la République sera adressé aux représentans du peuple, aux ministres de la marine et de l'intérieur, aux administrateurs des subsistances; ils devront requérir dans les arrondissemens qui leur auront été assignés. Paris aura un arrondissement particulier.

10. Les réquisitions pour le compte des départemens stériles, seront autorisées et réglées par le conseil exécutif provisoire.

11. Paris sera approvisionné au premier mars pour une année.

Sûreté générale

12. La direction et l'emploi de l'armée révolutionnaire seront incessamment réglées de manière à comprimer les contre-révolutionnaires.

Le comité de salut public en présentera le plan.

13. Le conseil enverra garnison dans les villes où il se sera élevé des mouvemens contre-révolutionnaires. Les garnisons seront payées et entretenues par les riches de ces villes jusqu'à la paix.

Finances

14. Il sera créé un tribunal et un juré de comptabilité; ce tribunal et ce juré seront nommés par la Convention nationale; il sera chargé de poursuivre tous ceux qui ont manié les deniers publics depuis la révolution, et de leur demander compte de leur fortune.

[*C.M.H.*, 351; *Lavisse*, II, 170; *Mathiez*, III, 72 (388). *Text from Procés-Verbal (Convention nationale), XXII*, 210.]

1793

53

DÉCRET CONSTITUTIF DU GOUVERNEMENT RÉVOLUTIONNAIRE

Décret presenté le 18 novembre, voté à la séance du 4 decembre, 1793

SECTION Ier . *Envoi et promulgation des lois*

ART. 1er. Les lois qui concernent l'intérêt public, ou qui sont d'une exécution générale, seront imprimées séparément dans un bulletin numéroté, qui servira désormais à leur notification aux autorités constituées. Ce bulletin sera intitulé: *Bulletin des Lois de la République.*

2. Il y aura une imprimerie exclusivement destinée à ce bulletin, et une commission composée de quatre membres pour en suivre les épreuves et pour en expédier l'envoi. Cette commission, dont les membres seront personnellement responsables de la négligence et des retards dans l'expédition, est placée sous la surveillance immédiate du comité de salut public.

3. La commission de l'envoi des lois réunira dans ses bureaux les traducteurs nécessaires pour traduire les décrets en différens idiomes encore usités en France, et en langues étrangères pour les lois, discours, rapports et adresses dont la publicité dans les pays étrangers est utile aux intérêts de la liberté et de la République française; le texte français sera toujours placé à côté de la version.

4. Il sera fabriqué un papier particulier pour l'impression de ce bulletin, qui portera le sceau de la République. Les lois y seront imprimées telles qu'elles sont délivrées par le comité des procès-verbaux; chaque numéro portera de plus ces mots: *pour copie conforme*, et le contre-seing de deux membres de la commission de l'envoi des lois.

5. Les décrets seront délivrés par le comité des procès-verbaux à la commission de l'envoi des lois, et sur sa réquisition, le jour même où leur rédaction aura été approuvée, et la lecture de cette rédaction sera faite au plus tard le lendemain du jour où le décret aura été rendu.

6. L'envoi des lois d'une exécution urgente aura lieu dès

le lendemain de l'approbation de leur rédaction. Quant aux lois moins pressantes ou très-volumineuses, leur expédition ne pourra être retardée plus de trois jours après l'adoption de leur rédaction.

7. Le Bulletin des Lois sera envoyé par la poste aux lettres. Le jour du départ et le jour de la réception seront constatés de la même manière que les paquets chargés.

8. Ce bulletin sera adressé directement, et jour par jour, à toutes les autorités constituées, et à tous les fonctionnaires publics chargés ou de surveiller l'exécution ou de faire l'application des lois. Ce Bulletin sera aussi distribué aux membres de la Convention.

9. Dans chaque lieu la promulgation de la loi sera faite dans les vingt-quatre heures de la réception par une publication au son de trompe ou de tambour, et la loi deviendra obligatoire à compter du jour de la proclamation.

10. Indépendamment de cette proclamation dans chaque commune de la République, les lois seront lues aux citoyens dans un lieu public, chaque décadi, soit par le maire, soit par un officier municipal, soit par les présidens de section.

11. Le traitement de chaque membre de la commission de l'envoi des lois sera de huit mille livres. Ces membres seront nommés par la Convention, sur une liste présentée par le comité de salut public.

12. Le comité de salut public est chargé de prendre toutes les mesures nécessaires pour l'exécution des articles précédens, et d'en rendre compte tous les mois à la Convention.

SECTION II. *Exécution des lois*

Art. 1er. La Convention nationale est le centre unique de l'impulsion du gouvernement.

2. Tous les corps constitués et les fonctionnaires publics sont mis sous l'inspection immédiate du comité de salut public pour les mesures de gouvernement et de salut public, conformément au décret du 19 vendémiaire (10 octobre); et pour tout ce qui est relatif aux personnes et à la police générale et intérieure, cette inspection particulière appartient au Comité de sûreté générale de la Convention, con-

formément au décret du 17 septembre dernier : ces deux comités sont tenus de rendre compte à la fin de chaque mois des résultats de leurs travaux à la Convention nationale. Chaque membre de ces deux comités est personnellement responsable de l'accomplissement de cette obligation.

3. L'exécution des lois se distribue en surveillance et en application.

4. La surveillance active, relativement aux lois et mesures militaires, aux lois administratives, civiles et criminelles, est déléguée au conseil exécutif, qui en rendra compte par écrit tous les dix jours aux Comité de salut public, pour lui dénoncer les retards et les négligences dans l'exécution des lois civiles et criminelles, des actes de gouvernement, et des mesures militaires et administratives, ainsi que les violations de ces lois et de ces mesures, et les agens qui se rendent coupables de ces négligences et de ces infractions.

5. Chaque ministre est en outre personnellement tenu de rendre un compte particulier et sommaire des opérations de son département, tous les dix jours, au comité de salut public, et de dénoncer tous les agens qu'il emploie et qui n'auraient pas exactement rempli leurs obligations.

6. La surveillance de l'exécution des lois révolutionnaires et des mesures de gouvernement, de sûreté générale et de salut public dans les départemens, est exclusivement attribuée aux districts, à la charge d'en rendre compte exactement tous les dix jours au comité de salut public pour les mesures de gouvernement et de salut public, et au comité de surveillance de la Convention pour ce qui concerne la police générale et intérieure, ainsi que les individus.

7. L'application des mesures militaires appartient aux généraux et aux autres agens attachés au service des armées; l'application des lois militaires appartient aux tribunaux militaires; celle des lois relatives aux contributions, aux manufactures, aux grandes routes, aux canaux publics, à la surveillance des domaines nationaux, appartient aux administrations de département; celle des lois civiles et criminelles aux tribunaux; à la charge expresse d'en rendre compte tous les dix jours au conseil exécutif.

8. L'application des lois révolutionnaires et des mesures

de sûreté générale et de salut public est confiée aux municipalités et aux comités de surveillance ou révolutionnaires,
à la charge pareillement de rendre compte tous les dix jours
de l'exécution de ces lois au district de leur arrondissement,
comme chargé de leur surveillance immédiate.

9. Néanmoins, afin qu'à Paris l'action de la police
n'éprouve aucun entrave, les comités révolutionnaires continueront de correspondre directement, et sans aucun intermédiaire, avec le comité de sûreté générale de la Convention,
conformément au décret du 17 septembre dernier.

10. Tous les corps constitués enverront aussi à la fin de
chaque mois l'analyse de leurs délibérations et de leur correspondance à l'autorité qui est spécialement chargée par ce
décret de les surveiller immédiatement.

11. Il est expressément défendu à toute autorité et à tout
fonctionnaire public de faire des proclamations, ou de
prendre des arrêtés extensifs, limitatifs ou contraires au sens
littéral de la loi, sous prétexte de l'interpréter ou d'y
suppléer.

A la Convention seule appartient le droit de donner
l'interprétation des décrets, et l'on ne pourra s'adresser qu'à
elle seule pour cet objet.

12. Il est également défendu aux autorités intermédiaires,
chargées de surveiller l'exécution et l'application des lois, de
prononcer aucune décision, et d'ordonner l'élargissement
des citoyens arrêtés. Ce droit appartient exclusivement à la
Convention nationale, aux comités de salut public et de
sûreté générale, aux représentans du peuple dans les départemens et près les armées, et aux tribunaux, en faisant
l'application des lois criminelles et de police.

13. Toutes les autorités constituées seront sédentaires, et
ne pourront délibérer que dans le lieu ordinaire de leurs
séances, hors les cas de force majeure, et à l'exception
seulement des juges de paix et de leurs assesseurs, et des
tribunaux criminels des départemens, conformément aux
lois qui consacrent leur ambulance.

14. A la place des procureurs-syndics de district, des procureurs de commune et de leurs substituts, qui sont supprimés par ce décret, il y aura des agens nationaux spéciale-

ment chargés de requérir et de poursuivre l'exécution des lois, ainsi que de dénoncer les négligences apportées dans cette exécution, et les infractions qui pourraient se commettre. Ces agens nationaux sont autorisés à se déplacer et à parcourir l'arrondissement de leur territoire pour surveiller et s'assurer plus positivement que les lois sont exactement exécutées.

15. Les fonctions des agens nationaux seront exercées par les citoyens qui occupent maintenant les places de procureurs-syndics de district, de procureurs de commune et de leurs substituts, à l'exception de ceux qui sont dans le cas d'être destitués.

16. Les agens nationaux attachés aux districts, ainsi que tout autre fonctionnaire public chargé personnellement par ce décret ou de requérir l'exécution de la loi, ou de la surveiller plus particulièrement, sont tenus d'entretenir une correspondance exacte avec les comités de salut public et de sûreté générale. Ces agens nationaux écriront aux deux comités tous les dix jours, en suivant les relations établies par l'article 10 de cette section, afin de certifier les diligences faites pour l'exécution de chaque loi, et dénoncer les retards, et les fonctionnaires publics négligens et prévaricateurs.

17. Les agens nationaux attachés aux communes sont tenus de rendre le même compte au district de leur arrondissement, et les présidens des comités de surveillance et révolutionnaires entretiendront la même correspondance tant avec le comité de sûreté générale qu'avec le district chargé de les surveiller.

18. Les comités de salut public et de sûreté générale sont tenus de dénoncer à la Convention nationale les agens nationaux et tout autre fonctionnaire public chargé personnellement de la surveillance ou de l'application des lois, pour les faire punir conformément aux dispositions portées dans le présent décret.

19. Le nombre des agens nationaux, soit auprès des dictricts, soit auprès des communes, sera égal à celui des procureurs-syndics de district et de leurs substituts, et des procureurs de commune et de leurs substituts actuellement en exercice.

20. Après l'épuration faite des citoyens appelés par ce décret à remplir les fonctions des agens nationaux près les districts, chacun d'eux fera passer à la Convention nationale, dans les vingt-quatre heures de l'épuration, les noms de ceux qui auront été ou conservés ou nommés dans cette place, et la liste en sera lue à la tribune, pour que les membres de la Convention s'expliquent sur les individus qu'ils pourront connaître.

21. Le remplacement des agens nationaux près les districts qui seront rejetés sera provisoirement fait par la Convention nationale.

22. Après que la même épuration aura été opérée dans les communes elles enverront, dans le même délai, une pareille liste au district de leur arrondissement, pour y être proclamée publiquement.

SECTION III. *Compétence des autorités constituées*

Art. 1er. Le Comité de salut public est particulièrement chargé des opérations majeures en diplomatie, et il traitera directement ce qui dépend de ces mêmes opérations.

2. Les représentans du peuple correspondront tous les dix jours avec le Comité de salut public, ils ne pourront suspendre et remplacer les généraux que provisoirement, et à la charge d'en instruire dans les vingt-quatre heures le Comité de salut public; ils ne pourront contrarier ni arrêter l'exécution des arrêtés et des mesures de gouvernement pris par le Comité de salut public; ils se conformeront dans toutes leurs missions aux dispositions du décret du 5 frimaire.

3. Les fonctions du conseil exécutif seront déterminées d'après les bases établies dans le présent décret.

4. La Convention se réserve la nomination des généraux en chef des armées de terre et de mer. Quant aux autres officiers généraux, les ministres de la guerre et de la marine ne pourront faire aucune promotion sans en avoir présenté la liste, ou la nomination motivée, au Comité de salut public, pour être par lui acceptée ou rejetée. Ces deux ministres ne pourront pareillement destituer aucun des agens militaires nommés provisoirement par les représentans du peuple

envoyés près les armées sans en avoir fait la proposition écrite et motivée au Comité de salut public, et sans que le comité l'ait acceptée.

5. Les administrations de département restent spéciale-ment chargées de la répartition des contributions entre les districts, et de l'établissement des manufactures, des grandes routes et des canaux publics, de la surveillance des domaines nationaux. Tout ce qui est relatif aux lois révolutionnaires et aux mesures du gouvernement et de salut public n'est plus de leur ressort. En conséquence, la hiérarchie qui plaçait les districts, les municipalités, ou toute autre autorité, sous la dépendance des départemens, est supprimée pour ce qui concerne les lois révolutionnaires et militaires, et les mesures de gouvernement, de salut public et de sûreté générale.

6. Les conseils-généraux, les présidens et les procureurs généraux syndics des départemens sont également sup-primés. L'exercice des fonctions de président sera alternatif entre les membres du directoire, et ne pourra durer plus d'un mois. Le président sera chargé de la correspondance et de la réquisition et surveillance particulière dans la partie d'exécution confiée aux directoires de département.

7. Les présidens et les secrétaires des comités révolution-naires et de surveillance seront pareillement renouvelés tous les quinze jours, et ne pourront être réélus qu'après un mois d'intervalle.

8. Aucun citoyen déjà employé au service de la Républi-que ne pourra exercer ni concourir à l'exercice d'une autorité chargée de la surveillance médiate ou immédiate de ses fonctions.

9. Ceux qui réunissent ou qui concourent à l'exercice cumulatif de semblables autorités seront tenus de faire leur option dans les vingt-quatre heures de la publication de la présente loi.

10. Tous les changemens ordonnés par le présent décret seront mis à exécution dans les trois jours à compter de la publication de ce décret.

11. Les règles de l'ancien ordre établi, et auxquelles il n'est rien changé par ce décret, seront suivies jusqu'à ce qu'il ait été autrement ordonné. Seulement les fonctions du

district de Paris sont attribuées au département, comme étant devenues incompatibles par cette nouvelle organisation avec les opérations de la municipalité.

12. La faculté d'envoyer des agens appartient exclusivement au Comité de salut public, aux représentans du peuple, au conseil exécutif et à la commission des subsistances. L'objet de leur mission sera énoncé en termes précis dans leur mandat.

Ces missions se borneront strictement à faire exécuter les mesures révolutionnaires et de sûreté générale, les réquisitions et les arrêtés pris par ceux qui les auront nommés.

Aucun de ces commissaires ne pourra s'écarter des limites de son mandat, et dans aucun cas la délégation des pouvoirs ne peut avoir lieu.

13. Les membres du conseil exécutif sont tenus de présenter la liste motivée des agens qu'ils enverront dans les départemens, aux armées et chez l'étranger, au Comité de salut public, pour être par lui vérifiée et acceptée.

14. Les agens du conseil exécutif et de la commission des subsistances sont tenus de rendre compte exactement de leurs opérations aux représentans du peuple qui se trouveront dans les mêmes lieux. Les pouvoirs des agens nommés par les représentans près les armées et dans les départemens expireront dès que la mission des représentans sera terminée, ou qu'ils seront rappelés par décret.

15. Il est expressément défendu à toute autorité constituée, à tout fonctionnaire public, à tout agent employé au service de la République, d'étendre l'exercice de leurs pouvoirs au-delà du territoire qui leur est assigné; de faire des actes qui ne sont pas de leur compétence; d'empiéter sur d'autres autorités, et d'outrepasser les fonctions qui leur sont déléguées, ou de s'arroger celles qui ne leur sont pas confiées.

16. Il est aussi expressément défendu à toute autorité constituée d'altérer l'essence de son organisation soit par des réunions avec d'autres autorités, soit par des délégués chargés de former des assemblées centrales, soit par des commissaires envoyés à d'autres autorités constituées. Toutes les relations entre tous les fonctionnaires publics ne peuvent plus avoir lieu que par écrit.

269

17. Tous congrès ou réunions centrales établies soit par les représentans du peuple, soit par les sociétés populaires, sous quelque dénomination qu'elles puissent avoir, même de comité central de surveillance ou de commission centrale révolutionnaire ou militaire, sont révoquées et expressément défendues par ce décret comme subversives de l'unité d'action de gouvernement, et tendantes au fédéralisme; et celles existantes se dissoudront dans les vingt-quatre heures à compter du jour de la publication du présent décret.

18. Toute armée révolutionnaire autre que celle établie par la Convention, et commune à toute la République, est licenciée par le présent décret, et il est enjoint à tous citoyens incorporés dans de semblables institutions militaires de se séparer dans les vingt-quatre heures à compter de la publication du présent décret, sous peine d'être regardés comme rebelles à la loi, et traités comme tels.

19. Il est expressément défendu à toute force armée, quelle que soit son institution ou sa dénomination, et à tous chefs qui la commandent, de faire des actes qui appartiennent exclusivement aux autorités civiles constituées, même des visites domiciliaires, sans un ordre écrit et émané de ces autorités, lequel ordre sera exécuté dans les formes prescrites par les décrets.

20. Aucune force armée, aucune taxe, aucun emprunt forcé ou volontaire ne pourront être levés qu'en vertu d'un décret. Les taxes révolutionnaires des représentans du peuple n'auront d'exécution qu'après avoir été approuvées par la Convention, à moins que ce ne soit en pays ennemi ou rebelle.

21. Il est défendu à toute autorité constituée de disposer des fonds publics, ou d'en changer la destination, sans y être autorisés par la Convention ou par une réquisition expresse des représentans du peuple, sous peine d'en répondre personnellement.

SECTION IV. *Réorganisation et épuration des autorités constituées*

Art. 1er. Le Comité de salut public est autorisé à prendre toutes les mesures nécessaires pour procéder au changement d'organisation des autorités constituées porté dans le présent décret.

2. Les représentans du peuple dans les départemens sont chargés d'en assurer et d'en accélérer l'exécution, comme aussi d'achever sans délai l'épuration complète de toutes les autorités constituées, et de rendre un compte particulier de ces deux opérations à la Convention nationale avant la fin du mois prochain.

SECTION V. *De la pénalité des fonctionnaires publics et des autres agens de la République*

Art. 1ᵉʳ. Les membres du conseil exécutif coupables de négligence dans la surveillance et dans l'exécution des lois pour la partie qui leur est attribuée, tant individuellement que collectivement, seront punis de la privation du droit de citoyen pendant six ans, et de la confiscation de la moitié des biens du condamné.

2. Les fonctionnaires publics salariés, et chargés personnellement par ce décret de requérir et de suivre l'exécution des lois, ou d'en faire l'application, et de dénoncer les négligences, les infractions, et les fonctionnaires et autres agens coupables placés sous leur surveillance, et qui n'auront pas rigoureusement rempli ces obligations, seront privés du droit de citoyen pendant cinq ans, et condamnés pendant le même temps à la confiscation du tiers de leur revenu.

3. La peine des fonctionnaires publics non salariés, et chargés personnellement des mêmes devoirs, et coupables des mêmes délits, sera la privation du droit de citoyen pendant quatre ans.

4. La peine infligée aux membres des corps judiciaires, administratifs, municipaux et révolutionnaires, coupables de négligence dans la surveillance ou dans l'application des lois, sera la privation du droit de citoyen pendant quatre ans, et une amende égale au quart du revenu de chaque condamné pendant une année pour les fonctionnaires salariés, et de trois ans d'exclusion de l'exercice du droit de citoyen pour ceux qui ne reçoivent aucun traitement.

5. Les officiers généraux et tous agens attachés aux divers services des armées, coupables de négligence dans la sur-

veillance, exécution et application des opérations qui leur sont confiées, seront punis de la privation des droits de citoyen pendant huit ans, et de la confiscation de la moitié de leurs biens.

6. Les commissaires et agens particuliers nommés par les comités de salut public et de sûreté générale, par les représentans du peuple près les armées et dans les départemens, par le conseil exécutif et la commission des subsistances, coupables d'avoir excédé les bornes de leur mandat ou d'en avoir négligé l'exécution, ou de ne s'être pas soumis aux dispositions du présent décret, et notamment à l'article treize de la seconde section en ce qui les concerne, seront punis de cinq ans de fers.

7. Les agens inférieurs du gouvernement, même ceux qui n'ont aucun caractère public, tels que les chefs de bureaux, les secrétaires, les commis de la Convention, du conseil exécutif, des diverses administrations publiques, de toute autorité constituée, ou de tout fonctionnaire public qui a des employés, seront punis par la suspension du droit de citoyen pendant trois ans, et par une amende du tiers du revenu du condamné pendant le même espace de temps, pour cause personnelle de toutes négligences, retards volontaires ou infractions commises dans l'exécution des lois, des ordres et des mesures de gouvernement, de salut public et d'administration dont ils peuvent être chargés.

8. Toute infraction à la loi, toute prévarication, tout abus d'autorité commis par un fonctionnaire public ou par tout autre agent principal et inférieur du gouvernement et de l'administration civile et militaire, qui reçoivent un traitement, seront punis de cinq ans de fers, et de la confiscation de la moitié des biens du condamné; et pour ceux non salariés, coupables des mêmes délits, la peine sera la privation du droit de citoyen pendant six ans, et la confiscation du quart de leur revenu pendant le même temps.

9. Tout contrefacteur du *Bulletin des Lois* sera puni de mort.

10. Les peines infligées pour les retards et négligences dans l'expédition, l'envoi et la réception du *Bulletin des Lois*, sont, pour les membres de la commission de l'envoi des lois

et pour les agens de la poste aux lettres, la condamnation à cinq années de fers, sauf les cas de force majeure légalement constatés.

11. Les fonctionnaires publics ou tous autres agens soumis à une responsabilité solidaire, et qui auront averti la Convention du défaut de surveillance exacte ou de l'inexécution d'une loi dans le délai de quinze jours, seront exceptés des peines prononcées par ce décret.

12. Les confiscations ordonnées par les précédens articles seront versées dans le trésor public, après toutefois avoir prélevé l'indemnité due au citoyen lésé par l'inexécution ou la violation d'une loi, ou par un abus d'autorité.

[*Aulard*, 355 (*II*, 213); *C.M.H.*, 359; *Lavisse, II*, 170; *Mathiez, III*, 76 (392). Text from *Procés-Verbal* (*Convention nationale*), *XXVI*, 360.]

54
LIBERTÉ DES CULTES
Séance du 6 decembre, 1793

LA Convention nationale, considérant ce qu'exigent d'elle les principes qu'elle a proclamés au nom du peuple français, et le maintien de la tranquillité publique;

1° Défend toutes violences ou menaces contraires à la liberté des cultes.

2° La surveillance des autorités constituées et l'action de la force publique se renfermeront, à cet égard, chacun pour ce qui les concerne, dans les mesures de police et de sûreté publique.

3° La Convention, par les dispositions précédentes, n'entend déroger en aucune manière aux lois répressives, ni aux précautions de salut public contre les prêtres réfractaires ou turbulens, et contre tous ceux qui tenteraient d'abuser du prétexte de la religion pour compromettre la cause de la liberté. Elle n'entend pas non plus fournir à qui que ce soit aucun prétexte d'inquiéter le patriotisme et de ralentir l'essor de l'esprit public.

La Convention invite tous les bons citoyens, au nom de la patrie, de s'abstenir de toutes disputes théologiques ou étrangères aux grands intérêts du peuple français, pour concourir de tous leurs moyens au triomphe de la République et à la ruine de ses ennemis.

L'adresse, en forme de réponse aux manifestes des rois ligués contre la République, décrétée par la Convention nationale le 15 frimaire, sera réimprimée par les ordres des administrations de district, pour être répandue et affichée dans l'étendue de chaque district. Elle sera lue, ainsi que le présent décret, au plus prochain jour de décadi, dans les assemblées de communes et de sections, par les officiers municipaux, ou par les présidens des sections.

[*Aulard, (III, 167); Lavisse, II, 215; Mathiez, III, 117 (426). Text from Buchez and Roux, XXX, 324–5.*]

55
CIRCULAIRE SUR LE GÉNIE DES LOIS RÉVOLUTIONNAIRES ET SUR LES RÉFORMES DE L'ANCIENNE ADMINISTRATION

Le 25 décembre, 1793. Le Comité de salut public aux départemens

LES législateurs ont refondu la statue de la loi, pour lui imprimer les formes révolutionnaires.

Les défectuosités qui tenaient aux erreurs, ou plutôt aux crimes des premiers ouvriers, sont effacées; mais tout ce qu'il y avait de traits purs est conservé; la matière n'a pas été brisée, elle n'a été que remaniée. En portant une main ferme sur les vices de l'administration, la Convention s'est proposé aussi de remettre en valeur, pour la République, toutes les vertus administrateurs.

Ils ne pouvaient les développer entières: telle avait été la tactique astucieuse de ceux qui conspirent contre les lois dans leur sanctuaire même, que les ressorts de la machine politique avaient été combinés de manière à en paralyser ou à en briser le jeu.

Les premiers législateurs avaient jeté, dans un ordre apparent, les germes d'un désordre futur; ils avaient infusé, pour ainsi dire, les principes du fédéralisme dans l'organisation même des autorités destinées à le combattre un jour.

Les grandes masses d'administration, placées de distance en distance, devaient pencher par leur composition vers un système d'isolement, de résistance ou d'inertie; n'ayant qu'une communication faible, interrompue, avec les extrémités et le centre, elles en étaient détachées moins par l'effort des hommes que par celui de la chose qui les pressait et les attirait en sens contraire.

Ce n'est pas assez: l'exécution de la loi se trouvait ralentie et neutralisée en passant et en s'arrêtant successivement sur chaque anneau de la chaîne hiérarchique des administrations. Le câble révolutionnaire, aminci en quelque sorte dans cette longue filière, n'avait plus de consistance; tandis qu'il doit être lancé avec violence, et, touchant en un instant les extrémités au moindre signe du législateur, lier, rattacher tout fortement au centre du gouvernement.

Telles ont été les causes qui ont appelé sur la viciosité de l'ancienne organisation, la main réformatrice.

L'intensité révolutionnaire ne peut s'exercer que dans un libre espace, voilà pourquoi le législateur écarte sur la route tout ce qui n'est point guide, tout ce qui est obstacle.

Vous ferez donc un sacrifice utile à la chose publique et à vous-mêmes, en rejetant de vos fonctions tout ce qui ne pouvait s'exercer qu'au détriment de la patrie, contre elle, et par conséquent contre vous.

Jusqu'ici on a épuré les hommes, il restait à épurer les choses.

Vous devez vous honorer d'avoir à donner à la mère-patrie. Que des hommes vulgaires, que des ames rétrécies, plus occupées de la sphère étroite où rampent leurs pensées, que des vastes intérêts du salut public, ne voient là qu'une perte de pouvoir; que ces enfans de l'ambition ne se dessaisissent qu'en pleurant du hochet qu'ils caressaient; mais

vous, républicains, ne voyez dans le pouvoir qu'un instrument d'être utile; ne l'est-il plus, il faut le poser ou le changer.
Malheur à celui qui, dans un poste élevé, n'a pas l'âme plus
élevée encore, et qui descendu, se trouve moins grand
qu'auparavant!

Vous l'avez appris d'ailleurs, et vos âmes pénétrées de
cette vérité sauront la pratiquer. Les hommes ne sont rien,
la patrie seule est tout; elle commande, obéissez. Quel
homme, pour un objet idolâtré, n'est point prêt à tout
entreprendre à son moindre signe! ... Hommes libres, si la
République a toutes vos affections; si vous la portez dans
votre cœur, ce jour sera pour vous le plus beau de votre vie,
puisque vous élèverez l'intérêt public sur les débris de vos
propres intérêts et de vos faiblesses même, supposé que vos
esprits généreux puissent en concevoir.

Mesurez d'ailleurs la carrière nouvelle qui s'ouvre devant
vous; elle offre à ceux qui ne peuvent déposer le besoin de
travailler au bonheur de leurs concitoyens, un champ bien
large encore.

Les liens de la société, tout ce qui la soutient, tout ce qui
l'enrichit et l'embellit, sont confiés à vos soins. Votre essence
première tendait à vous séparer des autres membres du corps
politique; vous y êtes ramenés et plus fortement attachés que
jamais par vos fonctions nouvelles. Rappeler, sous la surveillance et d'après l'impulsion des autorités supérieures, aux
sources publiques la dette du citoyen envers l'état qui lui
confère ce titre et lui en assure les glorieuses prérogatives;
affermir ainsi le nerf national; porter un œil indicateur sur
tous les moyens d'amélioration; tracer au commerce des
routes nouvelles, lui donner un caractère national en lui
imprimant de la grandeur, et en le tirant de la fange mer-
cantile dans laquelle s'agitent les vices les plus dégradans et
les plus ennemis de la liberté; fertiliser le sol, augmenter ses
produits; faciliter ses débouches; ajouter aux présens de la
nature les bienfaits de l'industrie; doubler en quelque sorte
cette dernière, et augmenter alors la somme du bonheur;
faire sortir du travail les mœurs et l'extirpation de la
mendicité, qui est une espèce de dénonciation vivante contre
le gouvernement; être, en un mot, les ouvriers de la pros-

CIRCULAIRE DU COMITÉ

périté publique; telle est la masse imposante de vos devoirs.

Ces fonctions d'édilité, en quelque sorte, d'ordre, d'administration toute paternelle et de paix, auraient été troublées et entravées, si la surveillance des lois révolutionnaires vous eût été confiée.

Ces deux attributions se repoussent, s'écartent et sont incompatibles par essence.

Le génie des lois révolutionnaires est de planer sans être retardé dans son essor: il eût été moins rapide, en multipliant les cercles autour de lui.

Ces considérations ont dicté les articles V et VI de la troisième section du décret en date du 14 frimaire (4 décembre).

La loi doit être promulguée dans les vingt-quatre heures qui suivent la réception.

Elle doit être exécutée dans le délai de trois jours, à compter de la publication du décret.

Ici se montre l'intention du législateur: ce n'est pas assez d'avoir trouvé le topique, il faut l'appliquer sur-le-champ; il veut réaliser dans sa plus énergique précision cette pensée: 'Le peuple a dit, que la loi existe, et la loi exista.' Il veut enfin que la nouvelle création sociale sorte en un clin d'œil du chaos: que lui faut-il pour cela? sa volonté toute puissante.

Votre sphère est déterminée, parcourez-la religieusement; hors de là un abîme est ouvert, où tombent ceux qui reculent ou qui se précipitent.

Les articles XVI, XVII, XXI de la troisième section, les articles XI et XIII de la seconde section, marquent vos limites.

Votre amour pour le bien public suffirait pour vous courber sous ces obligations impérieuses.

Pour nous, citoyens, nous aimons à croire que de vrais républicains se déterminent moins par la vue de la peine qui suit l'infraction, que par celle du bien public qui résulte de l'obéissance aux lois destinées à l'assurer.

Salut et fraternité.

Signé Robespierre, Billaud-Varennes, Carnot, C.-A. Prieur, B. Barrère, L. Lindet et Couthon.

[*Text from Buchez and Roux, XXXI, 16–19.*]

56

LOI DU MAXIMUM

Séances des 21 et 22 février, 1794

LA Convention nationale, après avoir entendu le rapport du Comité du salut public, décrète:

Art. Ier. Les prix de toutes les denrées et marchandises soumises à la loi du *maximum*, dans les lieux de production ou de fabrication, sont ceux déterminés dans les *tableaux du maximum* qui viennent d'être présentés par la commission des subsistances et des approvisionnemens de la République.

II. Ces tableaux seront imprimés et envoyés à chaque district, au plus tard au 1er germinal; la commission demeurant chargée de l'impression des tableaux du *maximum*, et responsable des retards de l'impression, et de l'envoi des exemplaires aux districts à l'époque ci-dessus désignée.

III. L'agent national de chaque district sera tenu, dans le délai de dix jours au plus tard, à compter du jour de la réception, d'appliquer les frais de transport, à raison des distances, à chaque espèce de marchandises employées dans son district, conformément aux bases établies dans l'article IV ci-après. Il sera envoyé par la commission une instruction sur les moyens d'exécution. Cette instruction devra être approuvée par la Convention nationale.

IV. Le tableau fait par l'agent national contiendra:

1° Les noms des objets et marchandises que les habitans du district sont dans l'usage de consommer;

2° L'indication du lieu de production ou de fabrication desdits objets;

3° La distance du chef-lieu de district;

4° Le *maximum* du prix de production ou de fabrication, ainsi qu'il est porté dans les tableaux envoyés par la commission des subsistances et approvisionnemens;

5° L'évaluation des frais de transport, d'après les bases posées dans l'article suivant;

6° Il sera ajouté à ces deux premières bases cinq pour cent de bénéfice, pour former le *maximum* du marchand en gros.

Il sera ajouté, outre les cinq pour cent ci-dessus, dix pour cent de bénéfice pour former le prix à rendre au consommateur par le détaillant.

L'administration de district déterminera le nombre d'exemplaires de ce travail, qu'il est nécessaire de publier pour que l'objet en soit connu aux municipalités. Les frais de l'impression seront acquittés par les receveurs de districts, et leurs récépissés seront reçus comme comptant à la trésorerie nationale.

V. Les prix de transport des grains et fourrages, déterminés par l'article XV de la IIIe section de la loi du 11 septembre, à cinq sous par lieue de poste pour la grande route, et six sous pour la traverse, demeurent réduits à quatre sous huit deniers par lieue de poste pour la grande route, et à cinq sous pour la traverse.

VI. Les prix de transport pour les autres denrées et marchandises seront évalués, par chaque lieue de poste, grande route, par quintal, poids de marc, à quatre sous; pour les routes de traverse, quatre sous huit deniers.

VII. Les prix de transport pour toutes espèces de denrées et marchandises seront évalués, par eau, en remontant, deux s.; et en descendant, neuf deniers; et par les canaux de navigation, un sou neuf deniers par chaque lieue de poste, en calculant la distance par le nombre de lieues de poste qu'il y a par la route de terre, du lieu du départ à celui d'arrivée.

VIII. Les agens nationaux des districts désigneront dans le tableau les articles qui, pouvant leur parvenir par eau, ne devront supporter que les frais de transport par cette voie; ils pourront, seulement dans le cas d'impossibilité du transport par eau, y substituer le prix du transport par terre.

IX. Les prix des transports ci-dessus indiqués ne seront point applicables aux bois et charbons, dont les transports ne se paient pas au quintal.

Les agens nationaux près les districts des lieux de consommation sont chargés de faire l'évaluation des frais de transport à ajouter au prix de ces marchandises, et ils prendront pour base de leur évaluation le prix des transports de 1790, auxquels ils ajouteront la moitié en sus.

X. Les lieux d'arrivage pour toutes les marchandises venant de l'étranger seront regardés comme lieux de fabrication ou de production.

XI. Les sels, tabacs et savons étant compris dans les tableaux du *maximum*, le décret du 29 septembre, qui en fixait le prix, est rapporté.

XII. Le *maximum* des prix des charbons et des bois à brûler demeure fixé, conformément à la loi du 27 septembre, au vingtième en sus du prix de 1790, auquel il sera ajouté les frais de transport, ainsi qu'il est porté dans les articles précédens, et 10 pour 100 seulement de bénéfice pour le marchand détaillant.

XIII. La commission des subsistances et des approvisionnemens est autorisée à prendre toutes les mesures nécessaires pour l'exécution du présent décret, dont elle demeurera responsable, et rendra compte au Comité de salut public. L'insertion au Bulletin tiendra lieu de publication.

[*Lavisse, II,* 208; *Mathiez, III,* 71, 172 (387, 471). *Text from Buchez and Roux, XXXII,* 7–9.]

57

POLICE GÉNÉRALE

Suite d'un rapport sur la police Générale, fait par Saint-Just, à la séance du 15 avril, 1794
Décret adopté avec quelques amendemens dans les séances des 26, 27, 28 et 29 germinal an II

ART. 1er. Les prévenus de conspiration seront traduits de tous les points de la République au tribunal révolutionnaire à Paris.

2. Les comités de salut public et de sûreté générale rechercheront promptement les complices des conjurés, et les feront traduire au tribunal révolutionnaire.

3. Les commissions populaires seront établies pour le 15 floréal.

4. Il est enjoint à toutes les administrations et à tous les

tribunaux civils de terminer dans trois mois, à compter de la promulgation du présent décret, les affaires pendantes, à peine de destitution; et à l'avenir toutes les affaires privées devront être terminées dans le même délai, sous la même peine.

5. Le comité de salut public est expressément chargé de faire inspecter les autorités et les agens publics chargés de coopérer à l'administration.

6. Aucun ex-noble, aucun étranger des pays avec lesquels la République est en guerre ne peut habiter Paris, ni les places fortes, ni les villes maritimes pendant la guerre. Tout noble ou étranger dans le cas ci-dessus qui y serait trouvé dans dix jours est mis hors la loi.

7. Les ouvriers employés à la fabrication des armes à Paris, les étrangères qui ont épousé des patriotes français, les femmes nobles qui ont épousé des citoyens non nobles, ne sont point compris dans l'article précédent.

8. Les étrangers ouvriers, vivant du travail de leurs mains antérieurement au présent décret, les marchands détaillans établis aussi antérieurement au présent décret, les enfans au-dessous de quinze ans et les vieillards âgés de plus de soixante-dix ans sont pareillement exceptés.

9. Les exceptions relatives aux nobles et étrangers militaires sont renvoyées au comité de salut public comme mesure du gouvernement.

10. Le comité de salut public est également autorisé à retenir par réquisition spéciale les ci-devant nobles et les étrangers dont il croira les moyens utiles à la République.

11. Les comités révolutionnaires délivreront les ordres de passe; les individus qui les recevront seront tenus de déclarer le lieu où ils se retirent; il en sera fait mention dans l'ordre.

12. Les comités révolutionnaires tiendront registre de tous les ordres de passe qu'ils délivreront, et feront passer un extrait de ce registre chaque jour aux comités de salut public et de sûreté générale.

13. Les ci-devant nobles et étrangers compris dans le présent décret seront tenus de faire viser leur ordre de passe, au moment de leur arrivée, par la municipalité dans l'étendue de laquelle ils se retireront; ils seront également tenus de se

représenter tous les jours à la municipalité de leur résidence.

14. Les municipalités seront tenues d'adresser sans délai, aux comités de salut public et de sûreté générale, la liste de tous les ci-devant nobles et des étrangers demeurant dans leur arrondissement, et de tous ceux qui s'y retireront.

15. Les ci-devant nobles et étrangers ne pourront être admis dans les sociétés populaires et comités de surveillance, ni dans les assemblées de communes ou de sections.

16. Le séjour de Paris, des places fortes, des villes maritimes, est interdit aux généraux qui n'y sont point en activité de service.

17. Le respect envers les magistrats sera religieusement observé; mais tout citoyen pourra se plaindre de leur injustice, et le comité de salut public les fera punir selon la rigueur des lois.

18. La Convention nationale ordonne à toutes les autorités de se renfermer rigoureusement dans les limites de leurs institutions, sans les étendre ni les restreindre.

19. Elle ordonne au comité de salut public d'exiger un compte sévère de tous les agens, de poursuivre ceux qui serviront les complots, et auront tourné contre la liberté le pouvoir qui leur aura été confié.

20. Tous les citoyens sont tenus d'informer les autorités de leur ressort et le comité de salut public des vols, des discours inciviques et des actes d'oppression dont ils auraient été victimes ou témoins.

21. Les représentans du peuple se serviront des autorités constituées, et ne pourront déléguer de pouvoirs.

22. Les réquisitions sont interdites à tous autres que la commission des subsistances et les représentans du peuple près les armées, sous l'autorisation expresse du comité de salut public.

23. Si celui qui sera convaincu désormais de s'être plaint de la révolution vivait sans rien faire, et n'était ni sexagénaire ni infirme, il sera déporté à la Guiane. Ces sortes d'affaires seront jugées par les commissions populaires.

24. Le comité de salut public encouragera par des indemnités et des récompenses les fabriques, l'exploitation des mines, les manufactures, le desséchement des marais; il

protégera l'industrie, la confiance entre ceux qui commer-
cent; il fera des avances aux négocians patriotes qui offriront
des approvisionnemens au *maximum*; il donnera des ordres
de garantie à ceux qui amèneront des marchandises à Paris,
pour que les transports ne soient pas inquiétés; il protégera
la circulation des rouliers dans l'intérieur, et ne souffrira pas
qu'il soit porté atteinte à la bonne foi publique.

25. La Convention nationale nommera dans son sein deux
commissions, chacune de trois membres; l'une chargée de
rédiger en un code succinct et complet les lois qui ont été
rendues jusqu'à ce jour, en supprimant celles qui sont
devenues confuses; l'autre commission sera chargée de
rédiger un corps d'institutions civiles propres à conserver les
mœurs et l'esprit de la liberté. Ces commissions feront leur
rapport dans un mois.

26. Le présent décret sera proclamé dès demain à Paris,
et son insertion au bulletin tiendra lieu de publication dans
les départemens.

Décret du 28 germinal

Art. Ier. Sont exceptés de la loi des 26 et 27 de ce mois les
étrangers domiciliés en France depuis vingt ans, et ceux qui,
y étant domiciliés depuis six ans seulement, ont épousé une
Française non noble.

2. Sont assimilés aux nobles et compris dans la même loi
ceux qui, sans être nobles suivant les idées ou les règles de
l'ancien régime, ont usurpé les titres ou les priviléges de la
noblesse, et ceux qui auraient plaidé ou fabriqué de faux
titres pour se les faire attribuer.

Décret du 29 germinal

La Convention nationale décrète que l'article 8 du décret
rendu dans la séance du 27 germinal, sur la police générale,
demeurera définitivement rédigé dans les termes suivans:

Les étrangers ouvriers vivant du travail de leurs mains
antérieurement à la loi du mois d'août (vieux style) relative
aux mesures de police contre les étrangers; ceux des
étrangers seulement qui seront reconnus pour avoir été

marchands détaillans antérieurement au mois de mai 1789;
les enfans au-dessous de quinze ans et les vieillards âgés de
plus de soixante-dix ans, sont pareillement exceptés.

[*Mathiez, III,* 168 (467). *Text from Procès-Verbal (Convention nationale), XXXV,* 270.]

58
LOI DU 22 PRAIRIAL

Séance du 10 *juin,* 1794. *Suite d'un rapport de Couthon au
nom de Comité de salut public*

LA Convention nationale, après avoir entendu le rapport
du Comité de salut public, décrète:
Art. Ier. Il y aura au tribunal révolutionnaire un
président et quatre vice-présidens, un accusateur public,
quatre substituts de l'accusateur public, et douze juges.

2. Les jurés seront au nombre de cinquante.

3. Ces diverses fonctions seront exercées par les citoyens
dont les noms suivent: . . .

Le tribunal révolutionnaire se divisera par sections, composées de douze membres; savoir, trois juges et neuf jurés,
lesquels jurés ne pourront juger en moindre nombre que
celui de sept.

4. Le tribunal révolutionnaire est institué pour punir les
ennemis du peuple.

5. Les ennemis du peuple sont ceux qui cherchent à
anéantir la liberté publique, soit par la force, soit par la ruse.

6. Sont réputés ennemis du peuple ceux qui auront provoqué le rétablissement de la royauté, ou cherché à avilir ou à
dissoudre la Convention nationale et le gouvernement révolutionnaire et républicain dont elle est le centre.

Ceux qui auront trahi la République dans le commandement des places et des armées, ou dans toute autre fonction
militaire, entretenu des intelligences avec les ennemis de la
République, travaillé à faire manquer les approvisionnemens
ou le service des armées.

Ceux qui auront cherché à empêcher les approvisionnemens de Paris, ou à causer la disette dans la République.

Ceux qui auront secondé les projets des ennemis de la France, soit en favorisant la retraite et l'impunité des conspirateurs et de l'aristocratie, soit en persécutant et calomniant le patriotisme, soit en corrompant les mandataires du peuple, soit en abusant des principes de la révolution, des lois ou des mesures du gouvernement, par des applications fausses et perfides;

Ceux qui auront trompé le peuple ou les représentans du peuple, pour les induire à des démarches contraires aux intérêts de la liberté;

Ceux qui auront cherché à inspirer le découragement pour favoriser les entreprises des tyrans ligués contre la République;

Ceux qui auront répandu de fausses nouvelles pour diviser ou pour troubler le peuple;

Ceux qui auront cherché à égarer l'opinion et à empêcher l'instruction du peuple, à dépraver les mœurs et à corrompre la conscience publique, et altérer l'énergie et la pureté des principes révolutionnaires et républicains, ou en arrêter les progrès, soit par des écrits contre-révolutionnaires ou insidieux, soit par toute autre machination;

Les fournisseurs de mauvaise foi qui compromettent le salut de la République, et les dilapidateurs de la fortune publique, autres que ceux compris dans les dispositions de la loi du 7 frimaire;

Ceux qui, étant chargés de fonctions publiques, en abusent pour servir les ennemis de la révolution, pour vexer les patriotes, pour opprimer le peuple;

Enfin, tous ceux qui sont désignés dans les lois précédentes relatives à la punition des conspirateurs et contre-révolutionnaires, et qui, par quelques moyens que ce soit et de quelques dehors qu'ils se couvrent, auront attenté à la liberté, à l'unité, à la sûreté de la République, ou travaillé à en empêcher l'affermissement.

7. La peine portée contre tous les délits dont la connaissance appartient au tribunal révolutionnaire, est la mort.

8. La preuve nécessaire pour condamner les ennemis du

peuple, est toute espèce de documens, soit matérielle, soit morale, soit verbale, soit écrite, qui peut naturellement obtenir l'assentiment de tout esprit juste et raisonnable. La règle des jugemens, est la conscience des jurés éclairés par l'amour de la patrie; leur but, le triomphe de la République et la ruine de ses ennemis; la procédure, les moyens simples que le bon sens indique pour parvenir à la connaissance de la vérité dans les formes que la loi détermine.

Elle se borne aux points suivans:

9. Tout citoyen a le droit de saisir et de traduire devant les magistrats les conspirateurs et les contre-révolutionnaires. Il est tenu de les dénoncer dès qu'il les connaît.

10. Nul ne pourra traduire personne au tribunal révolutionnaire, si ce n'est la Convention nationale, le comité de salut public, le comité de sûreté-générale, les représentans du peuple commissaires de la Convention, et l'accusateur public du tribunal revolutionnaire.

11. Les autorités constituées en général ne pourront exercer ce droit, sans avoir prévenu le comité de salut public et le comité de sureté-générale, et obtenu leur autorisation.

12. L'accusé sera interrogé à l'audience et en public; la formalité de l'interrogatoire secret qui précède, est supprimée comme superflue; elle ne pourra avoir lieu que dans les circonstances particulières où elle serait jugée utile à la connaissance de la vérité.

13. S'il existe des preuves soit matérielles, soit morales, indépendamment de la preuve testimoniale, il ne sera point entendu de témoins, à moins que cette formalité ne paraisse nécessaire, soit pour découvrir des complices, soit pour d'autres considérations majeures d'intérêt public.

14. Dans le cas où il y aurait lieu à cette preuve, l'accusateur public fera appeler les témoins qui peuvent éclairer la justice, sans distinction de témoins à charge et à décharge.

15. Toutes les dépositions seront faites en public, et aucune déposition écrite ne sera reçue, à moins que les témoins ne soient dans l'impossibilité de se transporter au tribunal, et dans ce cas, il sera nécessaire d'une autorisation expresse des comités de salut public et de sûreté-générale.

16. La loi donne pour défenseurs aux patriotes calomniés,

des jurés patriotes; elle n'en accorde point aux conspirateurs.

17. Les débats finis, les jurés formeront leur déclaration, et les juges prononceront la peine de la manière déterminée par les lois.

Le président posera la question avec clarté, précision et simplicité. Si elle était présentée d'une manière équivoque ou inexacte, le juré pourrait demander qu'elle fût posée d'une autre manière.

18. L'accusateur public ne pourra, de sa propre autorité, renvoyer un prévenu adressé au tribunal, ou qu'il y aurait fait traduire lui-même; dans le cas où il n'y aurait pas matière à une accusation devant le tribunal, il en fera un rapport écrit et motivé à la chambre du conseil, qui prononcera. Mais aucun prévenu ne pourra être mis hors de jugement, avant que la décision de la chambre n'ait été communiquée au comité de salut public et de sûreté générale, qui l'examineront.

19. Il sera fait un registre double des personnes traduites au tribunal révolutionnaire, l'un pour l'accusateur public, et l'autre au tribunal, sur lequel seront inscrits tous les prévenus à mesure qu'ils seront traduits.

20. La Convention déroge à toutes celles des dispositions des lois précédentes qui ne concorderaient point avec le présent décret, et n'entend pas que les lois concernant l'organisation des tribunaux ordinaires, s'appliquent aux crimes de contre-révolution, et à l'action du tribunal révolutionnaire.

21. Le rapport du comité sera joint au présent décret comme instruction.

22. L'insertion du décret au Bulletin vaudra promulgation.

[*Acton*, 287; *Aulard*, 365 (*II*, 290); *C.M.H.*, 366; *Jaurès*, *VIII*, 400; *Lavisse*, *II*, 196; *Madelin*, 365 (409); *Mathiez*, *III*, 200 (492). *Text from Procès-Verbal (Convention nationale), XXXIX*, 169.]